ETHIK IM NEUEN TESTAMENT

QUAESTIONES DISPUTATAE

Herausgegeben von
KARL RAHNER UND HEINRICH SCHLIER †

Theologische Redaktion
HERBERT VORGRIMLER

Internationale Verlagsschriftleitung
ROBERT SCHERER

102

ETHIK IM NEUEN TESTAMENT

ETHIK
IM NEUEN TESTAMENT

FRANZ BÖCKLE
JOST ECKERT
WILHELM EGGER
FRANZ FURGER
PAUL HOFFMANN
GERHARD LOHFINK
RUDOLF SCHNACKENBURG
DIETER ZELLER

HERAUSGEGEBEN VON
KARL KERTELGE

HERDER
FREIBURG · BASEL · WIEN

Herstellung: Freiburger Graphische Betriebe 1984
ISBN 3-451-02102-1

Inhalt

Einführung

Die in diesem Band veröffentlichten Beiträge zur „Ethik im Neuen Testament“ gehen auf eine Tagung zurück, die die deutschsprachigen katholischen Neutestamentler vom 21. bis 25. März 1983 in Luzern zum gleichen Thema durchgeführt haben. Das Thema und die dazu vorgelegten Beiträge erfordern einige einführende Bemerkungen.

Die urchristliche Ethik hat in allen Darstellungen, die die Verkündigungsinhalte der neutestamentlichen Schriften systematisch zu erfassen suchen, ihren festen Platz – ganz gleich, ob sie mit anderen Themen verbunden oder in Form einer Einzeldarstellung erscheint[1]. Vielfach wird von den Autoren eigens vermerkt, daß von einer Ethik des Neuen Testaments selbstverständlich nicht im Sinne eines systematisch-theologischen Traktats zu sprechen sei, daß die ethischen Weisungen und Mahnungen in den neutestamentlichen Schriften selbst fragmentarisch und innerhalb ihrer jeweiligen Kontexte situationsbezogen bleiben und sich daher gegen eine an bestimmte Prinzipien und Standards gebundene Systematik sperren. Manche möchten daher lieber allgemeiner vom „Ethos“ des Neuen Testaments sprechen[2]. Sie halten eine Darstellung für angemessener, in der die ethischen Grundeinstellungen des Urchristentums entsprechend den Weisungen Jesu und den Mahnungen der Apostel zusam-

[1] Vgl. etwa die Darstellungen von *R. Bultmann,* Theologie des Neuen Testaments, Tübringen [5]1965, hier bes. 332–346 (Die Freiheit von der Sünde und der Wandel im Geist ...); 552–599 (Das Problem der christlichen Lebensführung), und von *W. Schrage,* Ethik des Neuen Testaments (NTD Ergänzungsreihe 4) (Göttingen 1982).

[2] Vgl. etwa *K. H. Schelkle,* Theologie des Neuen Testaments. III: Ethos (Düsseldorf 1970), bes. 32–35. R. Schnackenburg spricht im gleichen Sinne, aber in etwas anderer Form, im Titel seines Buches von der „sittlichen Botschaft des Neuen Testaments“ (Handbuch der Moraltheologie, Bd. 6) (München [2]1962).

mengefaßt und in ihrer grundlegenden Bedeutung für eine christliche Ethik erhellt werden. Aber auch, wenn man den nichtsystematischen Charakter des biblischen Ethos beachtet und betont, ist nicht zu übersehen, daß die sittlichen Weisungen in den neutestamentlichen Schriften in bestimmten theologischen Begründungszusammenhängen stehen und daraus auch ihre Kraft beziehen. Diesen Charakter von „Rationalität", einer biblisch-theologischen Rationalität, gilt es in einer Darstellung des neutestamentlichen Ethos herauszuarbeiten. In diesem Sinne ist dann auch von einer neutestamentlichen „Ethik" zu sprechen.

Exegetische Arbeiten zur Ethik des Neuen Testaments wenden sich in neuerer Zeit verstärkt den Grundlagenfragen zu. Nachdem lange Zeit die neutestamentlichen Weisungen und Mahnungen unter form-, traditions- und religionsgeschichtlichen Gesichtspunkten analysiert und interpretiert wurden, hat die Frage nach der *normativen Geltung* dieser Weisungen erhöhte Bedeutung erlangt. Die damit einsetzende Hinwendung zu Fragen der moraltheologischen Prinzipienlehre erfolgte nicht zuletzt unter dem Eindruck, den die Moraltheologie bei ihren Bemühungen um eine Neubegründung ihrer Disziplin im Verständnis einer normativen Ethik in der Öffentlichkeit von Kirche und Gesellschaft hervorgerufen hat. Man sprach von einer „Krise der Moral", worunter offenkundig von verschiedenen Seiten her recht Unterschiedliches verstanden wurde.

Wenn es vor diesem Hintergrund zu einem interdisziplinären Gespräch, besonders auch zwischen Moraltheologen und Neutestamentlern, gekommen ist, dann nicht deswegen, weil die Neutestamentler an die „problemlösende Kraft" ihrer Wissenschaft glaubten und diese einzusetzen vermöchten bzw. die Moraltheologen eben dies von den Exegeten erwartet hätten. Vielmehr sollten die entstehenden Fragen um die theologische Begründung sittlicher Normen besonders auch unter Berücksichtigung der exegetischen Erkenntnisse zur Entwicklung normativer Aussagen im Urchristentum angegangen werden. Die Frage nach der Verbindlichkeit sittlicher Weisungen wurde damit unmittelbar an das Neue Testament gestellt. Wieweit kann der Exeget auf diese Frage mit seinen exegetischen Möglichkeiten antworten? Angesichts der exegetisch erarbeiteten „Geschichtlichkeit" und Wandelbarkeit der urchristlichen Glaubensüberlieferung erscheint es nicht leicht, innerhalb der Glaubensüberlieferung des Neuen Testaments die Elemente des „Normativen" und des Universal-Verbindlichen in eindeutiger Präzision zu ermitteln und festzulegen. Einige Veröffentlichungen von katholischen Exegeten, insbesondere von J. Blank[3], P. Hoffmann[4], H. Schürmann[5] und R. Schnackenburg[6], haben die damit aufgegebenen Probleme verdeutlicht und Wege zu ihrer Behandlung gezeigt. Hierzu sind auch die eingehenden monographischen Untersuchungen zum Thema, entweder mehr aus exegetischer[7] oder mehr aus moraltheologischer Sicht[8], zu zählen. In der bisherigen Diskussion zeigte sich, daß die an die Exegese gerichteten Fragen nicht mit einem pauschalen Verweis auf den besonderen Charakter der neutestamentlichen Zeugnisse – entweder mehr als situationsbezogene Texte oder mehr als kanonisierte Offenbarungszeugnisse verstanden – zu erledigen sind. Vielmehr erscheint es sachlich geboten, die anstehenden Fragen unter Berücksichtigung und Anwendung der je besonderen methodischen Zugänge anzugehen und so auf eine Konvergenz der disziplingebundenen unterschiedlichen Betrachtungsweisen und ihrer Ergebnisse hinzuarbeiten. Zu den Fragen der neutestamentlichen Ethik muß sich daher der Exeget immer auch die vielfach ungeklärten systematischen Implikationen seiner eigenen Position bewußt machen lassen, wie umgekehrt der Moraltheo-

---

[3] *J. Blank,* Zum Problem „ethischer Normen" im Neuen Testament, in: Concilium 3 (1967) 356–362 (= *ders.,* Schriftauslegung in Theorie und Praxis [München 1969] 129–143).

[4] *P. Hoffmann – V. Eid,* Jesus von Nazareth und eine christliche Moral. Sittliche Perspektiven der Verkündigung Jesu (QD 66) (Freiburg i. Br. 1975).

[5] *H. Schürmann,* Die Frage nach der Verbindlichkeit neutestamentlicher Wertungen und Weisungen, in: *J. Ratzinger* (Hrsg.), Prinzipien christlicher Moral (Einsiedeln ²1975) 9–39.

[6] *R. Schnackenburg,* Neutestamentliche Ethik im Kontext heutiger Wirklichkeit, in: *H. Weber – D. Mieth* (Hrsg.), Anspruch der Wirklichkeit und christlicher Glaube. Probleme und Wege theologischer Ethik heute (FS. für A. Auer) (Düsseldorf 1980) 193–207.

[7] *H. Merklein,* Die Gottesherrschaft als Handlungsprinzip. Untersuchung zur Ethik Jesu (FzB 34) (Würzburg 1978).

[8] *R. Hasenstab,* Modelle paulinischer Ethik. Beiträge zu einem Autonomie-Modell aus paulinischem Geist (TTS 11) (Tübingen 1977); *H. Halter,* Taufe und Ethos. Paulinische Kriterien für das Proprium christlicher Moral (FThSt 106) (Freiburg i. Br. 1977); *W. Wolbert,* Ethische Argumentation und Paränese in 1 Kor 7 (Moraltheologische Studien 8) (Düsseldorf 1981).

loge der Erinnerung an die Verwurzelung des christlichen Ethos im biblisch bezeugten Glaubensgrund bedarf.

Die hier aufgezeigten Fragen und Intentionen bestimmten das Programm und die Durchführung der eingangs erwähnten Tagung. Es erwies sich als Gewinn für die anwesenden Neutestamentler, daß an der Arbeit und den Gesprächen auch einige Kollegen aus der Moraltheologie beteiligt waren, die mit ihren Beiträgen und Anfragen die bestehenden Grundprobleme der heutigen Moraltheologie deutlich machten. Die Behandlung dieser Probleme erfolgte allerdings nicht in abstrakter Verselbständigung, sondern in ständiger Vergewisserung des neutestamentlichen Textbefundes und der methodischen Möglichkeiten der Exegese. Die Referate, die bei dieser Tagung gehalten wurden und das Gespräch in Gang setzten, werden in diesem Band wegen ihres informativen Wertes gesammelt und veröffentlicht. Einige Beiträge wurden für den Druck zum Teil erheblich überarbeitet und erweitert bzw. unter Berücksichtigung der geführten Arbeitsgespräche ergänzt. Insgesamt können und sollen sie dazu helfen, das begonnene interdisziplinäre Gespräch, das sich für die beteiligten Moraltheologen und Neutestamentler als notwendig und fruchtbar erwiesen hat, in anderer Form fortzuführen und Lehrende und Lernende der Theologie mit dem heutigen Fragestand zum Thema „Ethik im Neuen Testament" vertraut zu machen.

In den hier zusammengestellten Beiträgen lassen sich drei verschiedene Themenfelder unterscheiden, die trotz ihrer thematischen Verschiedenheit aufeinander bezogen sind. Ein *erster Themenbereich* betrifft die mehr prinzipiellen Fragen der Begründung sittlicher Normen aus bzw. mit Hilfe der Hl. Schrift. In diesem Sinne suchen *Franz Furger* und *Rudolf Schnackenburg* aus den unterschiedlichen Blickrichtungen der Moraltheologie und der Exegese die Möglichkeiten zu erkunden, die das Neue Testament selbst für eine argumentative Ethik anbietet.

Im Blick auf die Bedeutung, die der Bergpredigt in der heutigen Diskussion um die konkreten Fragen einer christlichen Friedens- und Gesellschaftsethik zukommt, legte sich nahe, in einem eigenen, *zweiten Themenbereich* besonders Auslegungsfragen zur Bergpredigt zu behandeln und damit auch das Problem der Verbindlichkeit ethischer Weisungen aus der Jesusüberlieferung der Evangelien in den Blick zu rücken. Die hier vorgelegten Beiträge von *Paul Hoff-*

mann zum Gebot der Feindesliebe in der synoptischen Überlieferung, von *Wilhelm Egger* zur Auslegung der Antithesen der Bergpredigt und von *Gerhard Lohfink* zur Frage der Adressaten der Bergpredigt bewegen sich bei aller erkennbaren Unterschiedlichkeit in den thematischen und methodischen Ansätzen um diese Frage: Welche Regeln der Ausbildung von „ethischen Normen" lassen sich in der neutestamentlichen Überlieferung, insbesondere in der Bergpredigt, erkennen? Oder anders: Wieweit sind die ethisch relevanten Aussagen der neutestamentlichen Jesusüberlieferung in den Normenbildungsprozeß des Christentums eingegangen und darin wirksam geworden, und dies schon in der frühchristlichen Phase?

Zu einem *dritten Themenbereich* gruppieren sich die beiden Beiträge von *Jost Eckert* und *Dieter Zeller* zum Verständnis der ethischen Weisungen in den Briefen des Paulus im „Begründungsmodell" von Indikativ und Imperativ. Mit der Formel von „Indikativ und Imperativ" wird ein wichtiger Aspekt der neutestamentlichen Ethik angesprochen, der in allem Bemühen um eine argumentative theologische Ethik zu bedenken ist: Das Zueinander und Ineinander, aber auch die Unterschiedenheit von Gottes Handeln am Menschen und dem sittlichen Handeln des Menschen im Gegenüber zu Gott. Die beiden Beiträge zu diesem Thema, die umfangmäßig im Vergleich zum zweiten Themenbereich begrenzt bleiben, leiten dazu an, den Anteil des Paulus innerhalb der Ethik des Urchristentums auf jeden Fall mitzubedenken und nicht zu unterschätzen.

Den Abschluß dieser Sammlung bietet ein Beitrag von *Franz Böckle*, der inhaltlich dem ersten Themenbereich zuzuordnen ist, der sich aber von den beiden Referaten zur Eröffnung der Tagung abhebt – wegen seines besonderen Charakters als Rückblick auf das begonnene interdisziplinäre Gespräch und als Ausblick auf die Fortführung dieses Gesprächs angesichts der bleibenden Aufgabenstellung zu einem wichtigen theologischen Thema der Gegenwart.

Karl Kertelge

I

Ethische Argumentation und neutestamentliche Aussagen

Von Franz Furger, Luzern

Moraltheologie zwischen Paränese und Ethik

Die vom II. Vatikanischen Konzil geforderte „Vervollkommnung der Moraltheologie" verlangt, daß diese „reicher genährt aus der Lehre der Schrift in wissenschaftlicher Darlegung die Erhabenheit der Berufung der Gläubigen und ihre Verpflichtung, in der Liebe Frucht zu tragen für das Leben der Welt, erhellen soll" (Optatam totius 16). Damit wird einerseits negativ ein Ungenügen der bisher weitgehend üblichen, den juristischen Denkmethoden verpflichteten, neuscholastisch rationalistischen Naturrechtskasuistik festgestellt, andererseits Moraltheologie aber auch positiv in einen heilsgeschichtlichen Kontext verwiesen[1]. Darüber hinaus aber signalisiert dieser Satz, der erst auf Antrag der Konzilsväter Eingang in das Dekret gefunden hat, wenigstens implizit in seiner Doppelforderung nach biblischer Verwurzelung und wissenschaftlicher Begründung ein zentrales Problem christlich theologischer Ethik, dessen Tragweite in der nachkonziliaren Erneuerung der Moraltheologie zwar nicht völlig neu, aber doch besonders drängend bewußt geworden ist.

Denn einerseits liegt das Erstinteresse biblischer Aussagen nicht auf ethischer Ebene: Nicht das Verhalten des Menschen, sondern

---

[1] Vgl. dazu den Kommentar von *J. Neuner* in: Das Zweite Vatikanische Konzil II (LThK²) (Freiburg i. Br. 1967) 345 mit Verweis auf *V. Redlich* (Hrsg.), Moralprobleme im Umbruch der Zeit (München 1957) und *B. Häring*, Moralverkündigung nach dem Konzil (Bergen-Enkheim 1966). Für eine Übersicht zu den Auswirkungen dieser Impulse vgl. *E. Hamel*, Écriture et théologie morale. Un bilan (1940–1980), in: StMor 20 (1982) 177–193. – Mit diesem Auftrag distanzierte sich das Konzil zugleich von einem ursprünglich vorgesehenen Schema (=Vorlage) „de ordine morali", das aber nie zur Diskussion kam. Vgl. dazu *K. Golser*, Gewissen und objektive Sittenordnung (Wien 1975).

die Heilszusage Gottes an den Menschen steht in ihrem Mittelpunkt, so sehr diese Zuwendung Gottes dann auch ihre Konsequenzen für das Handeln des Menschen zeitigt. Von diesen ethischen Konsequenzen wird jedoch in den biblischen Schriften kaum je systematisch gehandelt. Vielmehr kommen sie aus gegebenem Anlaß, meist konkret situationsbezogen zur Sprache, wobei es zudem vor allem um das ermahnende oder aufmunternde Erinnern an eigentlich längst bekannte und anerkannte Verpflichtungen geht und nicht um ein begründendes Einsichtig-Machen solcher Verpflichtungen; d.h. es geht in der Schrift im wesentlichen, obwohl beileibe nicht ausschließlich, um Paränese und nicht im strengen Sinn des Wortes um Ethik, und zwar selbst dort noch, wo die Exegese in einer ethisch zwar ungemein mißverständlichen Formulierung von einem Übergang von „Indikativ zu Imperativ" redet: Da der heilsgeschichtliche Indikativ, um den allein es hier geht, je schon eine Wertung enthält, über welche man sich im Glauben gegenseitig einig ist, steht die Darlegung des daraus folgenden Imperativs ebenfalls im Zeichen der Paränese und nicht in jenem der Ethik, der es darum gehen müßte, die vorausgesetzte Wertung plausibel zu begründen[2].

Unter diesen Voraussetzungen verlangt somit die Forderung nach einer biblisch „genährten" und doch wissenschaftlich verantworteten Moraltheologie diese beiden verschiedenen und doch wechselseitig aufeinander bezogenen Sprachspiele zu unterscheiden und zu klären, wobei solche Klärung nicht nur aus einem methodologischen Interesse erfolgt, sondern mehr noch aus dem christlicher Moraltheologie wesentlichen Verkündigungsauftrag, der stets eine doppelte Zielrichtung hat. Denn einerseits soll sie paränetisch innerhalb der Christengemeinschaft die aus dem Glauben sich ergebenden Verhaltenskonsequenzen erläutern und klären, andererseits aber soll sie für diese Konsequenzen dem kritisch denkenden Gläubigen, wie dem menschlich engagierten Außenstehenden (den sog.

---

[2] Vgl. dazu *B. Schüller,* Der menschliche Mensch (Düsseldorf 1982) 5ff, sowie bes. *W. Wolbert,* Ethische Argumentation und Paränese in 1 Kor 7 (Düsseldorf 1981), und *ders.,* Vorbild und paränetische Autorität, in: MThZ 32 (1981) 249–270. – Der Begriff „Paränese" folgt hier ausdrücklich dem heute in der Moraltheologie zumeist üblichen Sprachgebrauch für eine einen allgemeinen Wertkonsens voraussetzende Mahnrede und geht auf die im Anschluß an M. Dibelius erfolgte exegetische Diskussion um Paränese und Paraklese nicht ein (vgl. auch den Beitrag von R. Schnackenburg in diesem Band).

„Menschen guten Willens“) als Ethik die plausible Begründung liefern und so aufzeigen, wie der christliche sittliche Anspruch, weit davon entfernt, ein „sacrificium intellectus practici“ zu sein, gerade auf Erfüllung von Menschsein hinzielt.

Moraltheologie als theologische Ethik

Wenn Moraltheologie sich somit keinesfalls in Paränese erschöpft, dann wird sie, so wichtig diese Hinweise auf den gelebten Vollzug als Wesenselement christlicher Glaubensverwirklichung auch sind und so sehr dieser Vollzug seit eh und je seitens einer bequemeren, bloß kultischen Glaubenspraxis auch stets gefährdet war (vgl. 1 Joh 4,20, Jak 2,17), sich auch nicht mit einer aktualisierenden Übernahme biblischer Ermahnungen und Vorbilder im paränetischen Appell (wie beispielsweise in Aufrufen zu einem neuen anspruchsloseren Lebensstil mit Hinweis auf die einfache Lebensweise Jesu und seiner Jünger) begnügen können. Vielmehr hat sie für solche konkrete Forderungen prinzipielle Begründungen in innerlich konsequenter Argumentation aufzuweisen. Dabei steht sie stets unter einem doppelten Anspruch, nämlich einerseits sich für eine bestimmte Handlungsnormierung in sich wie in den zu erwartenden Folgen auf ein in seiner Wertbedeutung verantwortetes Prinzip plausibel berufen zu können und andererseits dieses Prinzip als der neutestamentlichen Heilsverkündigung angemessenes ausweisen zu müssen. Fehlt eines dieser beiden Elemente, so reduziert sich Moraltheologie entweder auf eine zwar zum Christlichen deshalb nicht etwa widersprüchliche, aber doch rein humane Ethik, oder sie verfällt in eine Lebensfrömmigkeit, die für die Folgen ihrer Handlungen nicht mehr unbedingt geradestehen kann.

Der Moraltheologe mag dann im Bemühen um eine argumentativ saubere Begründung seiner normativen Aussagen, ohne die sittlich einfordernde Werturteile auch in der christlichen Gemeinschaft, geschweige denn zu einem christlich verantworteten Einstehen für die Würde des Menschen in der pluralistischen Weltgestalt, nicht vertreten werden können, gelegentlich dazu neigen, sich die Rückbindung seiner Prinzipien und Argumente in den Kontext der neutestamentlichen Botschaft nicht immer ausreichend gegenwärtig zu halten. Dennoch stellen Sätze wie der des protestantischen Ethikers Hans

Biesenbach, eine theologische Wertung der Methodenkritik der analytischen Ethik widerstrebe ihm aus wissenschaftstheoretischem und theologischem Selbstverständnis[3], eine ausgesprochene Ausnahme dar. Denn auch wo man von Moraltheologie als einer „autonomen Ethik im Kontext des Glaubens" redet[4], soll dieser Rückbezug keinesfalls ausgeschlossen sein. So waren es denn gerade auch Moraltheologen, welche der biblischen Rückbindung christlicher Ethik ausführliche Studien widmeten[5]. Dennoch wird es nicht genügen, sich im Sinn dieser Studien schöpfungstheologisch und pneumatologisch der prinzipiellen christlichen Berechtigung solcher Autonomie versichert zu haben, um dann unter Berücksichtigung der aktuellen humanwissenschaftlichen Erkenntnisse die menschlich bestmögliche Lösung unter der anerkannten Zielsetzung des Liebesgebotes und der darin enthaltenen vollmenschlichen Entfaltung als christlich sittlich geforderte zu legitimieren[6]. Vielmehr gälte es, nach Möglichkeit – freilich unter Kenntnis des damaligen soziologischen Kontextes – jeweils die Analogie zu neutestamentlichen Lösungsmodellen zu suchen, um so die für die aktuelle Problemstellung im Licht der christlichen Prinzipien ins Auge gefaßte Lösung nochmals einer konkreteren kritischen Prüfung unterziehen zu können. Obwohl die für eine solche Nachkontrolle unerläßlichen zeitgenössischen gesellschaftlichen Hintergrundinformationen exegetisch dem Ethiker oft noch wenig greifbar sind[7], bleibt eine solche kon-

---

[3] Vgl. *H. Biesenbach,* Zur Logik der moralischen Argumentation (Düsseldorf 1982) 13 (es handelt sich um eine Dissertation an der Evang.-Theol. Fakultät Tübingen).

[4] So im Anschluß an *A. Auer,* Autonome Moral und christlicher Glaube (Düsseldorf 1971) zahlreiche Moraltheologen, vorab im deutschen Sprachraum.

[5] Man denke nur etwa an *T. Herr,* Naturrecht aus der kritischen Sicht des Neuen Testaments (Paderborn 1976), sowie an die Arbeiten zur paulinischen Theologie von *H. Halter,* Taufe und Ethos – Paulinische Kriterien für das Proprium christlicher Moral (Freiburg i. Br. 1977), oder *R. Hasenstab,* Modelle paulinischer Ethik – Beiträge zum Autonomie-Modell aus paulinischer Sicht (Mainz 1977).

[6] In diesem Sinn scheinen mir gewisse Entwürfe zur Sexual- oder Strafrechts-Ethik zu kurz zu greifen, so z. B. *A. Holderegger,* Ehe und Familie in Gesellschaft und Kirche (Materialien zur Seelsorger-Fortbildung) (Solothurn – Chur 1982), bzw. *A. Bondolfi,* La pena, tradizioni, legitimazioni e prospettive etiche, in: RTM 13 (1981) 213–226.

[7] Wenn auch aus dem alttestamentlichen Bereich, so ist für eine solche Nachkontrolle mustergültig: *W. Schottroff,* Zur Sozialgeschichte Israels in der Perserzeit, in: VF 27 (1982) 46–68, sowie die einschlägigen neutestamentlichen Arbeiten von *G. Theißen* (vgl. Anm. 24). Näher diskutiert zu werden verdienten in diesem Zusammenhang aber wohl auch gewisse Ansätze einer sog. „lecture marxiste" des Neuen Testaments.

krete Überprüfung m.E. moraltheologisch ein dringendes Desiderat, zu dessen Erfüllung die Hilfe der Exegese unerläßlich bleibt.

Wenn aber unter dem doppelten Anspruch von Verwurzelung in der Schrift und wissenschaftlicher Stringenz der Moraltheologe, gerade auch angesichts der zeitgenössischen Herausforderung der kritischen analytischen Ethik, so dazu neigt, sein Augenmerk besonders der zweiten Forderung zuzuwenden, so ist er für die Berücksichtigung des ersten Anliegens darauf angewiesen, daß seitens der Bibelwissenschaft der Zugang zu diesen Wurzeln adäquat erschlossen wird.

Dazu ist es jedoch unerläßlich, daß die erwähnte Unterscheidung zwischen Paränese und Ethik sorgfältig beachtet wird, wobei zu bedenken bleibt, daß die biblische, vor allem die neutestamentliche, Ethik zum weitaus größten Teil Paränese ist. Dies erklärt, wie B. Schüller einmal unter Verweis auf Arbeiten von E. Neuhäusler, K. H. Schelkle, H. Schlier und W. Schrage festhält[8], „wieso Exegeten ausführliche und vorzügliche Arbeiten zur neutestamentlichen Ethik schreiben können, ohne daß sie sich irgendwann genötigt sehen, die eigentümliche Fragestellung und Problematik einer normativen Ethik ausdrücklich zu formulieren". Aufruf zur Umkehr und darin Klärung und Verstärkung sittlicher Motivation, Ermunterung zum Guten wie zur Tugend als dessen sichere Erkenntnis und Vollzug bzw. Ermahnung vor dem Bösen und so vor dem Laster und seinen Folgen gehören berechtigterweise zum Gehalt des paränetischen „Sprachspiels", das dabei aber nicht übersehen darf, daß über die Beurteilung der auf dem Spiel stehenden sittlichen Werte, also über sittliche Richtigkeit oder Falschheit Übereinstimmung vorausgesetzt, eine ethische Begründung also für die Praxis nicht weiter nötig ist. So ist es etwa, wie Schüller zu Recht bemerkt, paränetisch richtig, die Unauflöslichkeit der Ehe mit dem Hinweis auf die Forderung nach mitmenschlicher Treue zu untermauern, vorausgesetzt, daß der sittliche Wert der Unauflöslichkeit schon unbezweifelt feststeht oder zuvor (z.B. unter Hinweis auf die Menschlichkeit zerstörenden Folgen und damit auf die Mißachtung des Prinzips der Mitmenschlichkeit) begründet wurde. Eben diese Begründung aber ist die von der neutestamentlichen Verkündigung meist als gelöst

---

[8] *B. Schüller,* Der menschliche Mensch 17.

vorausgesetzte Aufgabe der Ethik im strikten Sinn des Wortes, die damit freilich nicht mehr oder etwas Bedeutsameres ist als die Paränese, wohl aber im Dienst an der praktischen Verkündigung der sittlichen Botschaft des Evangeliums eine ebenso entscheidend nötige Demarche theologischer Reflexion darstellt.

Paränese wird so in Stil und Argument die im Glauben zwar grundsätzlich je schon vorgegebene und so auch anerkannte Verbundenheit der von Gott dem Menschen zugesagten Heilswirklichkeit mit der im Lebensvollzug des Menschen zu gebenden Antwort herausstellen oder erläutern und darin ein spezifisch christliches Gepräge allenfalls in einer je nach Gemeindecharakteristik verschiedenen Schattierung aufweisen, wie dies etwa an den Unterschieden in der Argumentationsweise für Juden- bzw. für Heidenchristen deutlich wird. Solche Rede ist situationsbezogen und als solche nicht nur in der exegetischen Untersuchung situierbar, sondern zu ihrem angemessenen Verständnis auch so zu situieren. Etwas anderes versucht dagegen die nach der sittlichen Richtigkeit und ihrer Begründung fragende Ethik: Sie will die im Glauben vorausgesetzten Werturteile vor der Ratio verantworten und sie damit vor dem „sacrificium intellectus practici", konkreter vor dem im Religiösen stets möglichen blinden Fanatismus, sichern[9].

Dabei wird in einer solchen ethischen Begründung sittlicher Richtigkeit konkreter Werturteile bzw. in der Abwägung der in konkreter Entscheidungssituation auf dem Spiel stehenden Werte stets auf grundlegendere Prinzipien als Kriterien zurückgeschlossen, um die optimale Verwirklichung solcher Grundwerte in konkreten Handlungen bzw. der diese regelnden Normen zu gewährleisten. Das heißt, es geht hier zwar auch um konkreten Vollzug in geschichtlichen Zusammenhängen, aber dieser wird nicht als solcher, sondern hinsichtlich seiner inneren, ethisch logischen Konsistenz im Ver-

[9] Daß aller geschichtlichen Erfahrung nach dies für die neutestamentliche Paränese an sich (wohl aber oft genug für deren christliche Interpretation im Verlauf der Geschichte) keiner Notwendigkeit entspricht, steht dabei prinzipiell fundamental-moraltheologisch keineswegs gegen diese denkerisch wichtige Demarche. Vgl. dazu die methodisch-ethisch sorgfältige Studie zur Gewaltlosigkeits-Paränese von *W. Wolbert*, Bergpredigt und Gewaltlosigkeit, in: ThPh 57 (1982) 498–525, sowie die faktisch ebenfalls den paränetischen Charakter aufzeigende Studie von *R. Schnackenburg*, Die Seligpreisung der Friedensstifer (Mt 5,9) im matthäischen Kontext, in: BZ 26 (1982) 161–178.

gleich zu den als grundlegend geltenden Prinzipien untersucht. So wichtig in diesem ethischen Begründungsverfahren nun aber das konkrete argumentative Vorgehen bei einer sauberen Güterabwägung und die dabei verwendeten logischen Denkfiguren auch sind[10], entscheidender ist für jede Ethik, und für eine christliche ganz besonders, die Frage nach Herkunft und Begründung der grundlegenden Leitprinzipien, d.h. die Frage nach deren neutestamentlichen „Originalität" im doppelten Wortsinn von Verwurzelung und Eigenart. An dieser Frage wird sich somit in erster Linie das Zusammenspiel von Bibelwissenschaft und Moraltheologie zu bewähren haben. Dabei steht nicht etwa der bestimmende Einfluß der im Neuen Testament bezeugten Botschaft Jesu für jede christliche Moraltheologie zur Debatte. Dieser ist selbstverständlich vorausgesetzt. Vielmehr geht es um das Problem einer für das exegetische Fragen nach Ethik vorauszusetzenden Hermeneutik, die wohl nur dann zu auch ethisch gültigen Antworten führen kann, wenn sie den methodischen Ansprüchen ethischer Redelogik ebenfalls zu genügen vermag.

Das Problem der genuinen Leitprinzipien christlich theologischer Ethik

Methodologisch gilt es hinsichtlich solcher ethischer Grund- oder Leitprinzipien ganz allgemein festzuhalten, daß sie als fundamentale Werturteile sich keinesfalls aus Tatsachenurteilen ableiten lassen, das heißt, daß sie in jedem Fall über alle Feststellungen hinaus stets ein optimales Element der personalen und so nicht weiter hinterfragbaren, sondern zu bezeugenden Wertannahme enthalten. Alles andere käme einem sogenannten „naturalistischen Trugschluß" gleich, der als sogenannter Naturalismus immer der ideologisierenden Festschreibung des Bestehenden als Gültigem verfällt und darin erst noch, wie etwa im Fall des pragmatischen Utilitarismus, implizit doch ein durch die Tatsachen als solche nicht gerechtfertigtes Werturteil der Selbstbeschränkung auf das empirisch Feststellbare setzt.

---

[10] Für einschlägige Rückfragen an den Exegeten seitens des Logikers, wenn auch bezüglich eines etwas anders gelagerten Zusammenhangs vgl. *T. G. Bucher,* Die logische Argumentation in 1 Kor 15,12–20, in: BZ 55 (1974) 465–468.

Rein formal betrachtet bleibt dabei, sofern die ethische Argumentation von da aus kohärent durchgezogen wird, die Frage nach dem Gehalt eines solchen grundlegenden Leitprinzips durchaus offen, das heißt, er ist in keiner Weise zwingend vorgegeben: Vielmehr hängt er ab von der Sinndimension, welche der Mensch seiner Existenz zumißt; er ist also bedingt durch die der ethischen Rechtfertigung voraufgehende, weltanschauliche Glaubensoption[11]. So ist es konsequent, wenn die Negation jeden Existenzsinnes für die menschliche Freiheit bei J. P. Sartre eine Ethik der vollständigen Entscheidungswillkür nach sich zieht oder ein unbedingtes Übermensch-Ideal im Gefolge von F. Nietzsche eine Ethik konsequenter Rücksichtslosigkeit für den Stärkeren zeitigt. Entsprechend muß, wer empiristisch nur der konkreten Erfahrung Wahrheitsgehalt zuzumessen bereit ist, ethisch konsequenterweise einem Pragmatismus das Wort reden, in dem keine unbedingten Werte wegweisend sein können, genauso wie umgekehrt der kategorische Imperativ Kants, den Mitmenschen nie bloß als Mittel zu gebrauchen, sondern stets auch als (Selbst-)Zweck zu achten, nur unter der Voraussetzung der Anerkennung der gleichen Würde aller Menschen als sittlich-gültig angenommen werden kann.

Wenn daher der christliche Ethiker sich für die Umschreibung der für die Begründung seiner ethischen Urteile verbindlichen Grundprinzipien auf seinen Glauben und die diesen bestimmende neutestamentliche Botschaft beruft, dann sprengt er damit in keiner Weise die dem ethischen Diskurs inhärente Logik. Der bewußte Rekurs auf eine die fundamentale Wertsetzung ermöglichende Weltanschauung ist im Gegenteil gerade das, was eine ideologiekritische Ethik und Moraltheologie auszeichnet. Über diesen formalen, gerade in der neueren analytisch-metaethischen Diskussion wieder deutlich herausgestellten Gesichtspunkt[12] hinaus gilt es nun aber auch inhaltlich von der christlichen Offenbarung in Jesus dem Chri-

---

[11] Vgl. Näheres dazu *F. Furger*, Objektivität und Verbindlichkeit sittlicher Urteile, in: *W. Kerber* (Hrsg.), Sittliche Normen (Düsseldorf 1982) 13–32, sowie *ders.*, Gibt es Ethik ohne Gott, in: Theologische Berichte (Zürich 1983).

[12] Ohne das Problem eigens zu thematisieren, wußte freilich schon die Hochscholastik um diese optionale Erweiterung von Tatsachen- zu Werturteilen, wenn sie als Sentenz betonte, daß der intellectus speculativus erst „extensione" zum intellectus practicus werde.

stus her dieses Prinzip zu umschreiben. Auch hier aber gilt es erneut, darauf zu achten, daß es nicht bloß in einem paränetischen, sondern in begründend ethischem Sinn gefaßt wird. Auch ist ein solches Handlungsprinzip sorgfältig zu unterscheiden von einem in der gnadenhaften Heilszusage Gottes dem Menschen zugesagten Ermöglichungsprinzip, das nicht Normen und Entscheide begründet, sondern den Menschen als Handelnden in seinem Sein bestimmt, was in einer Motivations- und Tugendlehre zu bedenken wäre, während eine Vermischung der beiden fast notwendig in Widersprüche führt.

Im genannten Bemühen, Moraltheologie auch als christliche normbegründende Reflexion wieder deutlicher von der biblischen Botschaft her zu verstehen, wurden in diesem Sinn verschiedene Vorschläge für solche Handlungs- oder „Moralprinzipien“[13] gemacht, wobei wohl drei vor allem die Aufmerksamkeit besonders auf sich zogen: Einmal das vor allem von exegetischen Arbeiten herausgestellte Prinzip des Aufbaus des Gottesreiches bzw. der Gottesherrschaft, dann aber auch das in der spirituellen Tradition der Christenheit besonders oft genannte Prinzip der Nachfolge Christi bzw. der Kreuzesnachfolge, aber auch immer wieder das Doppelgebot der Gottes- und Nächstenliebe[14]. Eher sporadisch werden das stete Streben nach Vollkommenheit (dies vor allem in einer gewissen Ordensspiritualität) sowie Gewaltlosigkeit und parteiliche Solidarität mit den Armen (so vor allem im Bereich der Befreiungstheologie) genannt. In allen diesen verschiedenen Ansätzen sind jedoch schon grundsätzlich wertende Vorentscheide enthalten, die, obwohl nicht genannt und, wie die eben genannten Beispiele deutlich machen, keineswegs selbstverständlich, doch je schon implizit als angenommen gelten: Nämlich, daß menschliche Existenz als gemeinschaftlich mitmenschliche als sinnvoll zu verstehen und entsprechend im Lebensvollzug zu achten und zu schützen ist, wobei jeder einzelne

---

[13] Vgl. dazu als knappen Überblick: *E. Ermecke,* Moralprinzipien, in: LThK[2] VII, 602–604.

[14] Als Übersichten für die Begründung dieser Ansätze sei verwiesen auf: *H. Merklein,* Die Gottesherrschaft als Handlungsprinzip (Würzburg 1978), *R. Hofmann,* Moraltheologische Erkenntnis- und Methodenlehre (München 1963), bes. 246–252 (wo vor allem der von F. Tillmann stammende Ansatz der Nachfolge bedacht wird) bzw. für beide Ansätze: *R. Schnackenburg,* Gottes Herrschaft und Reich (Freiburg i. Br. [4]1965), sowie *G. Gilleman,* Le primat de la charité en théologie morale (Paris – Tournai 1954).

Mensch als ein von Gott geliebtes Geschöpf in seiner Würde prinzipiell gleich zu gelten hat und entsprechend zu achten ist. Mitmenschlichkeit in Gerechtigkeit als das Prinzip jedes ethischen Humanismus hat in einer christlichen Prinzipoption daher als zwar für das Christliche noch nicht hinreichende, aber doch unerläßliche Voraussetzung zu gelten.

Trotz dieser Voraussetzung und obwohl alle diese eben genannten Ansätze sich auf neutestamentliche Aussagen berufen können, sind sie dennoch längst nicht alle im ethischen Sinn in gleicher Weise als begründende Handlungsprinzipien geeignet, sei es, daß sie bloß appellativ, also in einer letztlich prophetischen Sprechweise (und somit erneut paränetisch) die im Glauben je schon angenommene Heilswirklichkeit in ihrer fordernden Dimension (d.h. den Imperativ im sogenannten „Heilsinfinitiv" [15]) herausstellen und so die entsprechenden Motivationen in Erinnerung rufen, sei es, daß sie mangels eines konkreten Inhalts als Bemessensgrund für die sittliche Wichtigkeit von konkreter Güterabwägung nicht brauchbar sind, sei es schließlich, daß sie situativ für Einzelentscheidungen oder epochal für bestimmte Zeitumstände zwar tauglich sind, aber keine Generalisierung zulassen und so auch als Grundprinzip nicht in Frage kommen.

Letzteres muß etwa für die der Befreiungstheologie nahestehenden, epochal sicher ernstzunehmenden Vorschläge einer besonderen Parteilichkeit mit den Armen festgehalten werden, die zwar als Optimierungsgesichtspunkte beherzigenswert sind, nicht aber zu allgemeingültigen Richtprinzipien generalisiert werden können, weil sie konsequent durchgeführt dem vorausgesetzten humanitären Prinzip von Mitmenschlichkeit und Gerechtigkeit unter Umständen zu widersprechen beginnen können. Für das Prinzip der Christusnachfolge dagegen stellt sich diese Schwierigkeit nicht, da Verhalten und Weisung Jesu ja gerade darauf angelegt sind, vor allem auch dem Schwachen und Hilflosen zu seinem Recht zu verhelfen und dafür, bei aller sonstigen Bejahung auch gesetzlicher Normen, den Geset-

---

[15] Vgl. dazu z.B. die Parallele von „in der Wahrheit sein" und „die Wahrheit tun" bei Johannes gemäß den Ausführungen von *E. Ruckstuhl,* Das Verhältnis von Heilswirklichkeit und christlichem Handeln im Johanneischen Schrifttum (Luzern 1977 [Manuskript]), wobei die hier vorgetragenen Gedanken nicht nur dieser Schrift, sondern allgemein dem Gespräch mit ihrem Verfasser vieles verdanken.

zesbuchstaben unter Umständen hintanzustellen, ja in dieser Mitmenschlichkeit sogar das eigene Wohl und Leben einzusetzen. Insofern könnte also dem Nachfolge-Prinzip, das ja nicht als Autoritäts-, sondern als ein Lehrer- und Vorbildprinzip zu fassen ist, durchaus die Funktion eines allgemeinen Handlungsprinzips für eine christliche Ethik zukommen. Allerdings kann es angesichts der kulturellen und epochalen Abstände zwischen der Lebenswelt Jesu und den Lebensumständen der Christen späterer Generationen keine direkten Anwendungen auf deren Situationen ermöglichen helfen. Das Prinzip bedarf also, wie die soeben genannte Präzisierung ebenfalls zeigt, einer genaueren inhaltlich-begrifflich (und nicht bloß emotional) faßbaren Umschreibung hinsichtlich einer umfassenden Mitmenschlichkeit, die damit natürlich selber zum eigentlichen Prinzip wird und seitens des Moraltheologen die Frage aufwirft, ob sich dann nicht das umfassende Liebesgebot Jesu als das universale Handlungsprinzip aufdränge[16] und sich als solches auch vom neutestamentlichen Textbefund her rechtfertigen lasse.

Dennoch scheinen Exegeten, wo sie sich mit Fragen der Begründung einer neutestamentlichen Ethik befassen, eher vom Konzept der Gottesherrschaft her nach einem umfassenden Handlungsprinzip zu suchen. So sehr dieses Konzept nun aber in der ursprünglichen Verkündigung Jesu selber verwurzelt ist, stellt sich, übrigens schon im zeitgenössischen Kontext, auch hier sogleich die Frage nach der genaueren inhaltlichen Präzisierung, in welcher z. B. utopisch-innerweltlich politische Interpretationen von Jesus selber gleich zu Beginn schon zurückgewiesen werden mußten. Damit ist aber auch hier ethisch nicht mehr eigentlich die Gottesherrschaft als solche, sondern das, was sie inhaltlich genauer definiert, Handlungsprinzip, wobei der Begriff vom Gottesreich dann dessen Bedeutung auf der Glaubensebene der endzeitlichen Erfüllung und damit der letzten Motivation, also erneut paränetisch umschreibt, aber noch nicht ein ethisches, d. h. normativ begründbares, Prinzip abgibt.

---

[16] Vgl. für diese Sicht auch die allgemeinen Überlegungen zur Grundlegung einer Moraltheologie in *F. Furger,* Anspruch Christi und Handeln des Menschen (Freiburg [Schweiz] 1972). In diesem Prinzip ließe sich dann auch Gottesherrschaft formal ethisch richtig verstehen. Vgl. dazu auch *W. Pannenberg,* Das Problem einer Begründung der Ethik, in: Theologie und Reich Gottes (Gütersloh 1971) 63–78.

Wo dieser Unterschied nicht oder ungenügend beachtet wird, leidet nicht nur die methodische Exaktheit, sondern auch die ethischen Folgerungen werden leicht unhaltbar, weil widersprüchlich zur vorausgesetzten Mitmenschlichkeit. Auch exegetisch begründete Handlungsprinzipien aber müssen, sollen sie moraltheologisch relevant bleiben, ethischer Logik konform sein, das heißt, wenn sie nicht die biblische Ethik nur als über ein „sacrificium intellectus practici" zugänglich erweisen wollen. Als besonders bedenkenswert erscheint mir in diesem Zusammenhang das, was ich als „situationsethischen Engpaß" bezeichnen möchte.

Der situationsethische Engpaß

Wenn das Gottesherrschaft-Prinzip einer Ethik Jesu aus exegetischer Sicht umschrieben werden kann als „Konsequenz und Implikation seiner eschatologischen Botschaft", die „den Menschen formal zu einem neuen Handeln provoziert und zugleich das provozierte Handeln auch inhaltlich in ganz bestimmter Weise festlegt" [17], dann kommt alles darauf an, diese inhaltliche Komponente genau zu umschreiben, und zwar in der heilsgeschichtlichen Erlösungsdimension wie hinsichtlich ihres ethischen Gehalts. Dabei bedingt die gnadenhafte, „radikale Zuwendung des (jetzt) eschatologisch handelnden Gottes" die Ermöglichung jener Existenzveränderung im Menschen, welche im Sinn von Metanoia als Abkehr von Sünde (d. h. von ich-bezogener Gottferne) zu umschreiben ist. Ethisch gesehen handelt es sich bei dieser soteriologisch inhaltlichen Umschreibung aber noch immer um eine formale Aussage, welche die Ermöglichung zu ethischem Handlungsvollzug im Sinn und Geist Jesu radikal erschließt. Ethisch gilt es deshalb darüber hinaus zu klären, was denn hier als radikale Forderung ermöglicht werden kann.

Aus exegetischer Sicht wurde dafür nun beispielsweise im Anschluß an das Nachfolgewort Jesu, doch die „Toten ihre Toten begraben zu lassen" (Mt 8,21 par), etwa gefolgert, daß die Proklamation des Gottesreiches „im Einzelfall auch einmal radikale Rück-

---

[17] So *H. Merklein,* a.a.O. 15.

sichtslosigkeit fordern könne, wo sie im Normalfall radikale Rücksicht und radikale Zuwendung aus sich entlasse", und zwar so, daß sie, obwohl gerade auch in der zeitlichen Distanz von Jesus die Feststellung solcher Einzelfälle ein Problem darstelle, die je mit humaner Rationalität motivierte Hinwendung zum Menschen bei weitem übertreffe[18]. Oder es wird aus der ebenfalls radikalen Umschreibung des Christseins bei Paulus „alles ist euer, ihr aber seid Christi" (1 Kor 3,22f) gefolgert, daß dies auch für das sexuelle Verhalten des Christen seine Gültigkeit habe und daher jeder Christ sich eben selber prüfen müsse, „ob er es mit gutem Gewissen mit seiner Zugehörigkeit zu Christus vereinbaren kann, sich als nicht Verheirateter mit einem andern sexuell zu verbinden"[19].

Nimmt man diese aus paränetisch prophetischen Aussagen nun ethisch gezogenen Schlußfolgerungen aber beim Wort, dann heißt dies, daß man für die allgemeinen Normalfälle des zwischenmenschlichen Lebens zwar mit gewissen Regeln rationaler Humanität zu rechnen habe, daß aber in der Radikalität des Evangeliums mit „rücksichtslosen Ausnahmen", und das heißt unter Umständen auch mit der schieren Unmenschlichkeit, zu rechnen sei. Die Radikalität des Evangeliums würde somit vom Glauben her eine radikale Situationsethik fordern, die zwischen der von Gott als Schöpfer gewollten Mitmenschlichkeit und Rücksicht und seiner im Evangelium geforderten Radikalität, bzw. zwischen Gott dem Schöpfer und Gott dem unbedingt Fordernden im Sinn eines nominalistischen Voluntarismus, einen möglichen Bruch zuläßt. Dies aber bedeutet letztlich in dieser inhärenten Widersprüchlichkeit ein „sacrificium intellectus practici", also das, was die theologische Tradition wie das Lehramt der Kirche stets als mit dem christlichen Glauben unvereinbar abgelehnt haben[20].

Zwar gibt es theologische Traditionen, die trotz dieser Bedenken sich wirklich christliches Ethos nur im Zeichen dieses Widerspruchs

---

[18] Ebd. 294 und 296, sowie kritisch dazu *F. Furger*, Exegese und Ethik, in: SKZ 148 (1980) 66–67 aus ethischer und *J. Blank* in: BZ 26 (1982) 297–302 aus exegetischer Sicht, sowie sachlich analog: *P. Hoffmann – V. Eid*, Jesus von Nazareth und eine christliche Moral, sittliche Perspektiven einer christlichen Moral (Freiburg i. Br. 1975) und unter etwas anderem Gesichtspunkt auch *G. Dautzenberg* (vgl. unten Anm. 30).

[19] So *G. Friedrich*, Sexualität und Ehe. Rückfragen an das Neue Testament (Stuttgart 1977).

[20] Vgl. zur ganzen Diskussion um die Problematik der Situationsethik im Rahmen der

denken konnten und diesen wie etwa Sören Kierkegaard geradezu als das Charakteristikum des „religiösen" Menschen ansahen[21]. Aber auch K. Barth und die Vertreter der dialektischen Theologie[22], ja letztlich schon der in der spätmittelalterlichen Tradition der nominalistischen Theologie stehende Martin Luther vertreten von ihrem Menschenbild bzw. ihrer Rechtfertigungslehre her analog eine solche Situationsethik, die im Grunde die Aufhebung von Ethik in eine hier allerdings vom Glauben her motivierte Beliebigkeit darstellt. Die Ursache für die situationsethische Interpretation scheint hier also eher in einer dogmatisch bedingten, hermeneutischen Vorentscheidung zu liegen als vom Text selber her sich aufzudrängen. Damit aber stellt sich seitens der Moraltheologie die Frage, ob diese dezisionistischen Schlußfolgerungen bibelwissenschaftlich wirklich zwingend sind bzw. ob nicht auch ein anderer Ansatz biblisch begründeten Ethos' sich erschließen läßt[23].

Moraltheologie aus biblischem Ansatz

Wenn der Moraltheologe diesen situationsethischen Konsequenzen nicht zu folgen vermag, dann geschieht dies nicht einfach, um seine Disziplin als ethische und d.h. als rational vertretbare (was nicht heißt, als stringent beweisbare) zu retten, sondern weil folgende Gründe dagegen zu sprechen scheinen:

Zwar konnte das angeführte Beispiel, doch die Toten ihre Toten begraben zu lassen, das also um der sofortigen Nachfolge Christi willen fordert, von der Pietätspflicht, die etwa dem berufenen Elischa noch erlaubte, sich von seinen Eltern zu verabschieden (vgl.

Erneuerung der Moraltheologie in der Zeit vor dem II. Vatikanum: *F. Furger,* Gewissen und Klugheit (Luzern 1965).

[21] Vgl. dazu vor allem dessen Schrift „Furcht und Zittern" von 1843, in welcher die Forderung des Isaakopfers thematisiert wird.

[22] Man vergleiche dazu etwa K. Barths Stellungnahme zum Schwangerschaftsabbruch: „Sagen wir es offen heraus, es gibt Situationen, in denen die Tötung keimenden Lebens nicht Mord, sondern geboten ist" (KD III/4, 480), eine Aussage, die in dieser Verallgemeinerung auch beim damaligen Ethiker-Kollegen Barths, H. v. Oyen, auf Kritik stieß, vgl. ZEE 1 (1957) 6. – Nicht weiter untersucht werden kann hier allerdings, wie weit die dogmatischen Voraussetzungen der protestantischen Dialektischen Theologie auch ganz allgemein Einfluß ausübten auf die hermeneutischen Ansätze der in manchem eng mit ihr verbundenen neueren Exegese.

[23] Vgl. dazu als Anregung aus bibelwissenschaftlicher Sicht: *J. Blank,* Einheit und Pluralität in der neutestamentlichen Ethik, in: Conc(D) 17 (1981) 814–819.

1 Kön 19,20), Abstand zu nehmen, besonders im damaligen sozialen Kontext als „radikal" gelten. In genauer ethischer Überlegung aber handelt es sich bei dieser Pietätspflicht Verstorbenen gegenüber um eine zwar schwerwiegende, aber offensichtlich doch nicht um eine unbedingte mitmenschliche Verpflichtung. Als solche kann sie daher in eine Güterabwägung mit andern sittlichen Werten einbezogen werden und angesichts eines höheren Werts zurücktreten. Dies gilt auch schon im Rahmen innerweltlicher Werte (so könnte etwa auch zur Sicherung von gefährdetem Leben die Pietät gegenüber Verstorbenen hintangestellt werden). Es gilt aber unter dem Glaubensanspruch auch für den hier als bedeutsamer angesehenen Wert der Nachfolge. Von einer unbedingten Rücksichtslosigkeit aber kann keine Rede sein[24]. Dies wird besonders deutlich an der möglichen Gegenprobe, wenn man eine menschlich unausweichliche sittliche Forderung mit dem Wert der Nachfolge zu vergleichen sucht. So ist es christlich z. B. unvorstellbar, den Satz Jesu so zu verändern, daß er heißen würde: Laß einen Kranken hilflos zugrunde gehen, und folge mir. – Dies wäre eine Rücksichtslosigkeit in klarer Unmenschlichkeit, welche den christlichen Glauben und sein Liebesgebot in sich selber ad absurdum führen würde. Daß kein Theologe einfach einen solchen Dezisionismus vertreten würde, liegt zwar auf der Hand. Es gälte aber schon vom Ansatz her auch eine allenfalls mögliche Konsequenz in diese Richtung von vornherein logisch auszuschließen.

Dann aber ist zweitens nicht zu übersehen, daß es sich bei diesen apodiktischen Forderungen des Evangeliums um allenfalls übertreibende „provokative"[25] Appelle zu Einstellungen und Haltungen (um sogenannte „Zielgebote") handelt, also um appellative Paränese und nicht um normative Handlungsanweisungen aus konsi-

---

[24] Dies gilt m. E. auch dann noch, wenn man die These von G. Theißen über den ethischen Radikalismus in der biblischen Wortüberlieferung im Zusammenhang mit einem „Wanderradikalismus" von wandernden Predigern zustimmt, vgl. *G. Theißen*, Studien zur Soziologie des Urchristentums (Tübingen 1979), sowie *ders.*, Soziologie der Jesusbewegung (München 1977), sowie die kritische Darstellung dazu von *F. Annen* in: SKZ 150 (1982) 47–50 bzw. *J. Blank*, a. a. O.

[25] So *R. Pesch* zum Scheidungsverbot: Freie Treue (Freiburg 1971); vgl. allgemein zum hier angesprochenen Problem: *H. Windisch*, Handeln in Geschichte, ein katholischer Beitrag zum Problem des sittlichen Kompromisses (Frankfurt 1981); dort auch umfassende Literaturangaben.

stenter ethischer Argumentation, wobei eine solche paränetische Forderung, wo sie als Norm im Bereich der Güterabwägung ethisch gefaßt wird, gerade verfälscht wird: Statt die Zielsetzungen in Erinnerung zu rufen und wachzuhalten, wird das Eschaton sozusagen im Vorletzten, wo der Kompromiß noch nötig ist, vorweggenommen und eben dadurch verfälscht. Das heißt die an sich in ihrem Bereich gleicherweise berechtigten Sprachspiele (Paränese ist nicht eine mindere Ethik, sondern eine eigene Form sittlicher Sprache) werden zum Schaden beider und vor allem zum Schaden der Moralverkündigung als ganzer nicht sauber auseinandergehalten und vermischt.

Schließlich ist aber drittens auch positiv festzustellen, daß das Handlungsprinzip evangelischer Ethik für seine inhaltliche Füllung gar nicht darauf angewiesen ist, auf diese paränetisch endzeitlichen Imperative zurückzugreifen, indem das Neue Testament selber im Liebesgebot einen ethisch einwandfreien und begründbaren normativen Inhalt anbietet, der nicht nur die in allen Ansätzen vorausgesetzte Mitmenschlichkeit nun nicht durch fragwürdige Ausnahmeradikalitäten in Frage stellt, sondern sie unter Einschluß solcher Sonderforderungen, wie sie sich in den verschiedenen Schriften des Neuen Testaments auch unter ethischem Gesichtspunkt ankündigen, lückenlos aufnimmt und erfüllend übersteigt[26]. Liebe bedeutet nämlich von einer menschlichen Lebens-Urerfahrung her, die in begrifflicher Umschreibung nie voll eingeholt werden kann, volle Mitmenschlichkeit in der zusätzlichen Bereitschaft, dem andern sogar etwas mehr zukommen zu lassen als das, was ihm gerechterweise schon zusteht, ein Mehr, das ausdrücklich sogar Feindesliebe und u. U. die Hingabe des eigenen Lebens miteinschließt. Dabei ist eine solche sittliche Einsicht aus Liebe nicht einfach als ein vernünftiges und so in jeder denkbaren Weltanschauung ebensogut mögliches Weiterdenken aus dieser Urerfahrung zu verstehen. Vielmehr erwächst sie wesentlich aus der Kraft des Geistes Gottes im Glauben, also nicht aus der bloßen praktischen Vernunft allein, sondern aus Glaubensvernunft. Dies hindert freilich nicht, daß eine solche Forderung, wie das ja auch etwa für die Feindesliebe als Ansatz zu Gewaltabbau wirklich zutrifft, nicht auch der Vernunft als solcher als vernünftig erscheinen und, einmal entdeckt, auch bleiben kann.

[26] Vgl. *J. Blank*, a.a.O. 818f.

Auch hier steht der göttliche Impuls in der Dimension von Inkarnation und Kenosis als das heilswirksame Moment in der Welt gestaltend, aber verborgen wirksam. Solche Liebe bedingt dann ebenfalls eine Radikalität, die zwar die Rücksicht gegen sich selber radikal relativiert, aber gerade darin größtmögliche Rücksicht dem Mitmenschen gegenüber fordert, dies freilich nicht situationsethisch punktuell, sondern in einer möglichst alle Faktoren klug einbeziehenden Güterabwägung.

Solche Güterabwägung läßt ethische Normierungen dann aber auch umgekehrt nicht deontologisch zu festen Gesetzesformeln erstarren, sondern behält sie teleologisch offen als zielgerichtete Weisungen hinsichtlich einer auch alle Handlungsfolgen berücksichtigenden, größtmöglichen Verwirklichung von Mitmenschlichkeit und Liebe[27]. Entsprechend ergeben dann konkrete ethische Forderungen des Neuen Testaments nicht einfach überzeitliche christliche Gebote, sondern unter Berücksichtigung der damaligen wie der heutigen Zeitumstände „Modelle“ für eine christlich motivierte und situativ doch angepaßte Entscheidungsfindung.

Als besonders eindrückliches Beispiel für ein solches „Modell“ dürfte die Lösung, die Paulus für die Erlaubtheit des Essens von Götzenopferfleisch in der Gemeinde von Korinth (1 Kor 8) vorschlägt, gelten. Hier wird das offen gelebte Zeugnis für die im Glauben richtige Erkenntnis des freien Umgangs mit dem marktfeilen Götzenopferfleisch situativ, d.h. in dieser ganz bestimmten Gemeinde, mit der Rücksichtnahme auf die noch in einer größeren Ängstlichkeit befangenen Glaubensbrüder verglichen. Zwei echte sittliche Werte werden also gegeneinander abgewogen und dann dem einen, hier der Rücksichtnahme, der Vorzug gegeben, weil die sich aufblähende Erkenntnis so die aufbauende Liebe, die auch hier als Grundprinzip aufscheint, stören würde.

---

[27] Als konkrete Beispiele für eine biblisch begründete, keineswegs vorschnelle und doch radikale konkret ethische Verwirklichungsanweisung für das neutestamentliche Ideal der Gewaltlosigkeit vgl. *U. Luz* (Hrsg.), Eschatologie und Friedenshandeln (Stuttgart 1981), sowie *J. Blank,* Gewaltlosigkeit – Krieg – Militärdienst, in: Orient 46 (1982) 157–163; 213–216; 220–223, wo allerdings die moraltheologiegeschichtlichen Angaben gewisse Wünsche offen lassen, sowie für die moraltheologische Weiterführung *F. Furger,* Christliche Verantwortung und bewaffnete Friedenssicherung, in: *N. Glatzel – E. Nagel* (Hrsg.), Frieden in Sicherheit (Freiburg i.Br. 1981) 259–284, bzw. *ders.,* Bewaffnet gewaltlos? (Freiburg [Schweiz] 1982).

Würde nun diese den Korinthern mitgegebene, hier und jetzt verbindliche Weisung zu einem festen, d.h. allgemeingültigen Gesetz gemacht, würde sie in veränderter Situation, wo sich dieses Problem nicht mehr stellt, irrelevant oder glitte, wo sie sich anders stellt, unter Umständen gar in einen beliebigen Opportunismus. Als Modell verstanden, ergibt sie aber ein prinzipielles ethisches Vorbild für eine je neu aktuelle Güterabwägung, wie unter dem Anspruch der Dynamik des Liebesgebotes Prinzipientreue ohne Verletzung der Bedürfnisse der Schwächeren bzw. Rücksicht ohne Prinzipienreiterei gelebt werden kann und soll[28].

Von einem solchen Modellverständnis her löst sich aber dann auch eine falsche Gegenüberstellung von sogenannter Gesinnungs- gegen eine Verantwortungsethik (Max Weber) bzw. von deontologischer und teleologischer Argumentationsform in der Ethik auf: Während nämlich das Doppelgebot der Liebe als grundlegendes Handlungsprinzip unbedingt, also deontologisch gilt und so als die ethische Gesinnung bestimmend angenommen und auch paränetisch wachgehalten werden muß, hat die konkrete Ausfaltung dieser absolut geforderten Voraussetzung situativ unter Abwägung aller involvierten Werte und Folgen, d.h. teleologisch, zu erfolgen[29]. Insofern eine solche Lösung nach der jeweils bestmöglichen Erkenntnis erfolgt, hat sie dann auch als die hier und jetzt beste und damit als die sittlich richtige zu gelten, während sie unter dem Aspekt der Motivation im Liebesgebot als sittlich gut zu bezeichnen ist und zwar unbeschadet davon, ob sich unter neuen Umständen allenfalls hinsichtlich der sittlichen Richtigkeit weitere Verbesserungen finden lassen.

Insofern alle diese Überlegungen etwa im Beispiel von 1 Kor 8 nun aber exemplarisch, wenn auch nicht reflex expliziert aufscheinen, kann eine solche neutestamentliche Problemlösung als ethisches Modell für eine christliche, vom Glauben bestimmte und situativ richtige Verhaltensweise gelten. Damit versteht sich aber wohl auch, wie für eine christliche Ethik die Herausarbeitung sol-

---

[28] Vgl. dazu *J. Blank*, Zum Problem „ethischer Normen“ im NT, in: Conc(D) 3 (1967) 356–362.

[29] Vgl. dazu *W. Wolbert*, Der gute Mensch und die bessere Welt, in: StZ 200 (1982) 539–548, sowie *W. Kerber* (Hrsg.), Sittliche Normen, passim.

cher Verhaltens- und Weisungsmodelle von erstrangiger Bedeutung ist und es moraltheologisch folglich, so notwendig und erhellend solche Untersuchungen für das rechte Verständnis der Texte auch sind, doch erst in zweiter Linie erheblich ist, ob ein neutestamentliches Weisungswort ein direktes Jesuswort oder dessen im Geist authentische Anwendung der apostolischen Kirche auf die Herausforderungen ihrer gegebenen Situation ist, weil es in jedem Fall wegweisend hilfreiches Modell für die konkrete Verwirklichung des Liebesgebotes ist.

Dieses Handlungsprinzip „Liebe“ ist daher in seiner radikal kühnen Forderung wie im gläubigen Vertrauen auf die in der Gnade wenigstens ansatzhaft mögliche Realisierbarkeit zwar spezifisch christlich, aber als Ideal echter Mitmenschlichkeit, sobald diese prinzipiell angenommen ist, doch auch rational einsichtig und somit in einem auch genuin ethischen Sinn „Begründungsprinzip“[30]. – In ihm, so scheint es, treffen sich somit ethische Argumentation und neutestamentliche Aussagen, Ethik und Paränese, Moraltheologie und Exegese, während sie sonst, zum Schaden beider, auseinanderzufallen drohen.

---

[30] Vgl. für diese Zuordnung der heilsgeschichtlichen Spezifität des Christlichen und rationaler Einsichtigkeit *H. Schürmann,* Die Frage nach der Verbindlichkeit neutestamentlicher Wertungen und Weisungen, in: *J. Ratzinger* (Hrsg.), Prinzipien christlicher Moral (Einsiedeln 1975), wo (zwar entgegen der ursprünglichen Absicht der Verfasser) sich die inhaltlich ethischen Dimensionen als rational zugänglich, die intentionalen als die formal tragenden und Verwirklichung aus Gnade erst ermöglichenden als die spezifisch christlichen erwiesen. Besonders entfaltet ist diese Zuordnung aber unter dem Gesichtspunkt der Autonomie einer christlichen Ethik, und zwar unter Einbezug der Gottesherrschaft – Leitidee bei *G. Dautzenberg,* Neutestamentliche Ethik und autonome Moral, in: ThQ 161 (1981) 43–55 (vgl. dort auch die ausführlichen Angaben zur einschlägigen Literatur).
Aus moraltheologischer Sicht vgl. dazu *F. Furger,* Kenosis und das Christliche einer christlichen Ethik, in: *K. Demmer – B. Schüller* (Hrsg.), Christlich glauben und handeln (Düsseldorf 1977) 96–111 (dort auch die zu dieser hier nicht weiter darzustellenden Problematik einschlägige Literatur). Es versteht sich, daß in einer solchen im Liebesgebot mitgegebenen Zuordnung auch die jede christliche Weltgestaltung gefährdende, sog. „Zwei-Reiche-Lehre“ entfallen kann.

II

Ethische Argumentationsmethoden und neutestamentlich-ethische Aussagen

Korreferat von Rudolf Schnackenburg, Würzburg

1. Zum Stand der Diskussion

Das Gespräch zwischen Moraltheologen und Exegeten über die Begründung christlicher oder theologischer Ethik dauert schon länger an. Ich verweise auf die Arbeiten von Josef Fuchs, Alfons Auer, Bruno Schüller, Franz Böckle, Dietmar Mieth, Josef Rief, um nur einige Moraltheologen oder theologische Ethiker zu nennen, obwohl so gut wie alle an diesem unaufhörlichen Gespräch über die Prinzipien ihrer „unruhigen“ Disziplin beteiligt sind, nicht zuletzt mein Gesprächspartner Franz Furger, der ja schon 1974 einen instruktiven Bericht darüber gegeben hat[1]. Aber zunehmend haben sich in diese Diskussion auch Exegeten eingeschaltet, wie Josef Blank, Paul Hoffmann, Heinz Schürmann, Helmut Merklein, Gerhard Dautzenberg und andere, auch ich selbst. Hervorzuheben sind gemeinsame Anstrengungen, wie etwa der beiden Bamberger Kollegen *Paul Hoffmann* und *Volker Eid* in ihrem Werk: Jesus von Nazareth und eine christliche Moral (Freiburg i. Br. 1975), sowie die Bemühungen von Moraltheologen, dem biblischen Ansatz näher zu kommen. Dafür nenne ich *Rudolf Hasenstab,* Modelle paulinischer Ethik. Beiträge zu einem Autonomie-Modell aus paulinischem Geist (Tübingen 1977), und *Hans Halter,* Taufe und Ethos. Paulinische Kriterien für das Proprium christlicher Moral (Freiburg i. Br. 1977). Um eine Klärung des Verhältnisses von theologischer Ethik und biblischem Ethos (als Paränese verstanden) bemüht sich *Werner Wolbert,* Ethische Argumentation und Paränese in 1 Kor 7 (Düsseldorf 1981).

Auch auf evangelischer Seite, wo man sich weniger prinzipiell mit

[1] In: Theologische Berichte IV (Einsiedeln 1974) 11–87.

diesem Problem beschäftigt, gibt es interessante Äußerungen. Im allgemeinen weiß man sich dort entsprechend dem Ansatz evangelischer Theologie stärker auf die Bibel verwiesen, kommt aber in der Anwendung neutestamentlicher Ethik auf die heutige Situation mit ihren neuen gesellschaftlichen Problemen ebenfalls in nicht geringe Schwierigkeiten. Wie weit sich protestantische Systematiker eingehender mit der Grundsatzfrage beschäftigen, wo und wie sie ansetzen sollen, kann ich nicht beurteilen. Ich will nur auf einige Stellungnahmen von Exegeten hinweisen, welche die Linien vom Neuen Testament zu einer im heutigen Horizont angesiedelten Ethik unterschiedlich ausziehen. Einen material-inhaltlichen Einfluß halten z. B. fest *Otto Merk,* Handeln im Glauben. Die Motivierungen der paulinischen Ethik (Marburg 1968); *Ferdinand Hahn,* Neutestamentliche Grundlagen einer christlichen Ethik, in: TThZ 86 (1977) 31–41. Stärker für eine Transformierung neutestamentlicher Weisungen geöffnet sind *Heinz-Dietrich Wendland,* Ethik des Neuen Testaments (Göttingen 1970), besonders für den sozialethischen Bereich; *Gerhard Friedrich,* Sexualität und Ehe. Rückfragen an das Neue Testament (Stuttgart 1977), für die Sexualethik. Am weitesten in der Eingrenzung neutestamentlicher Ethik geht wohl *Georg Strecker,* Ziele und Ergebnisse einer neutestamentlichen Ethik, in: NTS 25 (1979) 1–15. Er betont die Situationsgebundenheit der neutestamentlichen Paränese, hebt freilich die Forderung der Liebe als das „Eigentliche“ der neutestamentlichen Ethik hervor, meint aber auch, das Gegenüber von Gerechtigkeits- und Agapeforderung mache deutlich, daß die neutestamentliche Ethik keine materiale Einheit darstelle. Das neueste Werk zur neutestamentlichen Ethik verdanken wir *Wolfgang Schrage:* Ethik des Neuen Testaments (Göttingen 1982), ein ausgereiftes, exegetisch eindringendes und zugleich durchreflektiertes Werk. In der Einleitung stellt er fest, daß nicht nur die Handlungsmotive und -gründe, sondern auch die Maßstäbe und konkreten Inhalte der Ethik zu erfragen und darzustellen sind, falls sich solche erheben lassen. Den statisch gedachten Normbegriff will er vermeiden und stattdessen von *Kriterien* sprechen, die eher dynamisch-geschichtlich Freiheit und Verbindlichkeit neutestamentlicher Ethik zusammenhalten können. Aber zugleich wendet er sich gegen eine „inhalts- und konturenlose Situationsethik, die alle Inhalte der Entscheidung dem einzelnen überläßt und dabei nur allzu leicht bei einer materialen Beliebigkeit oder Weltförmigkeit landet" (S. 18). Auch die Liebe als Zentrum und Quintessenz aller Einzelmahnungen impliziere ganz bestimmte Inhalte und Handlungskriterien (S. 19). Hier wird deutlich, daß auch die evangelische Ethik mit den gleichen Grundproblemen ringt, die uns beschäftigen.

2. *Zum Verhältnis von Ethik und Paränese*

Franz Furger meint, daß die ethischen Aussagen der Bibel im wesentlichen im Sprachspiel nicht der Ethik, sondern der Paränese stehen. Bei dieser Gegenüberstellung von Ethik und Paränese ist zunächst zu fragen, was unter Paränese verstanden wird; vermutlich ist ganz allgemein an sittliche Mahnrede gedacht. Nun steht aber der Begriff „Paränese" für uns Exegeten in einem bestimmten Zusammenhang; er ist nämlich von *Martin Dibelius* in seiner formgeschichtlichen Sichtung der verschiedenen Gattungen und Formen des Redestoffes eingeführt worden, und zwar für die Redeweise, die Dibelius „Predigt" nennt.[2] Der Begriff steht unter keinem guten Stern, schon äußerlich nicht, weil das Verbum παραινέω nur in Apg 27,9.22 vorkommt und der Sache nach das gemeint ist, was mit παρακαλέω ausgedrückt wird, besonders in den Paulusbriefen. Wir sollten also eher von Paraklese als von Paränese sprechen. Schon von der Begriffsbildung her ist es fraglich, ob man die Weisungen Jesu unter diesen Begriff subsumieren darf. Viel gravierender aber ist die innere Bestimmung von „Paränese" durch M. Dibelius. Er unterscheidet „usuelle" und „aktuelle" Paränese und räumt der in der Umwelt des Urchristentums üblichen (also „usuellen") Paränese einen weitgehenden Einfluß auf die urchristliche Paränese ein, die damit zum großen Teil ihr Eigengewicht verliert. Demgegenüber hat *Heinrich Schlier* in seinem Aufsatz „Vom Wesen der apostolischen Ermahnung"[3] die paulinische Paraklese tiefer in der apostolischen

---

[2] Die Formgeschichte des Evangeliums (Tübingen [4]1961) 234–265. Vgl. auch *G. Bornkamm* in RGG[3] II, 996–1003, besonders die Feststellung: „Zur christlichen Predigt gehört als unveräußerlicher Bestandteil die *Paränese,* die vor allem die nt. Briefe durchzieht und zumeist ihren Schlußteil bildet" (1003).
[3] In: *ders.,* Die Zeit der Kirche (Freiburg 1956) 74–89.

Verkündigung verankert. Sie will, gewiß zum Teil auch mit damals gebräuchlichen Formen der Mahnrede, die im Kerygma selbst liegende, aus ihm notwendig hervorfließende ethische Verpflichtung nahebringen. Der sittliche Imperativ folgt notwendig aus dem Heils-Indikativ und ist mit diesem unlöslich verbunden. Die Arbeit von *Anton Grabner-Haider,* Paraklese und Eschatologie bei Paulus (Münster i. W. 1968), hat die eschatologisch gewendete paulinische Paraklese weiter ins Licht gerückt. Eine ausführliche Darstellung und Kritik des „Paränese-Modells" von M. Dibelius und ein Plädoyer für ein Paraklese-Modell finden sich bei *R. Hasenstab,* Modelle paulinischer Ethik (67–94). Die begriffliche Klärung hat auch inhaltliche Konsequenzen.

Für unsere Fragestellung bedeutet diese Einsicht einmal, daß die Paraklese als Ausformung des neutestamentlichen Ethos vom Kerygma – der Reich-Gottes-Botschaft Jesu und der Verkündigung des gekreuzigten und auferweckten Christus – nicht zu trennen ist. Sodann wird dadurch der Blick dafür geöffnet, daß in der Paraklese auch eine ethische Begründung der neutestamentlichen Weisungen enthalten ist. Wenn es die theologische Ethik mit Recht als ihre Aufgabe ansieht, die appellativen sittlichen Weisungen ethisch-vernünftig zu begründen, dem nach der sittlichen Verpflichtung fragenden Menschen einsichtig und allen Menschen kommunikabel zu machen, so ist im Hinblick auf die neutestamentliche Paraklese zu fragen, ob sie nicht stärker diese Aufgabe erfüllt, als ihr manche Ethiker zugestehen. Allerdings setzt das die *gläubige* Vernunft voraus, das heißt die Annahme der Glaubensbotschaft, aus der die sittlichen Forderungen konsequent abgeleitet werden. So folgt aus der grundlegenden Botschaft Jesu von der Gottesherrschaft, in der sich die Liebe Gottes in einer letzten, endgültigen Weise manifestiert, die Forderung nach einer alles Bisherige überschreitenden, alle gesetzlich-normativen Regulierungen durchbrechenden, alle Menschen gleicherweise umfassenden Menschenliebe, die sich am Wort, am Verhalten, letztlich an der Person Jesu, dieser menschgewordenen Liebe Gottes, orientiert. „Werdet barmherzig, wie euer Vater barmherzig ist" (Lk 6,36), so lautet die Grundforderung Jesu, in der auch eine Begründung enthalten ist: Werdet barmherzig, weil Gott jetzt, in dieser von Jesus ausgerufenen Heilszeit, sich an euch schrankenlos barmherzig erweist, und werdet so barmherzig, wie sich seine

Barmherzigkeit im Wort und Tun Jesu manifestiert! Diese Sicht wird in der nachösterlichen Verkündigung, im Blick auf Jesu Hingabe in den Tod und der dadurch von Gott gewährten Versöhnung, bestätigt und verstärkt.

Gleichwohl ist diese der Glaubensvernunft aufgegebene und verstehbare Argumentation auch allgemein menschlicher Vernunft nicht unzugänglich. Denn in dieser Glaubensbotschaft und -forderung wird das Humanum, das personale und soziale Wohl der Menschen schärfer ins Licht gerückt. Das kann auch ein den Christusglauben nicht bekennender, aber nach dem sittlich Guten suchender und strebender Mensch im Licht der natürlichen Vernunft verstehen und bejahen. Diese Einsicht zu vermitteln bleibt die vornehme und vordringliche Aufgabe einer theologischen Ethik. Aber ein Christ, der im Glauben an Gottes in Jesus Christus offenbare Liebe verwurzelt ist, bedarf nicht unbedingt dieser vom Humanum ausgehenden Begründung, sondern kann in seiner vom Glauben erleuchteten Vernunft „prüfen, was Gottes Wille ist, das Gute und ihm Wohlgefällige und Vollkommene“ (Röm 12,2). Diese besondere Art ethischer Argumentation zeigt sich in manchen Paraklesen des Apostels Paulus, z. B. in der Frage, ob und wann ein Christ vom heidnischen Götzenopferfleisch essen darf (1 Kor 8). Der leitende Gedanke ist nicht das Wohl des Menschen schlechthin, sondern das Heil des Bruders, für den Christus gestorben ist (8,11). Darin ist zwar das Humanum eingeschlossen, aber doch spezifisch unter dem christlichen Menschenbild angesprochen, das dadurch tiefer und reicher erscheint als in einer philosophischen Ethik. Das „Sprachspiel der Paränese“ darf also nicht die Tatsache verdecken oder verdunkeln, daß in ihm auch eine aus dem Glauben kommende ethische Argumentation stattfindet, die ihr Eigenrecht hat. Damit soll nicht geleugnet werden, daß in der urchristlichen Paraklese auch zeitbedingte partikuläre Wertungen und Weisungen eingelagert sind, die von uns heute nicht mehr übernommen werden können. Um diese an die damaligen soziokulturellen Verhältnisse und an damalige Vorstellungen gebundenen Wertungen von den gültig bleibenden, für den Glauben unverzichtbaren sittlichen Weisungen zu unterscheiden, bedarf es weiterer und anderer Kriterien; der bloße Verweis auf „Paränese“ ist dafür nicht geeignet. Die aus dem Selbstverständnis theologischer Ethik vorgenommene Abgrenzung gegenüber neutestamentlicher „Paränese“[4] trägt nicht genügend der Eigenart urchristlicher Paraklese Rechnung.

3. Zum Verhältnis von Ethik und Weltanschauung bzw. Glauben

Dankbar bin ich für die Feststellung Furgers, daß sich ethische Prinzipien „naturalistisch“ nie aus dem Vorliegenden ableiten lassen, sondern erst in einer existentiellen Wertung, also aus Weltanschauung Gültigkeit erlangen. Darin bekundet sich die wachsende Einsicht der theologischen Ethiker, daß man auch mit der Vernunft nicht beim Nullpunkt anfangen kann; Rationalität und plausible Argumentation sind zwar eine Plattform für das Gespräch mit nichtchristlichen Partnern; aber alle bringen schon gewisse Grundpositionen zum Phänomen des Sittlichen, gewisse Wertungen und eine Wertskala ein, die ihrem Verständnis und ihrer Argumentationsweise eine bestimmte Richtung geben.

Diese Einsicht wird auch in anderen Veröffentlichungen aus der letzten Zeit erkennbar. *Hans Halter,* ein Schüler von Franz Böckle und im exegetischen Bereich von Heinrich Schlier, schreibt in seinem oben genannten Werk „Taufe und Ethos“ zum „spezifisch christlichen Kriterium“: „Darin ist impliziert, daß es die Vernunft der Christen ist, die unter Berücksichtigung der einschlägigen Faktoren und Kriterien als vom Glauben erleuchtete Vernunft, das heißt als eine sich immer auch am theologisch-christologischen Letzt-Kriterium orientierende Vernunft prüft, was unter den (vor-)gegebenen Möglichkeiten der Wille Gottes ist ...“ (488). Verglichen mit den geschichtlich vorlaufenden und benachbarten Ethosformen erkennt er das urchristliche Ethos als ein auch material-inhaltlich gesehen durchaus eigenständiges, gruppenspezifisches Ethos (489). Darin kommen sittliche Sachverhalte zur Sprache, wie sie so in der vorneutestamentlichen und neutestamentlichen Umwelt noch nicht vorfindlich und besonders in ihrer Radikalität von der Vernunft des nicht-glaubenden Menschen schwerlich voll einsehbar sind (490).

---

[4] Vgl. die oben genannte Arbeit von *W. Wolbert,* Ethische Argumentation und Paränese in 1 Kor 7, besonders den ersten Teil: Paränese und normative Ethik (13–71). „Normative Ethik zielt auf die *Erkenntnis* des sittlich *Richtigen,* Paränese zielt auf das *Tun* des sittlich *Guten*“ (39).

So gibt er der Moraltheologie den Rat, im heutigen „Normfindungsprozeß" (in der ständigen Genese des christlichen Ethos) ihr spezifisches Kriterium nicht vorschnell unter den Scheffel zu stellen (491). Im Grunde deckt sich dieser Rat mit dem Wunsch des II. Vatikanischen Konzils, den Furger am Anfang anführt, die Moraltheologie möge „reicher genährt aus der Schrift" und in „wissenschaftlicher Darlegung" die christliche Lebensberufung aufzeigen.

Grundsätzlicher wird die Frage von *Franz Böckle* in seiner „Fundamentalmoral" (München 1977) aufgegriffen. Vom Phänomen des Sollens ausgehend, fragt er weiter nach dem Grund des Sollens, beschäftigt sich mit dem Autonomie-Problem und kommt schließlich auf die theologische Legitimation sittlicher Autonomie zu sprechen. Nach ihm ist ein Verzicht auf eine Letztbegründung der pragmatischen Universalien nicht möglich. In Auseinandersetzung mit K.-O. Apel sagt er: „Wenn nun diese Akzeptierung der moralischen Grundnorm qua Faktum der Vernunft je schon gesollt ist, folgt daraus, daß zur Konstitution menschlicher Kommunikation das menschliche Subjekt *je schon* als ein beanspruchtes Wesen verstanden werden muß" (69). Von daher nimmt Böckle das Recht einer theologischen Legitimation sittlicher Autonomie und begreift Gott als Grund autonomer Freiheit (vgl. 70–92). Später, im zweiten Teil, fragt Böckle auch nach der Bedeutung des biblischen Fundamentes für die Eigenart und die Geltung sittlicher Normen. Am Ende dieses Abschnitts schließt er sich H. Halter an: „Anders als die sittlichen Normen in einem nichtchristlichen, besonders säkularen Ethos sind die allgemeinen wie die konkreten Weisungen ... innerhalb des christlichen Begründungszusammenhangs auch eine Weise der Verkündigung des Evangeliums" (232, Zitat bei Halter 450). Doch liegt Böckle ebenso daran, die *Kommunikabilität* der biblisch begründeten christlichen Wertungen und Weisungen aufzuzeigen (290). Dazu schreibt er: „Dieses Glaubensethos ist in seiner anthropologischen Ausrichtung zutiefst menschlich und kommunikabel. Seine Eigenart liegt nicht in der Exklusivitität einzelner Normsätze, sondern ist im *Glauben begründete Gesamthaltung,* in einem neuen *Verstehenshorizont,* der freilich den partikulären Normen des Verhaltens einen bestimmten Stellenwert gibt" (294).

Daß jegliches Ethos in einem bestimmten Verstehenshorizont angesiedelt werden muß, weil es sich auf den konkret-geschichtlich existierenden Menschen bezieht, der ein bestimmtes Daseinsverständnis vertritt – Furger sagt „Weltanschauung" –, kommt auch in einem Beitrag von *Josef Rief* zur Festschrift Alfons Auer zum Ausdruck. Seine „Überlegungen zum Gegenstand der Moraltheologie"[5] rücken das Suchen der theologischen Ethik nach einer Theorie in das Spannungsfeld, in das sie durch die Wegweisung des II. Vatikanischen Konzils geraten ist. Er stellt fest: „Der Ehrgeiz dieser Ethik ist ihr hoher Anspruch der Kommunikabilität unter gleichzeitigem Verzicht auf nahezu jeden moralischen Imperativ" (125). Im Blick auf das vom Konzil Geforderte, vor allem im Dekret über die Ausbildung der Priester, meint er, damit könne unmöglich die Entwicklung in der Moraltheologie seit dem Konzil gerechtfertigt werden (127). In einer kritischen Reflexion geht es ihm um die „Wiedergewinnung des ganzen Gegenstandes", und dafür macht er „die Aussichtslosigkeit einer Moral ohne gesellschaftliches Substrat" geltend (131–133). „Die Sozial- und Humanwissenschaften haben – dadurch sind sie zum Antreiber der Theologie und Kirche geworden – gezeigt, daß es Moral ... ohne die dazugehörige wirtschaftlich, sozial, politisch, kulturell-religiös verfaßte Gruppe von Menschen – jedenfalls auf die Dauer – nicht geben kann" (132).

Auf der Grundlage solcher Reflexionen können wir uns, glaube ich, näherkommen. Nicht als sollte nun die Moraltheologie bzw. theologische Ethik wieder auf eine geradlinige Ableitung der Handlungsnormen aus der Bibel verwiesen werden – das ist unmöglich. Auch Exegeten haben nachdrücklich festgestellt, daß konkrete und praktikable Handlungsnormen für die heutige Gesellschaft nicht ohne rationale Überlegungen und Begründungen gewonnen werden können. So schreibt *Heinz Schürmann*: „Die Art und Weise der weitergehenden Verbindlichkeit kann in allen partikulären Bereichen der Exeget nicht im Alleingang entscheiden, da das Urteil über Sachverhalt und Situation sich nur im Dialog mit anderen theologischen und nichttheologischen Disziplinen bilden kann."[6] Auch ich selbst habe mich ähnlich geäußert: „Damit wird das von der autono-

---

[5] In: Anspruch der Wirklichkeit und christlicher Glaube (FS. für A. Auer), hrsg. von H. Weber und D. Mieth (Düsseldorf 1980) 118–134.

[6] Die Frage nach der Verbindlichkeit neutestamentlicher Wertungen und Weisungen, in: *J. Ratzinger* (Hrsg.), Prinzipien christlicher Moral (Einsiedeln ²1975) 9–39, hier 32f.

men Moral beanspruchte Feld rationaler Werterkenntnis und Auffindung operativer Normen nicht geleugnet, sondern im Rahmen des christlichen Heilsethos ausdrücklich anerkannt und für notwendig erachtet. Die biblische Moral ist auf die Kooperation der nach rationalen Prinzipien, auch unter Einbeziehung empirischer Erkenntnisse der Humanwissenschaften arbeitenden Moraltheologie angewiesen, um den heutigen Horizont zu erreichen und das christliche Heilsethos zu einer effektiven, auch im Raum einer pluralistischen Gesellschaft wirksamen, das konkrete Handeln bestimmenden Kraft zu machen."[7]

4. Zur Gefahr eines „situationsethischen Engpasses"

Prof. Furger befürchtet, daß eine aus der Botschaft Jesu abgeleitete Ethik leicht in einen solchen Engpaß führen könne. Die Gefahr, aus den sittlichen Weisungen Jesu, die ohne Rücksicht auf die harten Widerstände in der Wirklichkeit dieser Welt (und im Herzen der Menschen) gegeben werden (vgl. die Bergpredigt), zu einer bloßen Situationsethik vorzustoßen, ist nicht zu leugnen. Offenkundig wird das in der Deutung *Rudolf Bultmanns*, der in seinem Jesusbuch (zuerst 1926) aus den extremen, radikal formulierten Forderungen Jesu und gemäß seiner existentialen Interpretation folgert, daß Jesus nichts inhaltlich Bestimmtes fordern wollte, sondern nur einen radikalen Gehorsam, durch den jeder selbst weiß, wie er in einer gegebenen Situation handeln soll. Dem Menschen selbst wird zugetraut und zugemutet, selbst zu sehen, was von ihm jeweils gefordert ist. Gottes Forderungen „erwachsen sehr einfach aus der Situation der Entscheidung vor Gott, in die der Mensch gestellt ist" (76). „Es ist deshalb von vornherein verfehlt, ihn (Jesus) nach konkreten ethischen Problemen zu fragen" (77f). Aber eine solche existentiale Situationsethik wird, soweit ich sehe, von keinem katholischen Exegeten vertreten und auch von Protestanten abgelehnt, wie das Zitat aus W. Schrage (s.o. unter 1) belegt. Noch stärker zum konkreten Handeln drängt *Eduard Schweizer* in seiner Auslegung der Bergpre-

[7] Neutestamentliche Ethik im Kontext heutiger Wirklichkeit, in: FS. für A. Auer (s. Anm. 5) 193–207, hier 206 f.

digt, in der er zwar zugesteht, daß Jesus keine unmittelbar praktikablen Verhaltensregeln aufgestellt hat, aber darauf dringt, Jesu Weisungen auf die ethischen Probleme unserer Zeit anzuwenden, nämlich unter Einbeziehung von Vernunft und Sachverstand[8]. Also wird auch hier wie bei katholischen Exegeten die Einschaltung der sittlichen Vernunft vorausgesetzt.

Die Frage, wie aus den sittlichen Weisungen Jesu und den teils darauf reagierenden und teils weiterführenden sittlichen Entscheidungen in urchristlichen Gemeinden, die damals aktuelle Probleme betreffen und auch aus der damaligen Situation und Geisteslage gefällt wurden, Konsequenzen für das heute von uns Geforderte gezogen werden können, beschäftigt katholische Exegeten schon lange. Einig sind sich alle, daß aus den Weisungen Jesu kein neues Gesetz abgeleitet werden darf, so daß sie sämtlich ohne Rücksicht auf den geschichtlichen, gesellschaftlichen, soziokulturellen Kontext unserer Zeit strikt anzuwenden wären. Weniger einig ist man sich darüber, wie man näherhin die verbindlichen Weisungen Jesu in den heutigen Horizont übertragen soll. *Josef Blank* schlägt vor, diese Weisungen als „ethische Modelle" aufzufassen, denen sich eine Aussagetendenz oder Intention entnehmen läßt, die sich bei eindringender Reflexion durchaus auf die Gegenwart übertragen und mit heutigen Fragestellungen vermitteln läßt[9]. Beachtlich ist der Ansatz von *P. Hoffmann* und *V. Eid,* die von sittlichen „Perspektiven" sprechen. „Die Perspektiven halten das Konkrete des Verhaltens Jesu fest, machen es aber dadurch umsetzbar, verlängerbar, daß sie dessen jeweiligen Sinnanspruch aufnehmen und motivierend vermitteln"[10]. Dabei kann auch die Mitwirkung der Gemeinden eingebracht werden: „Indem die Gemeinden das Erinnerte stets weiter deuten, bringen sie sich selbst immerfort in Konfrontation zu Jesus. Auslegung der verbindlichen Erinnerung und Deutung neutestamentlicher Gemeinden bedeutet damit nicht nur fortdauernde Aneignung Jesu, sondern bedeutet auch Selbstdeutung: Selbstausle-

[8] Das Evangelium nach Matthäus (NTD 2) (Göttingen 1973) 134, vgl. auch *ders.,* Die Bergpredigt (Göttingen 1982).

[9] Zum Problem „ethischer Normen" im Neuen Testament, in: Conc(D) 3 (1967) 356–372, wieder abgedruckt in: *G. Teichtweier – W. Dreier* (Hrsg.), Herausforderung und Kritik der Moraltheologie (Würzburg 1971) 172–183, hier 181.

[10] Jesus von Nazareth und eine christliche Moral 24.

gung, also zur Erneuerung stets bereite Selbstkonzeption der späteren, auch der heutigen Gemeinden“ (23). Dabei scheint mir freilich die Art und Weise, wie das die Gemeinden „in eigener produktiver Aktivität“ (wie die Autoren sagen) machen sollen, nicht geklärt zu sein. Dahinter steht offenbar eine bestimmte Auffassung von „Gemeinde“ als normsetzender Größe, die unter ekklesiologischem Aspekt noch weiter diskutiert werden müßte. Die Autoren bemerken: „Die Entwicklung der sittlichen Perspektiven Jesu gehört also zu den sozialen Prozessen der Gemeinde, wobei die Gemeindeleiter, die Fachleute und die konkret sittlich Entscheidenden und Handelnden in differenzierter Weise Kompetenz besitzen“ (25). Wer sind die „Fachleute“, und wie soll man sich das Zusammenspiel der genannten Faktoren denken, die „in differenzierter Weise“ Kompetenz besitzen? Raum bleibt hier sicher auch für die rationale Argumentation der Ethiker, die, wie ich annehme, unter die „Fachleute“ gerechnet werden. Wie weit auch dem kirchlichen Lehramt eine Kompetenz eingeräumt wird, geht aus der Anspielung auf die Gemeindeleiter nicht klar hervor. Auf die Zuständigkeit des kirchlichen Lehramtes in Fragen der Moral legt *Joseph Ratzinger* in seinem Beitrag „Kirchliches Lehramt – Glaube – Moral“ entschiedenen Nachdruck[11]. Allerdings steht hier das schwelende Problem an, wie kirchliches Lehramt und Theologie kooperieren sollen, um sowohl eine festgeschriebene Tradition, die überprüft werden kann und muß, als auch eine völlige Loslösung von apostolischer und kirchlicher Überlieferung zu vermeiden. Auf die Meinung von Heinz Schürmann, daß im Bereich partikulärer Wertungen und Weisungen auf die Mitwirkung von Ethikern und Humanwissenschaftlern nicht verzichtet werden kann, habe ich bereits hingewiesen.

Dennoch taucht der Verdacht oder der Vorwurf immer wieder auf, daß eine von den Weisungen Jesu abgeleitete Ethik in eine an den konkreten sittlichen Fragen der Gegenwart vorübergehende, nichtssagende Situationsethik mündet. *Dietmar Mieth* schreibt: „Die Pflicht und die Schuldigkeit einer theologischen Ethik besteht darin, Situationsgerechtigkeit nicht nur appellativ, sondern einsichtig und verbindlich darzulegen“[12]. Das bestreiten wir Exegeten in

---

[11] In: *ders.* (Hrsg.), Prinzipien christlicher Moral (s. Anm. 6) 41–66.

[12] In: Autonome Moral im christlichen Kontext, in: Orientierung 40 (1976) 31–34, hier 34.

keiner Weise, begrüßen es im Gegenteil, ja, wir wünschen die Hilfe der Ethiker bei diesem notwendigen Prozeß der Anwendung der aus der Botschaft Jesu und ihrer Rezeption in der Urkirche hervorgehenden Perspektiven auf die heute anstehenden Probleme. Von einem sacrificium intellectus practici kann also keine Rede sein. Aber wir richten umgekehrt die Anfrage an die theologischen Ethiker, ob und wieweit sie bereit sind, den neutestamentlichen Ansatz bei der Verkündigung der Gottesherrschaft Jesu in ihre Konzeption einzubringen. Dafür scheint es mir zu wenig zu sein, einen „*Vergleich* mit in der Schrift bezeugten, konkreten Paränesen und Lösungsmodellen" (so Furger in einer These) anzustreben. Vielmehr sollte die Heilige Schrift doch als Urquell sittlicher Orientierung, die auf der Heilsbotschaft Jesu basiert, herangezogen werden. Das Dekret des II. Vatikanischen Konzils über die Ausbildung der Priester wünscht, daß die Moraltheologie die „Berufung der Gläubigen in Christus und ihre Verpflichtung, in der Liebe Frucht zu tragen, für das Leben der Welt erhellen soll"[13].

In diesem Zusammenhang muß noch etwas über die Botschaft von der Gottesherrschaft und ihre ethischen Implikationen gesagt werden. Herr Prof. Furger meint, daß ihre inhaltliche Umschreibung nicht ohne Schwierigkeit ist. Aber neuere Arbeiten, vor allem das Werk von *Helmut Merklein,* Die Gottesherrschaft als Handlungsprinzip (Würzburg 1978, [2]1981), haben doch die innere Zuordnung des ethischen Imperativs zur Verkündigung der Gottesherrschaft weitgehend geklärt. *Wolfgang Schrage* hat ihm in seiner neuen „Ethik des Neuen Testaments" zugestimmt; er bezeichnet die Gottesherrschaft als „Horizont und Grund der Ethik Jesu" (21–27). Auch eine strenge Scheidung von Motiv und Inhalt von Jesu Ethik hält Schrage für nicht berechtigt. Dazu schreibt er: „H. Merklein hat darum mit Recht betont, daß ‚wenigstens in den Grundzügen' die sittliche Botschaft Jesu auch materialiter von der eschatologischen Gottesherrschaft zu verstehen ist und eine ‚Neuorientierung des Handelns' verlangt" (35 f). *Josef Blank* hat zwar in einer längeren Rezension[14] an dem Ausdruck „Handlungsprinzip" Kritik geübt und befürwortet, eher von „Handlungsermöglichung" zu sprechen,

[13] Art. 16, in: Das zweite Vatikanische Konzil II (LThK[2]) (Freiburg i. Br. 1967) 345.
[14] In: BZ 26 (1982) 297–302.

ein Ausdruck, den auch Merklein gelegentlich gebraucht. Aber im Grundsätzlichen, nämlich in der Bestimmung der heilsgeschichtlich-eschatologisch orientierten Ethik Jesu geht Blank mit Merklein weithin konform. Er schreibt: „Es kann ‚Ethik' nur in der ‚heilsgeschichtlichen Zwischenzeit' zwischen der bedingungslosen Heilszusage und der noch ausständigen Heilsvollendung geben ... Ihr ‚systematisch-theologischer Ort' ist gerade die ‚Zwischenzeit' zwischen ‚schon' und ‚noch nicht'" (300f). Anmerken möchte ich, daß Merkleins Ablehnung von „Interimsethik" doch nur die von Albert Schweitzer u.a. entwickelte spezielle Form von Interimsethik betrifft, die W. Schrage gleichfalls ablehnt[15]. Auf jeden Fall besteht Einigkeit darüber, daß man den heilsgeschichtlich-eschatologischen Neuansatz der ethischen Forderungen Jesu nicht übersehen und vernachlässigen darf.

Auch einen schöpfungstheologischen Ansatz lehnt Schrage ab: „Erst recht heißt es die eschatologische Ethik Jesu verkennen, wenn man die Schöpfungswirklichkeit als das gemeinsame Band oder gar als Oberbegriff für Ethik und Theologie bei Jesus ansieht" (36). Er fragt im Hinblick auf die Warnung Jesu vor dem Schätzesammeln (Mt 6,19–21 par) und die Mahnrede, nicht ängstlich zu sorgen (Mt 6,25–34 par): „Ist das alles nun aus allgemein menschlicher Erfahrung gespeiste Weisheitslehre, unmittelbar einsichtig und jedermann evident?" (37). Nun darf man sicher nicht leugnen, daß Jesus weisheitliche Motive aufgenommen und in seine eschatologisch orientierte Weisung (vgl. Mt 6,33!) eingefügt hat. Aber diese weisheitliche Tradition[16] hat in seiner prophetisch-eschatologischen Verkündigung nur eine begrenzte Bedeutung. Schrage geht sogar noch weiter: „Die Eschatologie zerbricht die Weisheitstradition auch immer wieder ... Was normalerweise vernünftig sein mag, kann im Schein der anbrechenden Gottesherrschaft unvernünftig werden. Das eschatologische Neue sprengt die Kategorie und den Maßstab des Alten" (38). In dieser Hinsicht müßten die theologischen Ethiker, die bei der Schöpfung, der Vernunftbegabung des Menschen und der Rationalität der irdischen Wirklichkeit ansetzen, so scheint

[15] Neutestamentliche Ethik 33–35.
[16] Vgl. *D. Zeller,* Die weisheitlichen Mahnsprüche bei den Synoptikern (FzB 17) (Würzburg 1977) bes. 77–93.

mir, über die eschatologische Botschaft Jesu intensiver nachdenken. Lassen sich die extremen Forderungen Jesu, vor allem die Spitzenforderung der Feindesliebe, ebensogut aus vernünftigen Überlegungen wie aus der eschatologischen Verkündigung Jesu begründen? Bleibt nicht ein unaufgearbeiteter Rest zwischen der radikalen, den natürlichen Menschen angreifenden, rücksichtslos alle Menschen provozierenden Forderung Jesu und dem, wozu vernünftige Überlegung führen kann? Das ständige Unbehagen auch der Christenheit, den Höchstforderungen Jesu in der Wirklichkeit unserer Welt nicht nachzukommen, vielleicht nicht nachkommen zu können, ist doch nicht zufällig, und doch ist das der eigentliche Stachel der von Jesus verkündeten, an Gott und seiner befreienden Herrschaft orientierten Sittlichkeit. Soll und darf dieser Überschuß dessen, was Jesus den Hörern seiner Botschaft zumutet, durch vernünftige Überlegungen eingeebnet werden?

Damit komme ich zu einem letzten Punkt, nämlich dem Verständnis des Liebesgebotes in der sittlichen Forderung und Weisung Jesu.

5. *Zum Liebesgebot und seiner Beurteilung*

Kein Zweifel besteht darüber, daß das Liebesgebot „Zentrum und Quintessenz" der sittlichen Weisungen ist, wie Schrage sagt. Auch der Aussage Furgers, daß dieses Gebot „radikaler Anspruch umfassender Mitmenschlichkeit" ist, kann ich nur zustimmen. Aber die implizierte Behauptung, daß diese radikale Mitmenschlichkeit der Treffpunkt für eine vom Neuen Testament herkommende Sicht und eine ethisch-rationale Reflexion sei, bedarf meiner Meinung nach einer Differenzierung. Nicht als wollte ich sie grundsätzlich bestreiten; aber ich sehe auch hier die Gefahr einer Einebnung der Liebesforderung Jesu in eine Mitmenschlichkeit, zu der auch eine vernünftige ethische Argumentation führen kann. Wieder räume ich ein, daß zu einer rechten Auslegung des radikalen Liebesgebotes Jesu, einer Anwendung auf die konkreten Verhältnisse unserer Gesellschaft, besonders auch im sozialethischen Bereich, vernunftgemäße Überlegungen und Konkretisierungen unentbehrlich sind, denken wir nur an die Friedensproblematik. Aber ich habe die Befürchtung, daß für das christliche Liebesgebot neben der unleugbaren horizontalen Ausrichtung die vertikale Perspektive verlorengeht, aus der Jesus die Pflicht, den Bruder, den Nächsten, den Feind zu lieben, abgeleitet hat. Ist das nur eine besondere, zusätzliche Motivation, die in der Begegnung mit einer säkularen Ethik vernachlässigt werden kann? Lassen sich in dieser Weisung Motiv und Inhalt voneinander abheben? Verändert die grundlegende neue Motivation nicht auch den Inhalt?

Damit berühren wir allerdings einen besonders heiklen Punkt, wie die radikalen Forderungen Jesu zu verstehen sind. Hat er über das hinaus, was wir heute „Mitmenschlichkeit" nennen, noch mehr gefordert? Bekannt ist die unterschiedlich beantwortete Frage, ob und wieweit Jesu sittliche Forderungen das überschreiten, was schon im Alten Testament, wenn auch an verstreuten Stellen, grundsätzlich gefordert wird. Hier bewegen wir uns im jüdisch-christlichen Gespräch auf einem schmalen Grat zwischen Unter- und Übertreibung. Während jüdische Autoren zu einem „nihil novi" neigen, verteidigen christliche Theologen oft zu einseitig das Neue, Innovierende, Übersteigende der sittlichen Botschaft Jesu. Aber darauf wollen wir uns hier nicht einlassen. Die Ethiker könnten ja darauf hinweisen, daß alle vielleicht vorhandenen Defizite alttestamentlich-jüdischer Moral, besonders im Hinblick auf die nicht zum Volk Israel gehörenden Menschen, in der heutigen Ethik überwunden sind. Daß die menschlichen Grundrechte allen Menschen ohne Unterschied von Rassen und Klassen, Geschlecht und Religion zuzugestehen sind, ist heute unbestritten und dringt immer mehr in das Bewußtsein der heutigen Menschheit ein. Dann kann es, wird einmal der Grundsatz der Mitmenschlichkeit, der Liebe zu allen Menschen, anerkannt, in vernünftiger Reflexion und Argumentation zu den gleichen Forderungen der Nächsten- und Feindesliebe kommen, wie wir sie im Evangelium lesen. Als Paradebeispiele lassen sich das Gleichnis vom barmherzigen Samariter und die Schilderung des Weltgerichts in Mt 25,31–46 anführen, durch die sich gerade Nichtchristen angesprochen fühlen können. Hier wird in der Tat eine gemeinsame Plattform für biblische und rationale Ethik sichtbar. Insofern ist es richtig, daß radikale Mitmenschlichkeit „einen Rückbezug ermöglicht, der ebenso ethisch begründbar wie neutestamentlich belegbar ist" (Furger).

Aber wenn die Moraltheologie das spezifisch Christliche in den

Blick bringen will, kann sie dabei nicht stehen bleiben, auch nicht bloß auf das christlich unterscheidende Motiv verweisen. Jesus hat nun einmal das Gebot der Gottesliebe als das erste und höchste Gebot erklärt, und daraus ergeben sich Konsequenzen für das Verständnis der Mitmenschlichkeit und ihrer Reichweite. Vor allem läßt sich die von Jesus geforderte Barmherzigkeit auf dem Grund und nach dem Maß der von Gott erfahrenen Liebe (vgl. Lk 6,36) nicht rational eingrenzen. Dabei gewinnt nun doch die von Jesus im Extremfall geforderte Feindesliebe ein besonderes Ansehen. Kann ethische Argumentation zu solcher von Jesus geforderten Feindesliebe ohne weiteres vordringen? Wenigstens wird sie dafür eine bestimmte Grundeinstellung, eine Weltanschauung voraussetzen müssen, die für eine ähnliche Weite geöffnet ist. Damit sind wir auf die von Prof. Furger geteilte Erkenntnis zurückverwiesen, daß ethische Prinzipien erst aus einer existentiellen Wertung Gültigkeit erhalten. Im Vergleich mit anderen Weltanschauungen und Religionen muß man dann den besonderen, in der Botschaft von der Gottesherrschaft gründenden Ansatz Jesu einbringen. Daraus leitet sich kein exklusiver Anspruch des christlichen Ethos ab, wohl aber ein innovierender und intensivierender. In einer thesenhaften Zusammenfassung sagt H. Schürmann: „Jesu vertikal und horizontal ausgerichtete und theo-logisch wie eschato-logisch gründende und motivierte Liebe aber revolutioniert die sittliche Welt ..." [17].

Man muß auch fragen, ob die Liebe zum Mitmenschen das einzige Kriterium der von Jesus geforderten Sittlichkeit ist. Wie steht es mit dem Verbot der Ehescheidung? Wir alle kennen die Schwierigkeiten, die sich mit dieser Forderung verbinden. Wir brauchen das Ehescheidungsverbot nicht in die Kategorie eines neuen, starren Gesetzes einzuordnen, weil es schon die Urkirche nicht so verstanden hat. H. Schürmann rechnet es zu jenen Weisungen, die nur in einem intentionalen Sinn und nur approximativ erfüllt werden können. Aber die darin enthaltene Intention Jesu können wir, meine ich, nicht beiseite schieben. Sie liegt auf der gleichen Linie wie andere extreme Forderungen; Matthäus nimmt das Ehescheidungsverbot trotz seiner berühmten Unzuchtsklausel in die Antithesenreihe auf.

[17] Moraltheologische Ansätze in den Mahnungen und Weisungen Jesu. Quaestiones disputandae, in: ThGl 72 (1982) 46–450, hier 447.

Wir können sogar vermuten, daß Jesus diese Entscheidung im Hinblick auf das beklagenswerte Los der entlassenen Frau im damaligen Judentum gefällt hat, also auch aus „Mitmenschlichkeit", im Bannkreis der Liebe. Aber dies allein erklärt noch nicht voll die Intensität seiner Forderung. Er greift auf den dahinter stehenden Willen Gottes zurück, selbst wenn der Schriftbezug in der Perikope bei Mk 10 / Mt 19 erst auf die Urkirche zurückgehen sollte. Das Neue, das er mit der Gottesherrschaft gekommen sieht, soll sich auch im Verhältnis der Geschlechter zueinander auswirken. Die Perspektive, die sich aus der Stellungnahme Jesu ergibt, fassen Hoffmann und Eid in dem Satz zusammen: „Ehe ist als umfassende Partnerschaft so erfüllend zu gestalten und zu leben, daß eine Scheidung gar nicht in Frage kommen kann"[18]. Ferner sagen sie: „Ein solches Eheverständnis steht einer selbstverständlichen Ehescheidungsmöglichkeit entgegen" (139). Akzeptieren wir dies, so stellt sich die Frage, ob sich ein solches Eheverständnis mit rationalen ethischen Überlegungen in unserer heutigen Gesellschaft vermitteln läßt, selbst unter dem Aspekt der „Mitmenschlichkeit". Sicherlich werden sich unsere Moraltheologen alle Mühe geben, das zu tun, und es von sich weisen, auf Grund der Widerstände die Begründung der lebenslangen Monogamie durch die sittliche Vernunft für unmöglich zu halten. Aber die Widerstände erwachsen doch zum Teil aus tiefsitzenden soziokulturellen Traditionen (Polygamie) oder aus einer Weltanschauung, die von vornherein eine solche Ehe ablehnt. Das gilt auch für andere Gebiete, etwa die Frage der Abtreibung.

Hier breche ich ab und ziehe eine grundsätzliche Folgerung: Das neutestamentliche Ethos, das auf der Botschaft Jesu von der hereinbrechenden Gottesherrschaft basiert und seine Forderungen am Zielbild der vollendeten Gottesherrschaft orientiert und extrem dringlich forciert, ist ohne diesen Horizont nicht denkbar und erlangt damit sein Proprium. Das neutestamentliche Ethos ist damit einer vernunftmäßig-ethischen Argumentation nicht unzugänglich, ja für eine Anwendung auf heutige ethische Probleme einer solchen unbedingt bedürftig. In seiner spezifischen, im Glauben gründenden Argumentation ist es auch nicht exklusiv, weil es sich mit einer am

[18] Jesus von Nazareth und eine christliche Moral 138.

Humanum orientierten Rationalität berührt. Aber es kann seinen ursprünglichen Ansatz niemals verleugnen, so wenig das andere ethische Konzeptionen vermögen, die ebenfalls jeweils in einem bestimmten Horizont angesiedelt sind. Darum sollte auch die theologische Ethik ihre Bindung an die biblische, in Jesus Christus kulminierende Botschaft noch stärker als bisher bedenken.

III

Tradition und Situation

Zur „Verbindlichkeit" des Gebots der Feindesliebe in der synoptischen Überlieferung und in der gegenwärtigen Friedensdiskussion

Von Paul Hoffmann, Bamberg

Eduard Schweizer
zum 70. Geburtstag

Jürgen Becker hat in seinem Aufsatz „Feindesliebe – Nächstenliebe – Bruderliebe"[1] ausgehend von Jesu Gebot der Feindesliebe die Auslegung des „Liebesmotivs" im hellenistisch-judenchristlichen Traditionsbereich bis hin zu den johanneischen Schriften verfolgt. Seine provozierende These lautet, daß in der urchristlichen Überlieferung eine bedeutsame Verschiebung stattgefunden hat: „Von einer grenzüberschreitenden Offenheit im Ansatz" in Jesu Gebot der Feindesliebe „bis zu einer bewußten nur noch gruppenspezifischen Begrenzung" auf das eine alte und neue Gebot der Bruderliebe in den johanneischen Gemeinden (vgl. S. 17). Den entscheidenden Wechsel der Perspektive möchte er schon bei Paulus als Repräsentanten des antiochenisch-syrischen Traditionsbereichs feststellen: „Auf den Ansatz bei der alle grenzen- und gruppenspezifischen Orientierungen ausschließenden Liebe folgt nun das Denken in zwei konzentrischen Kreisen vom primär betonten Innenverhältnis und dem heidnischen Umfeld als Außenverhältnis. Hatte Jesus die Nächstenliebe so beschrieben, daß er den Feind zur Ausgangsaus-

Der Luzerner Vortrag wurde für die vorliegende Veröffentlichung auch unter Berücksichtigung der Gesamtdiskussion überarbeitet und ergänzt. Vor allem die Textanalyse und die Rekonstruktion des Q-Textes (I und II 1), die in Luzern schon aus Zeitgründen vorausgesetzt werden mußten, kamen hinzu. Angesichts der Fülle der Literatur zu den berührten Themen beschränke ich mich auf eine m. E. signifikante Auswahl. Häufiger zitierte Titel sind im Literaturanhang aufgeführt und werden im Text nur mit dem Namen des Autors und der Seitenzahl zitiert.

[1] ZEE 25 (1981) 5–17. Vgl. dazu auch J. Piper, ‚Love your enemies'. Jesus' love command in the synoptic gospels and the early Christian paraenesis, passim, bes. 128 f.

sage über die Liebe machte, so wird nun die Bruderliebe Basisaussage" (S. 11)[2].

Die Relevanz und Brisanz dieser These gerade auch „für ein zeitgenössisches Konzept zur Begründung christlichen Verhaltens" und für die gegenwärtige Frage nach der Verbindlichkeit des Gebots der Feindesliebe liegt auf der Hand.

Da die synoptische Überlieferung von Becker nur am Rande behandelt wird – er sieht in ihr die Feindesliebe besonders „als Weisung für die bedrängte Gemeinde" aktualisiert –, dürfte es lohnend sein, der Auslegungsgeschichte des Gebots der Feindesliebe und der mit ihm verbundenen Sprüche in diesem Traditionsbereich nachzugehen. Das ist auch durch den überlieferungsgeschichtlichen Befund selbst nahegelegt. Denn offenbar hatte gerade diese Forderung Jesu für die Tradenten eine solche Bedeutung, daß sie dieselbe immer wieder in das Zentrum ihrer Zusammenfassung der Botschaft Jesu stellten, mag es sich nun um die Logienquelle, das Matthäus- oder Lukasevangelium handeln.

I.

Ich beginne mit der Literar- und Redaktionskritik von Mt 5,38–48/Lk 6,27–36. Sie sind nicht nur die Voraussetzung für die Rekonstruktion des Q-Textes, sondern auch die Basis für die Beurteilung der Redaktionsarbeit der Evangelisten sowie für die Rückfrage nach der ältesten Gestalt der Überlieferung bei Jesus. Dies rechtfertigt die angesichts der unterschiedlichen Auffassungen in der Forschung notwendigerweise breite Detaildiskussion.

1. Der Überlieferungskomplex Mt 5,43–48/Lk 6,27 f.32–36

Mt 5,43–45/Lk 6,27f.35:
Umstritten ist zunächst, ob die Einleitungswendung Lk 6,27 a ganz[3]

[2] Becker gesteht zu, daß die frühe Gemeinde einem „starken Außendruck standzuhalten hatte und als Gemeinde im Anfangsstadium erst zu sich finden mußte"; ebenso berücksichtigt er, daß im Rahmen des Außenverhältnisses auch die Feindesliebe thematisiert wird. Dennoch ist seiner Meinung nach der „konzeptionelle Neuansatz gegenüber Jesus" nicht wegzudiskutieren (vgl. ebd. S. 11).

[3] So etwa Manson 161; Schürmann 345. Lührmann (417) und mit ihm Guelich (224 f) verweisen für die Zugehörigkeit zu Q auf die Korrespondenz mit Lk 6,47.49/Mt 7,24.26. Doch ist zu beachten, daß hier das „Hören" positiv, dort das „(Nur)-Hören" negativ qualifiziert ist. Die von Lührmann in Anm. 22 aufgeführten „ähnlichen Überlei-

oder teilweise schon in Q stand und sogar die antithetische Form Mt 5,44a für Q sichert[4] oder ob es sich um eine lukanische Überleitungswendung handelt[5]. Da bei Lk die Wendung zweifellos die Funktion hat, nach den Weherufen gegen die Reichen zum ursprünglichen Hörerkreis zurückzuführen (vgl. 6,17), liegt die Vermutung nahe, daß Lk die Wendung ganz[6] gebildet oder doch wenigstens durch τοῖς ἀκούουσιν ergänzt[7] und dem Kontext angepaßt hat.

In der Formulierung des Gebots der Feindesliebe stimmt Mt 5,44b mit Lk 6,27b überein. Als gesichert gilt auch für Q ein zweiter Imperativ Mt 5,44c/Lk 6,28b: „Und betet für die, die euch mißhandeln/beschimpfen." Lk hat zwar mit περί den Text seiner Diktion angepaßt, dürfte aber in ἐπηρεάζειν Q erhalten haben, da διώκειν von Mt bevorzugt für die Verfolgung der christlichen Gemeinde verwendet wird[8]. Eine alte Streitfrage ist hingegen, ob die Imperative Lk 6,27c.28a bereits in Q standen[9]. Das Argument, Lk meide Parallelismen und könne daher die viergliedrige Reihe nicht gebildet haben[10], trifft nur partiell zu; immerhin verstärkt er z.B. in 6,29f die Parallelität und bildet in 6,37f gleichfalls eine viergliedrige Reihe paralleler Imperative. Da die Formulierung καλῶς ποιεῖτε τοῖς μισοῦσιν ὑμᾶς einerseits die wahrscheinlich redaktionelle Erweite-

tungswendungen" in der 3. Person eignen sich als Rahmennotizen nicht zum Vergleich. Die zwei Belege für die 1. Person (Lk 7,28 par; 10,12 par) sind nur bedingt vergleichbar, da sie innerhalb einer Spruchreihe ein Logion hervorheben, nicht aber eine Reihe eröffnen. Auch Worden (168–171) neigt dazu, eine Streichung des Partizips durch MtR anzunehmen; doch läßt gerade der auch von ihm aufgewiesene theologisch-qualifizierte Gebrauch des Verbs durch Lk eher an das Gegenteil denken.

[4] So z.B. Harnack 46; Schmid 227 (für MtR tritt er jedoch im Matthäus-Kommentar, Regensburg 1959, 96 ein); Dupont 189–191. 313f; Davies 388. Manson (161) weist Mt 5,43.44a einer matthäischen Sonderüberlieferung zu.

[5] So Bultmann 95.100. [6] So auch Zeller 102.

[7] Für ein ursprüngliches „Ich sage euch": Schulz 127; Merklein 225.

[8] Vgl. Mt 5,10f; 23,34 sowie 10,23. Für MtR argumentieren u.a.: Schürmann 333 Anm. 50; Worden 178; Schulz 128; Marshall 260. Anders Hübner 86. Lührmann (416) möchte „verfolgen" auf die vormatthäische Q-Überlieferung zurückführen (worin ihm Guelich 229 folgt) und erwägt, ob in Q nicht statt des im NT seltenen ἐπηρεάζειν das in Lk 6,27c erhatene μισεῖν (entsprechend 6,22) stand.

[9] In der Diskussion wird die Frage häufig als unentscheidbar beurteilt: So Bultmann 100 (83f sind sie jedoch ursprünglich); E. Klostermann, Das Lukasevangelium (Tübingen 1929) 80; Manson 161; W. Grundmann, Das Evangelium nach Lukas (Berlin 1961) 148; Schulz 130 (anders 120: spätere Auffüllung); Hübner 89 Anm. 225; Piper 56f u.a.

[10] So z.B. Bultmann 83; Schmid 229; Schürmann 346.

rung in V. 22a (diff. Mt 5,11) „Wenn euch die Menschen hassen" aufnimmt, andererseits dem sicher lukanischen ἀγαθοποιεῖν in V. 33 (s.u.) korrespondiert[11], hat sie wahrscheinlich Lk geschaffen, um das Gebot der Feindesliebe an die Situation von 6,22 rückzubinden und dessen aktiven Charakter herauszustellen[12]. In V. 28a lassen sich zwar keine lukanischen Spracheigentümlichkeiten finden, doch könnte hier ein isolierter Spruch der Überlieferung verarbeitet sein (vgl. Röm 12,14 sowie 1 Kor 4,12; 1 Petr 3,9), durch den Lk nochmals an das „Bannen und Verfluchen von V. 22b" erinnern will[13].

Mit H. Schürmann (S. 346) möchte H. Merklein (S. 225) die zweigliedrige Form des Mt als redaktionelle Anpassung an V. 43 verstehen[14]. Doch lassen sich die zwei *parallelen* Imperative kaum als bewußte Anpassung an die *antithetische* Gegenüberstellung von Nächstenliebe und Feindeshaß in V. 43 verstehen. Ein solches Verfahren fände auch in der Redaktionsarbeit des Mt an den übrigen Antithesen keine Bestätigung.

In Lk 6,35a korrespondieren die drei Imperative genau den V. 32–34; das Urteil über sie hängt also von dem über jene ab. Deutlich ist, daß die Überleitungspartikel πλήν, die Lk bevorzugt verwendet, durch die vorliegende Abfolge bedingt ist und den Kontrast zwischen dem von Jesus geforderten Verhalten und dem der Sünder hervorheben soll.

Die Begründung für das Gebot in Mt 5,45/Lk 6,35c dürfte nach weitgehendem Konsens Mt in der ursprünglichen Gestalt erhalten

---

[11] Vgl. Schottroff 214 (unter Bezugnahme auf van Unnik 295. 297f): „..., daß Lukas mit diesen Wendungen die Feindesliebemahnung auch terminologisch deutlich in einen Sachzusammenhang hellenistischer Ethik stellen will". Für eine lukanische Erweiterung plädieren u.a. Harnack 46; van Unnik 297f; Lührmann 416; Zeller 102. Beachte auch Braun II 107 Anm. 4: „In Lk 6,27 steckt, obwohl die Erwähnung der μισοῦντες Auffüllung durch Lk ist..., etwas der Sache nach Altes: der Haß der Gegnerschaft gegen die Anhänger Jesu."

[12] Vgl. van Unnik 298: „Durch die Verwendung der Worte καλῶς ποιεῖν und ἀγαθοποιεῖν hat Lk für seine griechischen Leser den konkreten, aktiven Charakter dieser Liebe herausgestellt und gezeigt, wie sie im sozialen Verkehr in Erscheinung tritt." Marshall 259: „an elucidation for hellenistic readers".

[13] So Schürmann 345. Allerdings beurteilt er die Korrespondenz als vorlukanisch (346).

Weitere Vertreter der Lukas-Priorität nennt Schulz 130 Anm. 296 (= Merklein 225 Anm. 31); Braun wird von beiden kaum berechtigt aufgeführt (vgl. o. Anm. 11). Neuerdings auch Worden 171.172–174; Guelich 228 (für eine vorlukanische Überlieferung) und Horn 105. [14] So auch Worden 174.

haben[15], nur τοῦ ἐν οὐρανοῖς ist als typisch matthäische Wendung ein redaktioneller Zusatz. Der Anschluß mit καί bei Lk ist durch die Einfügung von V. 35b bedingt[16]. Die Gottesbezeichnung „der Höchste" verwendet Lk häufiger; hier hilft sie zudem, die Wiederholung der Vateranrede in V. 36b zu vermeiden[17]. Die Doppelung „Undankbare und Böse" bestätigt die Ursprünglichkeit des matthäischen Parallelismus. Lk verkürzte ihn, um im Sinn seiner Interpretation die Forderung des Wohltuns gerade auch denen gegenüber, die sich dem Gegenseitigkeitsprinzip verweigern, zu akzentuieren[18]. Die Wortwahl ἀχάριστος korrespondiert mit χάρις in V. 32–34 und fügt sich – zusammen mit χρηστός – hellenistischer Terminologie ein[19].

Mt 5,46f/Lk 6,32–34:
Die zwei (so Mt) bzw. drei (so Lk) parallelen Dreizeiler bilden eine zusammengehörige Einheit. Einer mit einem Konditionalsatz eingeleiteten rhetorischen Frage wird jeweils eine weitere Frage (so Mt) oder ein Aussagesatz (so Lk) nachgestellt. Nach verbreiteter Ansicht bewahrte Mt im wesentlichen den ursprünglichen Text, während ihn Lk intensiv bearbeitete. Insofern kommt dem Abschnitt für die Erfassung der lukanischen Redaktionsintention besondere Bedeutung zu[20].

---

[15] Zur Diskussion vgl. Schulz 128f.

[16] Zeller (102 Anm. 356) hält hingegen das lukanische καὶ ἔσεσθε mit Hinweis auf Sir 4,10 für ursprünglich. Doch könnte hier eher ein sekundärer Einfluß vorliegen (vgl. die folgende Anmerkung).

[17] Lührmann (421) verweist auf Sir 4,10, wo gleichfalls dem Wohltätigen die Verheißung gegeben wird, ein „Sohn des Höchsten" zu werden, was für die lukanische Wortwahl nicht uninteressant ist (vgl. auch Marshall 264). – Schürmann (355 Anm. 94) und mit ihm Guelich (239) möchten in Mt 5,9 eine Reminiszenz an ein ursprüngliches Θεός in Q finden (so auch Zeller 103 Anm. 357), was völlig hypothetisch ist. Zur Gottesbezeichnung „der Höchste" vgl. Bertram: ThWNT VIII, 615f. 618.

[18] Schürmann (356) hält hingegen die Erwähnung der Guten und Gerechten bei Mt für sekundär, da es ja speziell um eine Motivation zur Feindesliebe ginge. Doch will das Logion Gottes uneingeschränkte Güte deutlich machen, die sich den Bösen wie den Guten zuwendet. Die sekundäre Ergänzung wäre zudem noch schwieriger verständlich zu machen als die Kürzung. Gegen ihn auch Schulz 128 Anm. 268; Merklein 226.

[19] Vgl. dazu van Unnik 292. 295–297.299. Zu ἀχάριστος siehe Conzelmann: ThWNT IX, 383; zu χρηστός vgl. Weiß: ThWNT IX, 474: Das Wort bezeichnet denjenigen, „der von einer durch Rang, Stellung, Macht, Reichtum u. a. m. begründeten Überlegenheit über andere einen *wohltätigen* Gebrauch macht". Siehe auch Horn 103.

[20] Zum Diskussionsstand vgl. wieder Schulz 129. Manson (54f) hält – vor allem wegen der „poetischen Struktur" – Lk für ursprünglicher. Wrege (85–91) sucht für Lk 6,32–35

Matthäisch dürfte nur die Angleichung der Einleitungspartikel von V. 46 an V. 47 (ἐάν mit Konjunktiv gegen Lk 6,32: εἰ mit Indikativ) sowie in V. 47b der Ersatz einer wahrscheinlich ursprünglichen Frage nach dem Lohn (parallel zu V. 46b) durch τί περρισσὸν ποιεῖτε sein. Dieser überraschende Wechsel der Perspektive vom endzeitlichen Lohn auf die Qualität des Tuns entspricht terminologisch und sachlich der matthäischen Forderung einer besseren Gerechtigkeit in 5,20 (περισσεύσῃ ... πλεῖον)[21].

Die bei Lk in V. 32–34 dreimal stereotyp wiederholte Frage ποία ὑμῖν χάρις ἐστίν; geht auf sein Konto, wie selbst Schürmann (S. 353 Anm. 77) konzediert[22]. An ein ursprüngliches μισθός erinnert die von Lk in V. 35b eingefügte Verheißung endzeitlichen Lohns (in Aufnahme der Formulierung von V. 23b). Ebenso ist der stereotype Hinweis auf das Verhalten der „Sünder" (statt der konkreteren und jüdischem Milieu entsprechenderen „Zöllner" und „Heiden" bei Mt) als lukanische Verallgemeinerung zu beurteilen, „die das Wort auch für nichtjüdische Leser verständlich macht"[23]. In V. 32 ist die

---

insgesamt eine vorlukanische mündliche Konkurrenzüberlieferung zu Mt nachzuweisen, die allerdings auch er als hellenisiert ansieht.

[21] So auch Wrege 90; Lührmann 420; Hübner 86; Merklein 226; Guelich 232f. Vgl. auch Schürmann 353 Anm. 76.77. Für ursprünglich halten περισσόν Schulz 129 (mit Harnack 47: „empfiehlt sich schon als Vulgarismus") sowie auch Zeller 103, allerdings nicht Braun (II 226 Anm. 3), den sowohl Schulz (Anm. 284) als auch Merklein (Anm. 51) für diese These in Anspruch nehmen: „χάρις ... in Lk 6,32.33.34 sekundär gegen den μισθός der Matthäus-Parallelen" (Braun ebd.).

[22] χάρις wird bei den Synoptikern nur von Lk verwendet. Vgl. Conzelmann: ThWNT IX, 382. Der Begriff gehört jedoch auch, wie van Unnik 295f zeigt, zur Terminologie hellenistischer Gegenseitigkeitsethik. Siehe auch Hübner 87 (gegen Wrege 86 Anm. 2). Conzelmann (ebd. Anm. 152) problematisiert den redaktionellen Charakter des Wortes.

[23] Vgl. wieder Schulz 129f. Auch Schürmann (353 Anm. 79) hält dies für „möglich", zumal „Heiden" und „Zöllner" auf einen judenchristlich geprägten Sprachgebrauch verweisen. Meint Lk mit den Sündern die „unbekehrten Heiden" schlechthin (so Rengstorf: ThWNT I, 332; van Unnik 297 Anm. 1)? Vielleicht ist jedoch genereller an den unbekehrten „Weltmenschen" zu denken, der für Lk seine besondere Gestalt im selbstbezogenen Reichen (vgl. 12,16–21; 14,19) oder auch im geldgierigen Pharisäer (16,14) finden kann. In seinem Verständnis der „sündigen Welt" tritt ein „Weltverständnis in Erscheinung, das Macht, Reichtum, Besitz und Ehe als etwas Negatives ansieht, dessen Einfluß sich der Christ entziehen muß" (G. Baumbach, Das Verständnis des Bösen in den synoptischen Evangelien [Berlin 1963] 205). Auch nach Wrege (91) wurde in Lk 6,32ff eine judenchristliche Überlieferung – allerdings bereits vorlukanisch – universalistisch „entschränkt". Marshall (263) hält die „Sünder" für vorlukanisch.

etwas umständliche Wiederholung der Formulierung des Vordersatzes ἀγαπᾶτε τοὺς ἀγαπῶντας ὑμᾶς im Nachsatz τοὺς ἀγαπῶντας αὐτοὺς ἀγαπῶσιν statt des wahrscheinlich ursprünglichen τὸ αὐτὸ ποιοῦσιν (Mt V. 46 f und Lk V. 33) nicht nur stilistisch bedingt[24]; sie soll vielmehr, wie auch V. 34c, der Reziprozität des Sünderverhaltens sprachlichen Ausdruck geben und entspricht insofern der lukanischen Auseinandersetzung mit hellenistischer Gegenseitigkeitsethik, die den ganzen Abschnitt redaktionell prägt[25]. ἀγαθοποιεῖν in V. 33 (vgl. 6,9 sowie V. 27c) macht diesen hellenistisch-ethischen Kontext deutlich[26]. In V. 34 verwertet Lk „das V. 33 übergangene Motiv des δανίσασθαι (Mt 5,42)“[27], um an ihm in einem dritten Beispiel das von der Gegenseitigkeit bestimmte Sünderverhalten zu verdeutlichen. Diese „zusätzliche Exemplifizierung“ wirkt – bezogen auf die in Q vorgegebene Feindesliebe-Thematik – in der Tat „etwas ungeschickt“[28]. Sie ist aber durch das besondere lukanische Interesse an der Frage des Umgangs der Reichen mit ihrem Besitz veranlaßt, das auch die Änderung in 6,30 leitet, und gehört in den Themenkreis der Gegenseitigkeitsethik hinein, die im griechischen Leben ja gerade auch das gegenseitige Wohltun bestimmte[29].

---

[24] Gegen Schulz 129: „Möglicherweise, um eine Wiederholung zu vermeiden“.

[25] Das Präsens (statt des Aorists bei Mt) unterstreicht die Regelhaftigkeit des Verhaltens: Marshall 262.

[26] Während Grundmann (ThWNT I, 17) aus dem Profangriechischen nur astrologische Parallelen anführt und den neutestamentlichen Sprachgebrauch bei Lk und besonders in 1 Petr aus der LXX ableitet, wo allerdings nur 1 Makk 11,33 (Brief des Königs Demetrius) eine aufschlußreiche Parallele bietet, die zudem auch dem Gegenseitigkeitsprinzip Ausdruck gibt, macht van Unnik (289–295) über das in der LXX gleichfalls häufiger verwendete synonyme εὖ ποιεῖν deutlich, daß die Wortgruppe im Zusammenhang hellenistischer Gegenseitigkeitsethik steht.

[27] Bultmann 100, dessen Argumentation vielfach aufgenommen wird. Dagegen Wrege 79.88. Schürmann (354) führt die Korrespondenz von V. 34 zu der in Mt 5,42b erhaltenen Q-Fassung von Lk 6,30b nicht auf LkR zurück, sondern schließt daraus auf eine vorlukanische Tradition. Ähnlich auch Marshall 263.

[28] Schottroff 217.

[29] Vgl. van Unnik 298f: „Zudem wird die Sache hier von einer anderen Seite beleuchtet: In Vs. 32 und 33 ist das Subjekt ein Mensch, der etwas empfängt und dann zurückgibt; hier ist es ein Mann, der selbst anfängt etwas zu geben in der Hoffnung, etwas zurückzubekommen... Das waren die beiden Seiten dieses Prinzips (der Gegenseitigkeit)“ (ebd. 299).

Mt 5,48/Lk 6,36:
Hier besteht wieder ein breiter Konsens für die Priorität der lukanischen Fassung[30]. Mt hat τέλειος (vgl. auch 19,21 diff. Mk), wahrscheinlich beeinflußt von Dtn 18,13 (LXX), hier eingefügt, um am Ende der Antithesenreihe umgreifend die Intention der jesuanischen Gesetzesauslegung zu kennzeichnen. Dem entspricht die grundsätzliche Formulierung mit ἔσεσθε (vgl. Lev 19,21 LXX)[31]. Auf ihn gehen auch οὖν, ὁ οὐράνιος und das die Gegenüberstellung zu V. 46f hervorhebende ὑμεῖς zurück. Nur καθώς dürfte gegenüber dem einfachen matthäischen ὡς lukanisch sein.

Problematisiert wurde neuerdings die Frage des ursprünglichen Zusammenhangs dieses Spruches. Der Form nach handelt es sich deutlich um einen isolierten Einzelspruch[32]. Mit Recht bemerkt Bultmann (S. 92), daß „der ursprüngliche Zusammenhang von V. 48 mit 44–47 keineswegs sicher ist". Merklein (S. 228) postuliert zusammen mit Schulz (S. 131f) eine originäre Zusammengehörigkeit von V. 48 mit V. 45f, aus der er für die Interpretation des Gebots der Feindesliebe erhebliche Konsequenzen zieht. Nach dem Hinweis auf Gottes Walten in der Schöpfung bringe erst V. 48 mit dem Hinweis auf Gottes endzeitliches Barmherzigkeitshandeln die eigentliche Begründung für die Forderung der Feindesliebe (vgl. ebd. S. 228–237). Diese mit erheblichem kommunikationstheoretischem Aufwand durchgeführte These setzt die redaktionellen Kontexte zugunsten interpretatorischer Interessen absolut und überspielt die – literar- wie formkritisch betrachtet – deutliche Eigenständigkeit der zwei Sprüche.

2. Der Überlieferungskomplex Mt 5,39b–42; 7,12/Lk 6,29f.31

Die Rekonstruktion des Q-Textes ist hier in hohem Maße unsicher, da das Urteil über Redaktion oder Tradition vielfach ambivalent bleiben muß[33]. Ein weitgehender Konsens besteht darin, daß die antithetische Rahmung der Sprüche Mt 5,38.39a.b, die in Lk 6 fehlt, auf MtR zurückgeht. Der sekundäre Charakter der Kombination

---

[30] Vgl. wieder Schulz 130.

[31] Harnack (47) und Schmid (229) halten hingegen γίνεσθε für eine logische Verbesserung durch LkR.

[32] Vgl. Zeller 110f.

[33] Vgl. z.B. Bultmann 100 zu Mt 5,39 / Lk 6,29b (S. 82 bevorzugt er allerdings den Matthäus-Text); Lührmann 418 zu Lk 6,29a.b; Worden 181.190 zu Lk 6,29a; Piper 58.

wird auch literarkritisch bestätigt. Der Plural ὑμῖν in V. 39a steht in Spannung zu der singularischen Anrede in den folgenden Sprüchen; das einleitende Verbot, dem Bösen zu widerstehen (V. 39b) paßt inhaltlich nicht ganz zu der in den Sprüchen geforderten Aktivität und steht in sachlichem Widerspruch zur Forderung, dem Bittenden zu geben und zu leihen. Der literarische Befund schließt eine vormatthäische Kombination prinzipiell nicht aus. Da jedoch die antithetische Rahmung erst anläßlich der Verbindung der Sprüche mit der Antithesenreihe erfolgte, wird man auch die vorliegende Gestalt von Mt 5,38–42 der gleichen Traditionsstufe zuweisen müssen und kaum auf Q zurückführen können[34]. Auch im Rahmen der lukanischen Komposition weist der Numerus-Wechsel auf eine sekundäre Einfügung in den Kontext hin und läßt die Sprüche als zusammengehörige Einheit erkennen. Wie die Mt-Lk-Parallelität beweist, war diese den Evangelisten schon in Q vorgegeben, obwohl es sich um zwei thematisch verschiedene, ursprünglich wahrscheinlich isoliert überlieferte Spruchgruppen handelt[35].

Schulz (S. 122) hält aufgrund seines Interesses an dem prophetischen Charakter der Sprüche die „prophetisch-enthusiastische Einleitungsformel" Mt 5,39a für ursprünglich. Merklein (S. 269) nimmt ein einfaches λέγω ὑμῖν an (wie schon für Mt 5,44a/Lk 6,27a), das Lk anläßlich der Einfügung der Sprüche nach 6,27f gestrichen habe, offenbar, weil diese seiner Meinung nach in Q die Komposition eröffnenden Sprüche eine angemessene Einleitungswendung benötigen. Doch bleibt beides bloße Vermutung.

In der Struktur der Spruchreihe zeigt sich nicht nur bei Mt ein „deutlich erkennbarer Stilwille"[36], sondern auch bei Lk. Bei Mt wechseln mit ὅστις eingeleitete Relativsätze (V. 39b.41) und Partizipialkonstruktionen (V. 40.42), wobei der Doppelspruch V. 42 als ein Glied der Viererreihe erscheint. Bei Lk sind es durchweg Partizipialkonstruktionen; doch wechseln hier Dative (V. 29a.30a) mit Präpositionalverbindungen (V. 29b.30b). Die isolierte Voranstellung des Relativsatzes bei Mt in V. 39 (ebenso V. 41) und dessen Wiederaufnahme

---

[34] Manson (159) und auch Wrege (80–82) rechnen mit einer matthäischen Sonderüberlieferung von Mt 5,38.39a. Ähnlich auch Hübner 95.

[35] Vgl. Bultmann 87; Manson 51; Schürmann 348.349; Zeller 55 u.a.

[36] So Schulz 121 mit W. Grundmann, Das Evangelium nach Matthäus (Berlin 1971) 74.

durch das im obliquen Kasus stehende αὐτός ist auch im nachklassischen Griechisch ungewöhnlich und weist auf semitischen Spracheinfluß hin[37]. Da umgekehrt die Partizipialkonstruktion in Lk 6,29 mit dem „attrahierten obliquen konditionalen Partizip" gräzisiert erscheint[38], könnte diese sprachliche Differenz ein Indiz für die Ursprünglichkeit der matthäischen Konstruktion sein. Allerdings führt MtR ὅστις wiederholt in seine Vorlagen ein[39]. Nur erweist dies noch nicht die Priorität der lukanischen Partizipialkonstruktion. Möglicherweise ist ein ὅς (ἄν) vorauszusetzen. Auch die Partizipialkonstruktion in Mt 5,40 verrät – im Unterschied zu Lk 6,39b, aber auch zu Mt 5,42/Lk 6,30 (=Q!) – in der Wiederaufnahme des Partizips durch das Pronomen semitischen Einfluß[40]. So liegt sprachlich die Vermutung nahe, daß Mt in den Sprüchen gegenüber der griechischeren Fassung bei Lk ursprünglicher ist.

Dieser Option entspricht, daß Mt in V. 39b mit ῥαπίζει ... στρέψον gegenüber Lk 6,29a τύπτοντι ... παρέχε die „vulgärere" Ausdrucksweise bietet[41]. Lk hat also, wie oft, das Sprachniveau verbessert. Die Rede von der „rechten" Backe kann redaktionell sein, da Mt δεξιός auch in 5,29f gegen Mk 9,47.43 in den Text einfügt, um die genannten Körperteile besonders zu qualifizieren[42].

---

[37] Vgl. K. Beyer, Semitische Syntax im Neuen Testament (Göttingen 1962) 169f. 176. Zu den konditionalen Relativ- und Partizipialsätzen vgl. auch die Tübinger Diplomarbeit von U. Bauer, Rechtssätze im Neuen Testament. Eine gattungsgeschichtliche Untersuchung (Katholisch-Theologische Fakultät Tübingen 1981) 104ff.

[38] Vgl. Beyer, ebd. 214 sowie 210.

[39] Vgl. Schulz 121 Anm. 203; Worden 183f; Guelich 221f; Piper 191 Anm. 138.

[40] Vgl. Beyer, a.a.O. 215.217: Durch die Attraktion des Partizips im Kasus an das anaphorische αὐτός ist die Härte des Ausdrucks gemildert. Allerdings verwendet Mt diesen Satzbau häufiger, vgl. Schlatter, Der Evangelist Matthäus (Stuttgart 1948) 189.

[41] Harnack 45, vgl. Worden 182 Anm. 153.154. Beide Verben fügen sich lukanischem Sprachgebrauch ein. Von στρέφειν verwendet Lk nur das Partizip (vgl. auch Worden 182f. 184–188.191f). Guelich (221f) vermutet wegen der Berührung der matthäischen Formulierung mit Jes 50,6 (LXX) und wegen der redaktionellen Einfügung des Wortes in 26,67 (vgl. Mk 14,65) matthäische Redaktion. Die redaktionelle Rückkoppelung des Verhaltens Jesu in der Passion an die fünfte Antithese ist richtig beobachtet (vgl. auch den „Widerstandsverzicht" in 26,52f mit 5,39a!). Damit ist jedoch noch nicht der redaktionelle Charakter von V. 39b erwiesen.

[42] Vgl. Schmid 229 Anm. 2; Schürmann 347 Anm. 33; Worden 188; Zeller 55. Guelich (220–222) argumentiert für MtR, da Mt bei der Zitierung von Dt 19,21 in V. 38 dem alttestamentlichen Kontext Dt 19,16–21 entsprechend vor allem das Verhalten im Prozeß meine und daher auch V. 39a, 39b und 40 auf diese Situation beziehe. Das dürfte allerdings – nicht nur wegen V. 41f – als Überinterpretation zu beurteilen sein. Auch

Möglicherweise ist damit aber auch – die Unrechtssituation verschärfend – auf den entehrenden Schlag mit dem rechten Handrükken Bezug genommen, der in der rabbinischen Gesetzesauslegung Rechtsrelevanz besaß[43]. Dieses palästinisch-jüdische Kolorit könnte für die Ursprünglichkeit sprechen[44].

Auch Mt 5,40 zeigt gegenüber Lk 6,29b eine „ungelenke, ungriechische und weitschweifende" Ausdrucksweise, die eine Korrektur durch Lk veranlaßt haben kann[45]. Die zwei Fassungen des Spruches unterscheiden sich zudem auch in der Sache: Mt setzt einen Pfändungsprozeß voraus, in dem nach alttestamentlich-jüdischem Recht dem Armen der Mantel nicht über Nacht gepfändet werden durfte, da er ihn als Zudecke benötigte[46]. Lk hingegen setzt einen Raubüberfall voraus. Logischerweise wird daher auch der „Mantel genommen" und soll „das Gewand nicht versagt" werden. „Aus dem Verhalten bei einem Rechtsstreit" wurde „eine allgemeine Maxime"[47]. Wegen dieser Generalisierung der Situation wird die Fassung vielfach Lk zugeschrieben[48].

Hübner (93f) und Grundmann (Matthäus 172f) heben die juristische Akzentuierung in V.39.40 durch Mt hervor. Lührmann (418) läßt die Entscheidung offen. Zur Sache vgl. Grundmann: ThWNT II, 37.

[43] Vgl. Billerbeck I, 342f.

[44] Den Bezug sahen bereits J. Lightfoot, Horae Hebraicae et talmudicae (Leipzig 1634) 282f, sowie J. Wettstein, Novum Testamentum (Amsterdam 1751) I,309. Er ist vor allem von Fiebig (48f) und J. Weismann, in: ZNW 14 (1913) 175f, für die Authentizität der matthäischen Fassung geltend gemacht worden. Worin ihnen viele folgten: s. Manson 51; M. Black, An Aramaic Approach to the Gospels and Acts (Oxford ³1967) 190; Stählin: ThWNT VIII, 263; Wrege 76f; Jeremias 229; Schulz 122; Merklein 269. Daß allerdings ἄλλη Lk veranlaßt habe, δεξιός zu streichen (wie Schulz vermutet und Merklein mit Hinweis auf ihn als „gut begründet" annimmt), setzt bei Lk eine überscharfe Logik voraus. Richtiger ist es, mit Jeremias anzunehmen, daß für den lukanischen Leserkreis diese spezielle Bedeutung nicht ohne weiteres verständlich war. Piper (58) erwägt, daß Lk die „legal technicalities" eliminiert habe.

[45] Harnack 45. Die lukanische Partizipialkonstruktion ist gut griechisch. κωλύειν ἀπό ist als Septuagentismus zu beurteilen (vgl. Blass-Debrunner-Rehkopf, Grammatik des neutestamentlichen Griechisch (Göttingen ¹⁴1976) § 180,2: „hebräisierend wie LXX Gen 23,6"). So auch Worden 193–195.201–205; Marshall 261 (als vorlukanisch). Worden beurteilt im übrigen die matthäische Fassung als redaktionell (195–201), vor allem wegen κρίνειν, was LkR aufgrund seiner häufigen Verwendung des Wortes hier kaum vermieden hätte (201). Hier wird jedoch die Grenze der primär philologischen Betrachtungsweise Wordens deutlich, die die inhaltlichen Implikationen der Redaktionsarbeit der Evangelisten zu wenig berücksichtigt.

[46] Vgl. Ex 22,25f; Dt 24,13 sowie zur rabbinischen Überlieferung Billerbeck I, 343f.

[47] Harnack 45.

[48] Vgl. G. Kittel, Probleme des palästinischen Spätjudentums und des Urchristentums

Das dritte Beispiel Mt 5,41 fehlt bei Lk; das legt zunächst eine sekundäre Einfügung nahe[49]. Doch zeigt der Spruch, wie die vorangehenden, semitische Spracheigentümlichkeit; das Beispiel paßt zudem vorzüglich in die zeitgenössische politische Situation Palästinas. ἀγγαρεύειν meint eine erzwungene Dienstleistung für den Staat, die vielfach mit der Requirierung von Lasttieren, etwa Eseln, verbunden war. Das im NT nur hier begegnende lateinische Fremdwort μίλιον läßt speziell Zwangsverpflichtungen durch Römer vermuten[50]. Lk könnte dieses Beispiel also ausgelassen haben, da es weder in seine städtische Gemeindesituation noch zur thematischen Ausrichtung seiner Bearbeitung paßte[51].

Die Beispiele in den Sprüchen Mt 5,39–41/Lk 6,29 bewegen sich in einem je verschiedenen Erfahrungshorizont. Es ist daher zu prüfen, ob sich gerade daraus Konsequenzen für die umstrittene Ursprünglichkeitsfrage ergeben. Mt verrät deutlicher als Lk palästinisches Kolorit; im Vergleich zu ihm wirkt die Fassung des Lk abstrakter; dadurch werden die Forderungen verallgemeinerungsfähiger. Während Mt sehr unterschiedliche, aber spezifische Beispiele für Pressionen aufzählt, wie sie vor allem sozial Schwache trafen, sind die Beispiele bei Lk homogener. Es werden zwei typische Fälle von Gewalttat genannt, wie sie jedermann überall widerfahren konnten. Das spricht zunächst nicht gegen die Ursprünglichkeit, denn auch Jesus konnte bei seinen galiläischen Zuhörern in ihrer

---

(Stuttgart 1926) 32f; Manson 51 (?); Braun II 92 Anm. 1; Schürmann 347 Anm. 35; Merklein 269; Zeller 55; Marshall 260, vgl. auch Piper 58. Gegen die matthäische Priorität äußern sich Wellhausen, Evangelium Matthaei (Berlin 1914) 22; Fiebig 49; Guelich 222; Theißen 184. Horn (104) weist die Änderung QLk zu.

[49] So z.B. Schulz 123; Lührmann 418 („weil Gründe für eine Auslassung durch Lk nicht erkennbar wären"); Worden 206; Zeller 55 („vormatthäische Erweiterung"); Merklein 269.

[50] Vgl. Theißen 176f.184.

[51] Das vermutet auch E. Schweizer, Das Evangelium nach Matthäus (Göttingen 1973) 67: „Das Beispiel... ist vielleicht außerhalb Palästinas (und Syriens) nicht mehr akut, daher von Lk weggelassen, obwohl auch Zufügung (in Q?) zur Zeit der Hochspannung gegenüber Rom möglich ist" (vgl. ebd. 79). Dagegen wendet sich Zeller 55 Anm. 13: „Daß Lukas ihn weggelassen habe, weil die Nötigung zum Mitgehen außerhalb Palästinas unverständlich gewesen sei..., leuchtet angesichts Epiktet, diss. IV, 1,49 nicht ein". Doch spricht Schweizer nicht von Unverständlichkeit, sondern zutreffend von der Inaktualität. Auch Schmid (228), Piper (58), Marshall (260) erwägen eine Streichung durch Lk.

ländlichen Situation solche Erfahrungen voraussetzen. G. Theißen (S. 184) grenzt sie – ausgehend vom Raubüberfall „auf offener Straße“ – auf „die Situation von Wandernden und Reisenden“ ein (was allerdings für den Schlag auf die Wange so generell nicht zutrifft). Lk habe damit den „traditionellen Sinn“ der Beispiele erhalten, während es ihm auf das „Problem des Geldleihens“ ankomme. Für Q lasse dann der enge Zusammenhang mit der letzten Seligpreisung erkennen, daß mit ihnen speziell auf die Situation verfolgter Wandercharismatiker Bezug genommen war (vgl. ebd. S. 185 bis 188.195f). Die matthäische Fassung gebe hingegen spätere „Traditionen judenchristlicher Gemeinden“ wieder, in denen sich „Erfahrungen des jüdischen Krieges und der Nachkriegszeit niederschlagen“ (S. 179, vgl. S. 176–180). Gegen Theißen ist allerdings einzuwenden, daß die in der Matthäus-Fassung artikulierten Erfahrungen auch schon auf die politische und wirtschaftliche Lage des von Römern besetzten und ausgebeuteten Palästinas in der Vorkriegszeit zutreffen; auch sie könnten also für Q oder sogar schon für den historischen Jesus vorausgesetzt werden. Zudem lassen sich die Sprüche in der Lukas-Fassung auf die Situation verfolgter Wanderpropheten nicht festlegen. Das Interesse des Lk am Problem des Geldleihens schließt einen redaktionellen Eingriff in V. 29 nicht aus, zumal er das Motiv des Leihens in V. 30 zugunsten der generellen Forderung des Besitzverzichts wegläßt. Seine Redaktionsarbeit verlief offenbar nicht so einlinig. Er wollte, wie die bisherigen Analysen zeigten, die ihm überlieferten Sprüche einer Situation adaptieren, in der dem Verhältnis von Besitzenden zu Armen und der Überwindung eines an der Gegenseitigkeit orientierten Sozialverhaltens eine besondere Bedeutung zukam. Dafür besaßen die matthäischen Beispiele keine Aktualität mehr. Die Perspektive hatte sich gewandelt: Sprach die Tradition speziell Arme und sozial Schwache in ländlicher Situation an, sind die Adressaten jetzt eher Reiche und Angesehene in einer Stadtgemeinde. Für sie war die Pfändung des Gewandes oder die Zwangsrequirierung kein Problem mehr. So mußte Lk, wollte er die Sprüche nicht ersatzlos streichen, nach passenderen Exemplifizierungen suchen. Hier bot sich parallel zum Schlag auf die Wange der Raubüberfall an – als ein weiteres Beispiel von Gewalttätigkeit, das jedermann treffen konnte. Die damit verbundene „Privatisierung“ der Forderungen Jesu entspricht durchaus der Gesamttendenz seiner Interpretation[52]. Nach Abwägung der verschiedenen Aspekte neige ich daher dazu, die matthäische Fassung der Sprüche im ganzen für die primäre zu halten.

Ein breiter Konsens besteht jedoch wieder darin, daß in Mt 5,42/Lk 6,30 durchweg Lk redigierend in den Text eingriff[53]. In V. 30a verstärkt er verallgemeinernd die Gebensforderung durch das vorangestellte παντί und durch das Präsens (statt des Aorists); in V. 30b ersetzt er die Bitte um ein Darlehen durch den Rückbezug auf den Raubüberfall in V. 29b, weitet aber das dortige Beispiel auf die Wegnahme von Besitz überhaupt (τὰ σά) aus. Durch ἀπαίτει schafft er ein Wortspiel mit αἰτοῦντι in V. 30a. Zugleich ist die Komposition auch stilistisch verbessert: Die Sprüche sind nun auf zwei Doppelsprüche, die einander asyndetisch folgen, verteilt und durch die gleichen Einleitungen in V. 29b und 30b sprachlich aufeinander bezogen. Die Aufgliederung in zwei parallele Doppelsprüche entspricht dem parallelisierenden Aufbau der Imperative in V. 27f.

Auch die Rekonstruktion des Wortlauts der Goldenen Regel Mt 7,12/Lk 6,31 ist im ganzen unproblematisch[54]. Mt verdient, was den Kern der Aussage betrifft, den Vorzug. Da er jedoch die Regel als Zusammenfassung von Jesu Lehre der besseren Gerechtigkeit in 7,12 verwendet, ist sowohl der Zusatz V. 12c, der sich auf 5,17 (vgl. 22,40) zurückbezieht, als auch das die vorausgehenden Weisungen zusammenfassende οὖν (statt des ursprünglichen καί) seiner Redaktionsarbeit zuzuschreiben. Das gilt wahrscheinlich auch für das generalisierende πάντα ὅσα (ἐάν) in der Einleitung (vgl. 28,20), wenngleich auch καθώς lukanisches Kolorit verrät. Doch paßt dies besser zu dem bei Mt den Nachsatz eröffnenden οὕτως. Das bei Lk betont nachgestellte ὁμοίως ist hingegen redaktionell[55].

---

[52] Vgl. Theißen 180–183.

[53] Zur Diskussion s. Schulz 123 sowie Schürmann 349; Merklein 269. Worden (205–214) hält Mt 5,42b vor allem wegen des matthäischen θέλειν (208. 210) für redaktionell überarbeitet. Manson (51) sieht in V. 42b den Versuch, Lk zu interpretieren. Gegen LkR argumentieren auch Wrege 78 Anm. 3 sowie Marshall 261 (V. 30b sei vorlukanisch).

[54] Vgl. zur Rekonstruktion Schulz 139; Zeller 117; Worden 214–230.

[55] Vgl. Lk 3,11; 5,10.33; 10,32.37; 13,3; 16,25; 17,28.31; 22,36 = LkS bzw. LkR.

II.

1. Die Komposition der Sprüche in der Logienquelle

Ausgegangen werden kann von der Zusammengehörigkeit der Abschnitte Mt 5,38–48; 7,1–5/Lk 6,27–38.41 f als dem Mittelteil einer Spruchkomposition, die schon in Q durch vier Seligpreisungen eröffnet und mit den Worten vom Fruchtbringen, vom Tun der Worte Jesu und dem Gleichnis vom Hausbau abgeschlossen wurde. Abgesehen von den wahrscheinlich sekundär eingefügten Weherufen und den Sprüchen Lk 6,39f läßt Lk die ursprüngliche Anlage der Komposition noch gut erkennen, wie durch die parallele Abfolge der einzelnen Spruchkomplexe in der stark erweiterten matthäischen Bergpredigt bestätigt wird. Der synoptische Vergleich bestätigt auch, daß die Barmherzigkeitsforderung (Lk 6,36/Mt 5,48) und das Verbot des Richtens mit dem Bildwort vom Splitter und Balken (Mt 7,1–5/Lk 6,37f.41f) den Abschluß des Mittelteils bildeten. In Mt 5,38–47/Lk 6,27–35 divergieren jedoch die beiden Tradenten so stark, daß die Rekonstruktion der ursprünglichen Q-Abfolge äußerst umstritten ist. Mt hat in sekundärer antithetischer Rahmung die Sprüche vom Rechtsverzicht und vom Geben in der fünften und das Gebot der Feindesliebe mit zwei rhetorischen Fragen und der Vollkommenheitsforderung in der sechsten Antithese untergebracht; bei Lk sind die ersten Sprüche zusammen mit der Goldenen Regel einer Komposition eingefügt, die das Gebot der Feindesliebe sowohl am Anfang als auch – zusammen mit seiner Begründung – am Ende aufführt. Während bei Mt die rhetorischen Fragen Mt 5,46f dem Gebot der Feindesliebe 5,44f folgen, stehen sie bei Lk vor dem Gebot (Lk 6,32–34.35).

Deutlich ist aufgrund der Parallelität, daß die Sprüche vom Rechtsverzicht und Geben (Mt 6,39b–42/Lk 6,29f) schon in Q verbunden waren[56]. Möglicherweise folgte ihnen auch schon in Q die Goldene Regel (Lk 6,31); ihre Stellung in Mt 7,12 ist sicher redaktionell, was allerdings die lukanische Position noch nicht ins Recht setzt[57]. Umstritten ist, wo diese Sprucheinheit in der Q-Komposition

[56] Darin besteht ein weitgehender Konsens auch bei sonst unterschiedlichen Gesamtrekonstruktionen.

[57] Vgl. Wrege 132 Anm. 1; Schürmann 350–352; Schulz 121; Marshall 261. Bultmann

ursprünglich stand. War sie wie bei Lk von den Feindesliebe-Sprüchen umrahmt, ging sie wie bei Mt ihnen voran oder folgte sie ihnen? Sodann kann aufgrund der allerdings unterschiedlichen Verbindung der rhetorischen Fragen mit dem Gebot der Feindesliebe in Mt 5,44b–47 und Lk 6,32–35 mit einiger Sicherheit vermutet werden, daß die zwei Einheiten auch in Q irgendwie zusammengehörten. Fraglich ist hier nur, ob der matthäischen oder der lukanischen Abfolge Priorität zukommt. Mit diesen zwei Fragekomplexen hängt schließlich der dritte zusammen, ob das Gebot der Feindesliebe auch in Q wie bei Lk am Anfang und am Ende der Spruchreihe aufgeführt war und, falls diese Doppelung redaktionell ist, wo es dann in Q stand.

H. Merklein[58] hat – aufgrund „traditionsgeschichtlicher Überlegungen" – die Eigenständigkeit der Sprüche Lk 6,29f als Indiz für ihre Einfügung durch Lk angesehen und die bei Mt erhaltene Abfolge (ohne Antithesenform) auch für Q als wahrscheinlich reklamiert. Mt 5,44–48 entsprechend sei auch schon in Q das Gebot der Feindesliebe mit der Barmherzigkeitsforderung (Lk 6,36) verbunden gewesen. Schon R. Bultmann (S. 83.100) hat Lk 6,29f (31) als redaktionelle Einfügung des Lk und die Wiederholung des Gebots der Feindesliebe in V. 35b als Folge dieses Eingriffs beurteilt. Allerdings äußert er sich nicht zur ursprünglichen Abfolge der beiden Spruchgruppen in Q[59].

Der Rückschluß ist in der Tat schwierig und gegen die selbstverständliche Übernahme der matthäischen Reihenfolge spricht, daß diese durch die besondere Anlage der Antithesenreihe bei Mt bedingt sein kann. Sowohl die Endstellung des Gebots der Feindesliebe als Höhepunkt der Reihe (vgl. 19,19b) als auch seine Verbindung mit 5,48 (als Zusammenfassung der Gesetzesauslegung Jesu) entspricht deutlich dessen Interessen. Gegen die obige Argumentation ist methodisch einzuwenden, daß die mit Recht festge-

(100) und Schmid (228) rechnen mit einer lukanischen Einfügung. Schmid (245) vermutet eine ursprüngliche Stellung von Mt 7,12 in Q nach 7,1–5.

[58] S. 222f, so auch schon Schulz 120. Piper beurteilt die Entstehung der lukanischen Fassung aus der matthäischen als eine gegenüber der umgekehrten Annahme gleichwertige Möglichkeit (54f). Schmid (226–231) sieht die Matthäus-Fassung einschließlich der Antithesenform als primär an (Matthäus 96: ohne die antithetische Form); ebenso Dupont I 189–193.

[59] S. 82 sind sie isoliert aufgeführt.

stellten formalen und literarischen Spannungen im Lukas-Text als solche noch nicht traditionsgeschichtliche Urteile gestatten. So sind z. B. H. Schürmann (S. 345–358) und D. Lührmann (S. 416) methodisch betrachtet in keiner schlechteren (aber deswegen auch nicht überzeugenderen) Position, wenn sie die Verbindung der Sprüche mit dem lukanischen Kontext schon für Q postulieren und die matthäische Akoluthie als Folge der „Umformung des Materials in Antithesen" und „Glättung des komplizierten Aufbaus, der sich bei Lk findet" (so Lührmann ebd.), verstehen.

Schürmann meint, aufgrund einer diffizilen Analyse des Textes nachweisen zu können, daß Lk ein ursprüngliches „Lehrgedicht" in 6,27 b f.32 f.35 a(b?) c „treu bewahrt" habe, in das bereits in der Vorlage (also in Q) Lk 6,29–31 eingefügt worden war, was „zu einer (schon vorlukanischen) Ausweitung in V. 34 (und teilweise V. 35 a) führte" (S. 357). MtR habe Lk 6,27 f und Lk 6,29 f in antithetische Form gebracht, was „ihn dann direkt nötigte, einen Rückverweis wie Lk 6,34.35 a fortzulassen" (S. 358). Die Einfügung von Mt 6,1–34 machte es schließlich „nötig", Lk 6,36/Mt 5,48 mit 5,44–47 zu verschmelzen, und legte es nahe, Mt 5,45 (= Lk 6,35 c) „vorzuziehen und in die durch die Vorwegnahme von Lk 6,29–31 entstandene Lücke zu setzen (was gleichzeitig die Möglichkeit gab, 6,35 a und 6,27 f als Mt 5,44 zu verschmelzen)" (S. 358).

Schürmann erschließt die Zusammengehörigkeit von Lk 6,27 f mit V. 32 f.(35) auf der frühesten Traditionsstufe aufgrund der Rückbezüge von V. 32 auf V. 27 und von V. 33 auf V. 28 (vgl. S. 348). Deren Symmetrie werde allerdings bereits bei Lk verwischt, könne jedoch aus εὐλογεῖτε in Lk 6,28 und dessen gräzisierter Fassung ἀσπάσησθε in Mt 5,47 noch erschlossen werden (vgl. S. 354). V. 34 wird aufgrund sprachlicher wie inhaltlicher Asymmetrie als sekundäre Hinzufügung zu V. 32 f beurteilt, die allerdings ihrerseits eine Korrespondenz zu der bei Mt 5,42 b erhaltenen ursprünglichen Fassung von Lk V. 30 b erkennen lasse. Da aber die Einheit Lk V. 29–31 im Zusammenhang von V. 27 f.32 f erst sekundär eingefügt wurde (vgl. S. 348), handle es sich in V. 34 um eine „sekundäre vorlukanische Parallelbildung" zu V. 30. Lk selbst könne für sie nicht verantwortlich gemacht werden: „Da er V. 30 b ‚das Leihen' nicht vorgefunden bzw. nicht bewahrt hat, kann er es V. 34 nicht eingeführt haben" (S. 354, vgl. S. 348).

Dieses Hauptargument Schürmanns bleibt bloßes Postulat. Bultmanns Urteil, daß LkR in V. 34 „das V. 30 übergangene Motiv des δανίσασθαι (Mt 5,42) ... verwerten wollte“ (S. 100), ist dadurch noch nicht widerlegt. Im Gegenteil, es wird durch die Einsicht in die lukanische Redaktionsarbeit in V. 32–35 (s. o. I) voll bestätigt. Damit wird aber das gesamte Rückschlußverfahren Schürmanns in Frage gestellt. Die „Rückbezüge“, mit deren Hilfe Schürmann die Urfassung rekonstruiert, basieren auf dem möglicherweise redaktionellen V. 28 a. Doch selbst wenn sie schon in der ältesten Textfassung bestanden hätten, könnten sie ebensogut die Originalität der Abfolge Mt 5,44–47 begründen[60].

Auch Lührmann möchte die lukanische Reihenfolge für Q nachweisen[61]. Seine Argumentation erfolgt in zwei Schritten. Zunächst stellt er zwischen den Seligpreisungen und dem Gebot der Feindesliebe eine „enge Verbindung“ fest (vgl. S. 414–416). Es ist daher seiner Meinung nach schlecht denkbar, daß Q „nach den Seligpreisungen der Matthäus-Reihenfolge entsprechend mit den Sprüchen 5,39 b–42/Lk 6,29 f begonnen haben sollte. Vielmehr bietet der Einsatz mit dem Gebot der Feindesliebe ... einen sinnvollen Beginn, dem Lk 6,36 = Q (diff. Mt 5,48) als Überleitung zum zweiten Teil ... korrespondiert“ (S. 416). Die von ihm angeführten Bezüge von Mt 5,11 zu Mt 5,44 (διώκειν) und von Lk 6,22 a zu 6,27 (μισεῖν)[62] sind jedoch in beiden Fällen mit großer Wahrscheinlichkeit erst von den Evangelisten hergestellt worden[63]; sie gestatten also keine sicheren

---

[60] Guelich folgt Schürmanns Ansatz. Auch er sieht in der Korrespondenz des ursprünglichen „Leihens“ in Lk 6,30 zu 6,32–34 „the key to the pre-Lucan combination in Q of the two traditionell units“ (223). Anders als Schürmann nimmt er jedoch an, daß Lk 6,32–34 in Korrespondenz mit 6,29 f erst durch Q der älteren Einheit 6,27 f.35 eingefügt wurde. Auch Marshall (263, vgl. aber 257) möchte von V. 34 aus auf eine vorlukanische Traditionsstufe schließen. Vgl. gegen Schürmann auch Horn: „Schließlich ist V. 34 die entscheidende lk Erweiterung“ (99 mit Anm. 53).

Die Priorität der lukanischen Akoluthie postuliert auch Manson 50; er bezieht sich dabei auf die Rückübersetzung ins Aramäische durch F. C. Burney, The Poetry of Our Lord (Oxford 1925) 169, die eine streng poetische Urform erkennen lasse. Auch Grundmann, Lukas 146, geht von einem solchen „Gedicht“ aus; seiner Meinung nach steht die lukanische Fassung Q nahe: „wenn auch ... in einer erweiterten Form“.

[61] Lührmanns Argumentation schließt sich ohne weitere Diskussion A. J. Jacobson, Wisdom Christology in Q (Claremont 1978) 56, an.

[62] Vgl. schon Schürmann 346, sowie jetzt auch Guelich 228.

[63] Lührmann (416) ordnet das „Verfolgen“ in Mt 5,11 erst der matthäischen Q-Überlieferung zu; auch der 2. Imperativ Lk 26,27 c stand seiner Meinung nach nicht in Q,

Rückschlüsse auf die Q-Komposition. Das gilt erst recht für die sekundären Seligpreisungen der Friedensmacher (Mt 5,9) und der Barmherzigen (Mt 5,7)[64], die sich auch nach Lührmann erst in der vormatthäischen Q-Überlieferung zum Gebot der Feindesliebe in Beziehung setzen lassen. Der Stichwort-Zusammenhang durch μισθός (Mt 5,12/Lk 6,23 zu Lk 6,35 [sic!] bzw. Mt 5,46) gibt schließlich über die Anfangsstellung von Lk 6,27b überhaupt keinen Aufschluß. Es bleibt also bei einer allgemeinen thematischen Korrespondenz zwischen der letzten Seligpreisung und den folgenden Sprüchen, die auch gegeben wäre, wenn in Q die Reihe mit den Sprüchen vom Rechtsverzicht begonnen hätte[65].

Lührmann postuliert sodann – zweitens – aus der Identität(!) der Reihenfolge von Lk 6,29f.32–36 mit Mt dieselbe Akoluthie der Sprüche auch für Q. Problematisch sind dafür die V. 32–35. Auch Lührmann konstatiert hier Eingriffe der lukanischen Redaktion (vgl. S. 419–421) und sieht Mt 5,44f.46f „im ganzen" als ursprünglicher an – nur die Reihenfolge (und einige Formulierungen) nimmt er aus (vgl. S. 422). Eine Umstellung durch Mt lasse sich durch „die Antithesenform erklären, in der das Gebot *voran*stehen muß" (S. 421). Damit bietet er eine mögliche, aber nicht die einzig mögliche Erklärung des abweichenden Befunds[66].

Die erheblichen redaktionellen Eingriffe und Ergänzungen in Lk 6,32–35 legen im Gegenteil den Verdacht nahe, daß Lk im Rahmen seiner Neuinterpretation des Traditionsstoffes auch die Reihenfolge änderte. Die Spruchfolge V. 32–35 gewinnt ihr Profil erst durch das lukanische πλήν in V. 35a. Weist dies auf einen schon in Q intendierten, aber noch latenten Gegensatz hin, den Lk nur verdeutlichte, oder ist πλήν zusammen mit den den V. 32–34 genau entsprechen-

---

doch erwägt er, das seltene ἐπηρεάζειν in Lk 6,28b in Q durch μισεῖν aus Lk 6,27c „entsprechend 6,20" zu ersetzen.

[64] Auch hier kann er sich wieder auf Schürmann (336 Anm. 83, 357) beziehen.

[65] Eine Korrespondenz scheint mir am ehesten noch zwischen der letzten Seligpreisung der „um des Menschensohnes willen" Geschmähten und dem Gebet „für die, die euch beschimpfen/mißhandeln" (Lk 6,28b/Mt 5,44c) gegeben zu sein. Wurde dieser Imperativ, wie die letzte Seligpreisung, erst in Q hinzugefügt, dann würde in beiden Fällen an eine aktuelle Verfolgungssituation erinnert.

[66] Vgl. Zellers formgeschichtlichen Hinweis: „daß eine rhetorische Frage ... Forderungen einleuchtend macht, ist eine in der Weisheitsliteratur übliche Prozedur" (83, vgl. 103).

den Erweiterungen des Gebots der Feindesliebe in V. 35a nicht eher ein Indiz dafür, daß er diese Gegenüberstellung erst geschaffen hat?

Die lukanische Textfolge ist bei genauerem Zusehen weniger geschlossen, als es auf den ersten Blick erscheint. Sie enthält Spannungen und Brüche, die erst durch die redaktionellen Bezüge überbrückt werden. Die Abfolge Lk 6,35 zu V. 36 (zumal wenn in V. 35 für Q die matthäische Formulierung vorauszusetzen ist) führt durch den zweimaligen Rekurs auf das Verhalten Gottes zu einer wenig glücklichen Doppelung, die bei Lk nur durch die Umformung der Gottesbezeichnung und die Zuordnung von V. 36 zu den folgenden Sprüchen gemildert ist[67]. A. Dihle[68] hat die Erwähnung der Goldenen Regel in V. 31 als „recht seltsam" empfunden, weil in V. 32–34 ein Verhalten, das ihr entspricht, „als Handlungsweise der Sünder klassifiziert" werde. Schürmann (S. 351f) sucht diese Beobachtung zu entschärfen, konzediert aber, daß die Regel „nicht unmittelbar zur Forderung der Feindesliebe des Kontextes, wohl aber zu der radikaler Gebebereitschaft von V. 30 (in seiner ursprünglichen Form; vgl. Mt 5,42), die sie generalisiert", passe. Nun unterstreicht das redaktionelle ὁμοίως in der Goldenen Regel zunächst sogar den Entsprechungsgedanken, um ihn dann in V. 32–35 kritisch zu überbieten[69]. Möglicherweise hat also erst Lk aufgrund seines Interesses an der Gegenseitigkeitsethik durch die Umstellung von V. 32–35 und die Kombination mit V. 31 diese Spannung in Kauf genommen, während in Q die Goldene Regel die Gebensforderung generalisierte. Dabei ist jedoch nicht zu übersehen[70]: Die Regel schließt sich in Q zwar an die Forderung, zu geben und zu leihen, gut (an Lk V. 30b allerdings weniger gut) an; andererseits steht sie zusammen mit den beiden Sprüchen jedoch auch zu 6,27f.29 in Spannung, was

[67] Schürmann (357) beobachtet die thematische Divergenz von Feindesliebe und Barmherzigkeit und versteht deswegen – auch schon in der Vorlage – V.36 als Einleitung des Folgenden.

[68] Die Goldene Regel, Göttingen 1962, 113. Die Spannung zwischen V.31 und V.32ff stellt auch Wrege (78f) heraus. Vgl. auch Horn 105–107.

[69] Schon nach Th. Zahn, Evangelium des Lucas (Leipzig [4]1920) 292, soll durch die V.32ff einer möglichen Mißdeutung der Goldenen Regel vorgebeugt werden. Vgl. Horn 105f.

[70] Wie schon Wrege (78f) – allerdings mit anderen Konsequenzen – beobachtet hat. Richtig sieht auch Schürmann (350f), daß die Goldene Regel sich an Lk V.30b nicht mehr so gut anfügt, wie an dessen ursprüngliche Fassung Mt 5,42b.

erst durch die lukanische Redaktion (vgl. V. 27c.29b.33.34.35) ausgeglichen wird, die den Aspekt der Feindesliebe und der Wohltätigkeit miteinander verschränkt. Die Sprüche besaßen möglicherweise in Q eine thematisch eigenständigere Position und wurden erst durch die Redaktion in diesen spannungsreichen Rahmen gebracht. Da sich sowohl die Verbindung von Lk V. 31 zu 32ff als auch die von V. 35 zu V. 36 als problematisch erweist, könnten V. 32–35 sekundär eingefügt sein. Die Barmherzigkeitsforderung von V. 36 schließt sich sehr gut an die Spruchgruppe V. 30f an. Vielleicht ist also hier die ursprüngliche Abfolge erhalten, die erst Lk durch den Einschub von V. 32–35 unterbrach.

Für die weitere Rekonstruktion ist ein wichtiger Anhaltspunkt, daß, wie die Mt-Lk-Parallelität beweist, schon in Q der Spruchgruppe V. 30 (31) die Sprüche vom Rechtsverzicht vorausgingen. Sie stehen thematisch der Forderung der Feindesliebe nahe, so daß die ursprüngliche Position des Gebots der Feindesliebe und der mit ihm verbundenen Sprüche am ehesten vor *ihnen* zu vermuten ist, wie ja noch die lukanische Abfolge V. 27f.29 rudimentär erkennen läßt. Gehen wir vom vollen Text des Gebots der Feindesliebe aus, wie er in Mt 5,44f.46f vorliegt, so ergibt sich ein zumindest nicht unplausibler Zusammenhang: Das in den rhetorischen Fragen e contrario geforderte neue (der Forderung der Feindesliebe entsprechende) Verhalten wird in den Sprüchen vom Rechtsverzicht positiv exemplifiziert.

Läßt sich auf dieser Textgrundlage das lukanische Redaktionsverfahren, speziell die Umstellung der rhetorischen Fragen nach V. 32f und die Doppelung des Gebots der Feindesliebe verständlich machen? Lk hatte offensichtlich ein Interesse daran, wegen des Rückbezugs auf die letzte Seligpreisung die Anfangsstellung des Gebots der Feindesliebe zu erhalten; er verstärkt diese Korrespondenz sogar. Andererseits regten ihn die rhetorischen Fragen an, sich im Hinblick auf seine hellenistische Stadtgemeinde mit einem am Gegenseitigkeitsprinzip orientierten Sozialverhalten auseinanderzusetzen[71]. Dabei verschob sich für ihn jedoch die Perspektive: War in Q die Freund-Feind-Beziehung für die Kritik des Clan-Verhaltens

[71] Vgl. dazu u. Abschnitt IV.

maßgebend, so ist es für ihn das Verhältnis von Reichen zu Armen. Das Gebot der Feindesliebe dient unter dem neuen Aspekt der Überwindung des Gegenseitigkeitsprinzips im Sozialverhalten. Die Isolierung der rhetorischen Fragen und ihre Umstellung hinter die Goldene Regel wurden durch diese neue thematische Ausrichtung nahegelegt. Die entscheidende Motivierung für eine uneingeschränkte Wohltätigkeit war für ihn im endzeitlichen Ausgleich gegeben, den ihm die mit dem Gebot der Feindesliebe verbundene Verheißung der Gottessohnschaft bot. Ihre Plazierung nach V. 32–34 ist insofern durch seine Redaktionsintention nahegelegt. Er eschatologisiert diese Verheißung und führt sie in V. 36–38 mit Hilfe des Motivs der Entsprechung zwischen dem irdischen Verhalten des Menschen und dem zukünftig-jenseitigen Verhalten Gottes weiter, wobei er wieder die in Q vorgegebene Thematik des Verzichts des Richtens gemäß seinem Interesse an der Wohltätigkeit überformt. Das neue kompositionelle Arrangement[72] entspricht also deutlich Leitlinien der lukanischen Redaktion[73].

2. Die Intention der Spruchkomposition in Q

Aufgrund der vorangehenden Überlegungen läßt sich – im Sinn einer Arbeitshypothese – folgende Reihenfolge der Sprüche in Q erschließen:

---

[72] Auch unter formalem Gesichtspunkt verrät die Abfolge eine bewußte Disposition durch die Vierergliederung in V. 27f, V. 29f und V. 37f und die Dreiergliederung in V. 32–34 und V. 35, wobei die V. 31 und 36 jeweils Überleitungsfunktionen haben.

[73] Hübner (88–93) stellt zwei seiner Meinung nach mögliche Rekonstruktionshypothesen zur Diskussion. Die erste entspricht dem obigen Vorschlag. Er entscheidet sich jedoch für eine an Lk orientierte Abfolge als die wahrscheinlichere Lösung. Allerdings nimmt er an, daß die rhetorischen Fragen (V. 32–34) unmittelbar V. 27f folgten und die Einzelbeispiele V. 29f (ohne V. 31) ihnen nachgestellt waren. Hauptargument ist für ihn, daß das Gebot der Feindesliebe sowohl mit der Zusage der Gotteskindschaft als auch mit den rhetorischen Fragen so zusammengehörig erscheine, daß eine zweimalige Überlieferung zu postulieren sei, die auf den historischen Jesus zurückgehe. Dagegen spricht weniger, daß nicht einzusehen wäre, warum Lk den „durchsichtigen Aufbau... verschlechtert haben soll" (ebd. 92), als vielmehr die Unbeweisbarkeit seines Hauptarguments. Schon M. Black, a. a. O. (Anm. 44) 179f, hat Lk V. 27.32f als eine poetische Einheit angesehen und eine entsprechende aramäische Vorlage erschlossen. Dieser Vorschlag scheitert am lukanisch-sekundären Charakter von V. 32f (vgl. Hübner 90 Anm. 230).

Das Gebot der Feindesliebe mit der Zusage der Sohnschaft:
Mt 5,44bf/Lk 6,27a.28b.35c
Die rhetorischen Fragen: Mt 5,46f/Lk 6,32f
Beispiele für das neue Verhalten gegenüber „Feinden“:
Mt 5,39c–41/Lk 6,29

Die Sprüche vom Geben und Leihen: Mt 5,42/Lk 6,30
Die Goldene Regel: Mt 7,12/Lk 6,31
Die Barmherzigkeitsforderung: Mt 5,48/Lk 6,36

Das Verbot des Richtens: Mt 7,1.2b/Lk 6,37a.38c
Das Bildwort vom Splitter und Balken: Mt 7,3–5/Lk 6,41f

Die Spruchreihe ist aus ursprünglich isolierten Spruchgruppen und Einzelsprüchen zusammengewachsen. Allerdings ist nicht mehr entscheidbar, ob und in welcher Abfolge die einzelnen Komplexe schon innerhalb der (mündlichen) Überlieferung sich miteinander verbanden. Einzelne Sprüche standen wohl schon vorliterarisch in besonderer Kohärenz zueinander. Im Tradentenkreis von Q wurden sie als für die Gruppe relevante Aussagen Jesu gesammelt und zusammen überliefert. Nach verbreitetem Konsens gehen auf den historischen Jesus das Gebot der Feindesliebe samt seiner Begründung, die Sprüche vom Rechtsverzicht sowie das Verbot zu richten zurück. Der Doppelspruch vom Geben und Leihen, die Goldene Regel, die Barmherzigkeitsforderung können – schon wegen ihrer Nähe zur jüdischen Weisheitsüberlieferung – nur mit einigem Vorbehalt als jesuanisch angesehen werden, wenngleich sie sich seiner Verkündigung gut einfügen[74]. Vielleicht kam die Forderung, für die, „die euch mißhandeln, zu beten“, erst sekundär in Q zum Gebot, die Feinde zu lieben, hinzu[75]. Ebenso stehen die zwei rhetorischen Fragen in Verdacht, sekundäre Zusätze zum Gebot der Feindesliebe zu sein[76]. Auch das Bildwort vom Splitter und Balken wird als sekundäre Bildung beurteilt[77].

---

[74] Vgl. zu den einzelnen Sprüchen die abgewogene Diskussion bei Zeller.
[75] Vgl. dazu Lührmann 426f: Da nur zwischen der ersten rhetorischen Frage und dem ersten Imperativ eine Korrespondenz zu erkennen sei, setze die Hinzufügung der Fragen eine eingliedrige Fassung voraus. Ihm folgt Merklein 228. Anders Zeller 104, der mit Recht Lührmanns Argumentation kritisiert. So auch Schottroff 216 Anm. 88. Hübner (89 Anm. 226) erwägt sogar für Q eine eingliedrige Fassung (vgl. aber 92, wo er eine Mehrgliedrigkeit als wahrscheinlich ansieht).
[76] Vgl. Bultmann 92; Braun II 91 Anm. 2; Lührmann 425f; Schulz 131f; Zeller 103f; Merklein 228. – Gegen die Authentizität wird vor allem mit der Disqualifikation der „Heiden“ und „Zöllner“ argumentiert, die die Fragen ähnlich wie Mt 18,17 erkennen

Die Reihe wird in Q mit dem Gebot der Feindesliebe als der für die Tradenten offenbar zentralen Forderung Jesu eröffnet. Diese Stellung (unmittelbar nach den vier Makarismen) hat besonderes Gewicht, da im Gesamtaufbau von Q, soweit er rekonstruierbar ist, mit der Redekomposition die Wiedergabe der Sprüche Jesu beginnt. Das Gebot bedeutet also für Q ein wesentliches Element der Botschaft Jesu. Die rhetorischen Fragen haben die Funktion, das Gebot näher zu begründen, indem sie – in Gegenüberstellung zur Feindesliebe – ein von der „Clan-Solidarität“ bestimmtes Verhalten an zwei Beispielen disqualifizieren. Über die Motivierung im Gebot der Feindesliebe hinaus wird hier, wie es auch schon in der erst in Q angefügten vierten Seligpreisung geschah, der Lohn-Gedanke artikuliert: Das Gebot erhält eine eschatologische Perspektive. Ihnen schließen sich dann drei positive Beispiele für das neue durch die Feindesliebe inspirierte Verhalten an. Thematisch gehören diese drei Spruchеinheiten eng zusammen. Der Doppelspruch vom Geben und Leihen markiert einen thematischen *Neuansatz*[78]: Es geht nicht mehr um das Verhalten gegenüber „Feinden“, sondern gegenüber Menschen, die sich in Not befinden. Die Goldene Regel verstärkt die Forderungen durch die allgemeine Maxime einer positiven Gegenseitigkeit. Abschließend wird solches Verhalten theologisch durch die Forderung einer Barmherzigkeit begründet, die ihren Maßstab im Verhalten Gottes („eures Vaters“) findet. Wurde einleitend die Feindesliebe durch das Verhalten Gottes als des Schöpfers erläutert, so wird jetzt abschließend an die Barmherzigkeit des Gottes Jesu erinnert. Die kompositorische Korrespondenz dürfte beabsichtigt sein; der Gedanke der imitatio Dei bildet den Rahmen für die konkreten Forderungen. Mit dem Verbot, andere zu richten, setzt eine *dritte* Themenfolge ein. Die Motivation dafür gibt – eschatologisch orientiert – der Hinweis auf das dem irdischen Ver-

ließen. Sie stünde im Widerspruch zur Verkündigung Jesu (vgl. vor allem Lührmann, Zeller). Gerade der Vergleich mit Mt 18, 17 verdeutlicht den Unterschied: dort wird die Abgrenzung ausgesprochen, hier wird das „zeitgenössisch-jüdische Vorurteil“ für die Argumentation aufgenommen, um den Hörer zu provozieren, s. Hoffmann-Eid 156f. Vgl. auch Wrege 91 Anm. 1; Hübner 92 Anm. 236 und bes. Piper 59f.

[77] Vgl. wieder Zeller 117 („spätestens in Q“), sowie Braun II 92 Anm. 2.

[78] Die bei Mt wie Lk störende Verbindung der thematisch unterschiedlichen Sprüche (vgl. o.S. 69f mit Anm. 70) erweist sich also als Restbestand einer in Q sinnvoll gegliederten Komposition.

halten entsprechende Gericht Gottes. Dieser Gedanke der Entsprechung wird in dem Spruch vom Messen betont hervorgehoben[79]. Das weisheitlich geprägte Bildwort vom Splitter und Balken konkretisiert die Forderung für den Umgang mit dem „Bruder".

Die im ganzen lockere Spruchfolge läßt also eine thematische Sequenz mit drei Schwerpunkten erkennen: Feindesliebe, Wohltätigkeit, Verzicht auf die Verurteilung des anderen. Durch sie soll das Sozialverhalten der Angesprochenen nach außen wie nach innen an neuralgischen Punkten geregelt werden.

Welcher Sitz im Leben ist für diese Spruchfolge, speziell für das Gebot der Feindesliebe, vorauszusetzen? Es ist eine zweifellos richtige Beobachtung, daß die Komposition durch die letzte Seligpreisung (Lk 6,22f) im Hinblick auf die Abweisung der christlichen Wanderpropheten aktualisiert wird, die als die Träger der Q-Überlieferung gelten können. Von daher möchte vor allem G. Theißen den historischen Zusammenhang für das Gebot der Feindesliebe erschließen[80]. Gestattet dies jedoch, mit Theißen[81] den Sitz im Leben des Gebots allein aus der Konfliktsituation solcher Wanderprediger abzuleiten? Der Kontext des Gebots in Q läßt einen breiteren Adres-

---

[79] Der Spruch war vielleicht schon ursprünglich mit dem Verbot verbunden: so Zeller 113f. Schulz (146) hält ihn für sekundär, reklamiert aber für Q auch Mt 7,2a.

[80] So 186. Theißen hat auch Lk 6,29 auf ihre Situation bezogen (184). Allgemein zu den Wanderpropheten vgl. ebd. 185–188 sowie den Aufsatz „Wanderradikalismus", ebd. 79–105.

[81] Vgl. Theißen 186.188.190f.195 (auf die allgemein politische Situation bezieht allerdings Theißen das Gebot im Kontext der Verkündigung Jesu: 191–196). Allgemeiner sehen Hübner (82.93) und Schürmann (358, vgl. 333) in der Verfolgung der christlichen Gemeinde den Kontext des Gebots. So auch Schottroff 203f.
Nach Grundmann (Lukas 146) ist die „geschichtliche Grundlage für die ganze Spruchreihe... in dem von Haß und Feindschaft erfüllten Leben der palästinensischen Gruppen gegeben, aus dem die Frage herauswächst: ‚Wie kann die zerissene Gemeinschaft geheilt werden und neue Gemeinschaft entstehen?'". Ihm folgt Schulz 133; daß die Q-Gemeinde „die apokalyptische Vernichtung der Heiden" erwartet habe, trifft kaum zu. Manson (50f) stellt den politischen Kontext des Gebots betont heraus: „and sets free a spirit which was in danger of being stifled by Rabbinic fundamentalism on the one hand, and, on the other by the very natural resentment and hatred of the Gentile, engendered by centuries of foreign oppression. It is necessary to remember that this ideal was set up before Jews whose land at that very moment was occupied, and not for the first time, by a foreign army". Auch Piper stellt diesen Bezug für Jesus (im Unterschied zur frühen Kirche) heraus: „this command would have had a discomforting sharpness in Jesus' situation where nationalistic feelings ran high..." (128 sowie 56, vgl. aber 98f).

satenkreis und eine allgemeinere Problematik erkennen. Es geht nicht nur um Missionare und nicht nur um ihre Abweisung. Die die Q-Komposition eröffnenden Seligpreisungen lassen sich nicht auf den Kreis der Wanderpropheten einschränken, vielmehr wird in ihnen ein weiterer Personenkreis erkennbar, dem auch in Q die Botschaft Jesu nach wie vor gilt. Ihre Kennzeichnung als Arme, Hungernde, Trauernde gestattet auch Rückschlüsse auf die Lebenssituation, die offenbar sowohl durch wirtschaftliche Armut als auch durch Leid geprägt war. Es handelt sich um Unterprivilegierte in der damaligen Gesellschaft. Zum anderen läßt der die Redekomposition abschließende Spruch Lk 6,46 erkennen, daß die Angeredeten (zumindest potentielle) Anhänger des Menschensohnes Jesus sind, wenn sie gewarnt werden, es nicht bei der Anrufung des Mare-Kyrios zu belassen. Die Komposition als ganze rechnet also mit einem weiteren Kreis von Anhängern Jesu; zu ihm gehörten auch (aber nicht nur) christliche Wanderpropheten, die um des Menschensohnes willen Schmähung und Abweisung erfuhren.

Auch inhaltlich lassen sich die Sprüche nicht nur auf die Verfolgungssituation dieser Wanderpropheten beziehen. Schon die dem Gebot der Feindesliebe möglicherweise sekundär angefügte Forderung, „für die, die euch schmähen/mißhandeln, zu beten", ist offener gehalten. Die Mißhandlungen sind nicht eindeutig als religiöse Anfeindungen qualifiziert; angesprochen sind nicht nur die Propheten, sondern alle. Die Beispiele in den Sprüchen Mt 5,39–41 machen deutlich, daß gerade auch solchen negativen Erfahrungen eine besondere Aktualität zukam, die die Adressaten in ihrer alltäglichen Lebenssituation traf. Beim Schlag auf die (rechte?) Backe mag man noch an einen privaten Streit denken, wenngleich auch hier eine religiös motivierte Diffamierung[82] oder Mißhandlungen durch die Besatzungstruppen nicht auszuschließen sind. Die Pfändung des Gewandes beleuchtet schlaglichtartig die herrschende wirtschaftliche Notlage, die die Angeredeten offenbar treffen konnte[83]. Die

[82] Jeremias (229 f) versteht Mt 5,39 als „Beschimpfung, die die Jünger als Ketzer trifft".

[83] J. Jeremias zitiert in anderem Zusammenhang ein hebräisches Ostrakon aus dem (allerdings) 7. Jahrhundert v. Chr., wo sich „ein Erntearbeiter bitterlich" beschwert, „daß ihm sein Obergewand konfisziert worden sei, weil er beim Faulenzen überrascht wurde": TRE II, 387 mit Bezug auf J. Naveh, A. Hebrew Letter from the Seventh Century B.C. in: IEJ 10 (1960) 129–139. Vgl. dazu F. Crüsemann, „... damit er dich segne

Zwangsleistungen für römische Beamte oder Militärs lassen die allgemein-politische Situation in dem von den Römern besetzten Palästina anschaulich werden, gerade dort, wo der kleine Mann von ihr betroffen war[83a]. Daß das Gebot in Q nicht nur auf Feindschaft im privaten oder religiösen, sondern auch im gesellschaftlich-politischen Bereich zielte, läßt der Vergleich mit „Zöllnern“ und „Heiden“ in den Fragen Mt 5,46f erkennen. Schon P. Fiebig hat deswegen das Gebot der Feindesliebe auf die damaligen Nationalfeinde des jüdischen Volkes bezogen[84]. Die Fragen kritisieren ein Verhalten, das nur mit dem „Bruder“ die Gemeinschaft sucht. Da ein solches Verhalten ja auch für die Heiden vorausgesetzt wird, ist damit auch in Q nicht schon der „Glaubensbruder“, sondern allgemeiner der „Volksgenosse“ gemeint[85]. Die in Q Angesprochenen sollen dazu motiviert werden, in der Erfüllung des Gebots der Feindesliebe auch nationale Grenzen zu überschreiten.

Wenn Q vornehmlich der Überlieferung der judenchristlichen Gemeinden des palästinisch-syrischen Raumes entstammt, wie weithin angenommen wird, so ist es berechtigt und im Sinn einer histori-

---

in allem Tun deiner Hand ...“ (Dtn 14,29). Die Produktionsverhältnisse der späten Königszeit, dargestellt am Ostrakon von Meṣad Ḥashavjahū, und die Sozialgesetzgebung des Deuteronomiums, in: L. u. W. Schottroff (Hg.), Mitarbeiter der Schöpfung (München 1983) 72–103, bes. 74–86. Trotz der zeitlichen Distanz vermag der Beleg den Realitätsbezug des Beispiels deutlich zu machen.

[83a] Vgl. Fiebig 52: „Es handelt sich dabei um Leistungen der Bevölkerung zur Verpflegung und Beförderung reisender Beamten und marschierenden Truppen, auch um Stellung von Tieren, vor allem Eseln, zum Korntransport. Auch Geldleistungen und persönliche Dienstleistungen gehörten in dieses Gebiet. Vielfach ist es vorgekommen, daß die Soldaten und andere Beamte solches Recht zu privaten Zwecken mißbrauchten.“

[84] Vgl. 38: „‚Zöllner‘ und ‚Heiden‘, die hier als Gegenbild verwendet werden, waren doch die Nationalfeinde der Juden“. Nach Guelich (228) wird gerade in 5,47 der „collectiv context“ evident. Einen Hinweis zur zeitgeschichtlichen Aktualisierung bietet N. Perrin 102: „Die genannten matthäischen Texte reflektieren sehr wahrscheinlich die sich verhärtende jüdische Haltung nach der allgemeinen Einführung der unmittelbaren römischen Zoll- und Steuerhoheit im Jahre 44 n. Chr.“ (mit Bezug auf seinen Schüler J. R. Donahue). Zum in ihnen kritisierten Verhaltensmuster der „Clan-Solidarität“ vgl. Schottroff 216–218.

[85] Vgl. dazu v. Soden: ThWNT I, 145; Jeremias, Die Gleichnisse Jesu (Göttingen [7]1965) 108 Anm. 2 (er nimmt für MtR eine „sekundäre Verchristlichung“ des ursprünglich allgemein zu fassenden Begriffs an) sowie Theißen 104. Auf Glaubensgenossen bezieht Davies (249) den Begriff und sieht einen Gegensatz zur Qumran-Gemeinde zu Worte kommen.

schen Interpretation auch gefordert, zu prüfen, ob und wie sich diese Überlieferung der zeitgenössischen religiös-politischen Situation in Palästina einfügt. Dabei geht es nicht um eine „Politisierung" der Q-Überlieferung, sondern einfach um das Ernstnehmen der Interdependenz von Religion und Politik, wie sie für das antik-jüdische Denken kennzeichnend ist, oder – etwas einfacher – um den Realitätsbezug frühchristlicher Predigt. Wenn in Q die Feindesliebe in pointierter Weise als das Spitzengebot Jesu tradiert und durch Beispiele erläutert wird, die deutliche Bezüge zur politisch-sozialen Situation der Zeit verraten, liegt es nahe, hier auch den historischen Kontext, den Sitz im Leben, für seine Überlieferung zu sehen. Da die Sprüche zumindest in ihrem Grundbestand auf den historischen Jesus zurückgehen, stehen die Tradenten in historisch-kultureller Kontinuität zur Situation und Verkündigung Jesu, die Auswahl indiziert aber ihr aktuelles Interesse gerade an diesem Teil seiner Botschaft. Offenbar gewann angesichts der zunehmenden Verschärfung der politischen Lage nach Agrippas Tod (44 n. Chr.) unter den römischen Prokuratoren in den Jahrzehnten vor dem jüdisch-römischen Krieg Jesu Gebot der Feindesliebe für sie besondere Relevanz. Es motivierte sie – im Unterschied zu den mit der zelotischen Aufstandsbewegung sympathisierenden Teilen der Bevölkerung[86] –, im Namen des Menschensohnes Jesus einzutreten für Feindesliebe und Friedfertigkeit – bis hin zur Bereitschaft, Unrecht und Benachteiligung um jener größeren Liebe willen hinzunehmen. Wenn innerhalb der Überlieferung auch die Abweisung der Boten und die Verfolgung der Anhänger Jesu ausdrücklich thematisiert wird, finden darin die Erfahrungen der Tradenten mit der Weitergabe dieser Botschaft ihren Niederschlag. Dabei ist es nur verständlich, daß die

[86] Vgl. dazu das Zeugnis des Josephus aus der Spätzeit der Aufstandsbewegung bell. 4, 131 f: „Nun brach also in jeder Stadt Unruhe und Bürgerkrieg aus, und je mehr man vom Druck der Römer aufatmen konnte, desto mehr geriet man ins Handgemenge untereinander; zwischen denen, die zum Krieg drängten, und denen, die nach Frieden verlangten, kam es zum harten Zwist. Zuerst entbrannte der Streit in den Familien, unter Menschen, die sonst immer eines Sinnes waren, dann lehnten sich die besten Freunde gegeneinander auf, und ein jeder schloß sich denen an, die seine politische Ansicht teilten; so standen sie schließlich alle in zwei großen Lagern einander gegenüber" (Übersetzung von Michel-Bauernfeind). Zur allgemeinen politischen Entwicklung in diesem Zeitraum vgl. M. Hengel, Die Zeloten (Leiden-Köln 1961) 344 ff; E. M. Smallwood, The Jews under Roman Rule. From Pompey to Diocletian (Leiden 1976); P. Schäfer, Geschichte der Juden in der Antike (Stuttgart 1983) 129–133.

Schmähung und Abweisung gerade jene Wanderprediger traf, die in der Nachfolge Jesu und in Erwartung seines Kommens als Menschensohn-Richter – „wie Schafe unter Wölfen" – durch das Land zogen, um die Nähe der Gottesherrschaft anzukündigen und die „Söhne des Friedens" zu sammeln (vgl. Lk 10,2–16)[87]. Sie sahen ihr Geschick auf der Linie der alttestamentlichen Propheten (vgl. Lk 6,23; 11,49–51) und waren sich ihrer endzeitlichen Rehabilitierung gewiß (vgl. Lk 6,22; 12,2ff). Sie agierten nicht auf der Ebene der großen Politik und gehörten kaum zu den Parteigängern der mit den

---

[87] Vgl. Hoffmann, Studien zur Theologie der Logienquelle (Münster [3]1982) 287–331 (zu Lk 10). 74–76, sowie ders., Die Versuchungsgeschichte in der Logienquelle, in: BZ 13 (1969) 207–223 (dazu jetzt differenzierend, aber im wesentlichen zustimmend H. Mahnke, Die Versuchungsgeschichte im Rahmen der synoptischen Evangelien [Frankfurt 1978] 201 ff); Hengel, Zeloten 386; ders., War Jesus Revolutionär? Stuttgart 1970, bes. 20f; Lührmann 437; Schweizer, Matthäus 79 (zu Mt 5,41), vgl. auch 35f; allgemeiner O. Cullmann, Die Bedeutung der Zelotenbewegung für das Neue Testament, in: Vorträge und Aufsätze (Tübingen-Zürich 1966) 292–302.
Wenn Theißen mit guten Gründen einerseits Jesu Feindesliebe-Forderung in den zeitgenössisch-politischen Kontext hineinstellt (191–196) und andererseits für die von Mt rezipierten Traditionen judenchristlicher Gemeinden postuliert, daß sich in ihnen die Erfahrungen des jüdischen Krieges niedergeschlagen haben (176–180), so gilt dies m. E. auch in der vorangehenden Phase für die Q-Überlieferung. Sie steht so wenig in einem politischen Vakuum wie Jesus selbst oder die vormatthäische Überlieferung nach ihr.
Schottroff (203f, vgl. auch Schottroff-Stegemann 80f) hält zwar an der politischen Dimension des Gebots der Feindesliebe fest, wendet sich aber gegen ihre „antizelotische Stellungnahme" (– „auf keiner Traditionsstufe"). „Unter den Feinden der Christen wird man sich jüdische und nichtjüdische Bevölkerungsgruppen vorzustellen haben. Eine... Identifizierung der Verfolger von Christen mit denen von Juden ist spätestens seit der Christenverfolgung durch Paulus nicht vorstellbar" (204). Damit ist die Situation der palästinischen Christen zu einfach gezeichnet. Einerseits läßt sich aus der Verfolgung der Hellenisten in Jerusalem (durch Paulus?) für die palästinischen Christen nicht eine solche Totalkonfrontation ableiten, andererseits schließe ich bei meiner These Konflikte mit Juden nicht aus. Doch geht es mir um die Frage, welche Implikationen Jesu zentrale Forderung für die judenchristlichen Prediger und ihre palästinischen Hörer angesichts der gesamtpolitischen Situation enthielt. Die Differenzierung zwischen „Feinden der Christen" und „Feinden der Juden", die Schottroff postuliert, ist nur partiell möglich, weil Prediger wie Hörer ja zunächst einmal *Juden* waren. Die Reduktion auf die Konflikte zwischen Jesus-Anhängern und ihren Gegnern wird der historischen Situation so wenig gerecht, wie das umgekehrte Extrem einer Reduktion auf eine nur antizelotische Stellungnahme. Die gesamtgesellschaftliche Situation in ihrer religiösen, politischen und sozialen Komplexität nötigte die christlichen Prediger genauso zu einer spezifischen Stellungnahme, wie sie auch die ganz anders geartete zelotische oder sadduzäische Antwort veranlaßte.

Römern kollaborierenden Sadduzäer und Herodianer[88]. Ihr Milieu ist das der kleinen Leute[89], deren Alltagsprobleme in Mt 5,39–41 exemplarisch thematisiert werden. Die Pfändung des Gewandes war kaum das Problem sadduzäischer Großgrundbesitzer oder von Schriftgelehrten und Priestern am Jerusalemer Tempel. Ihre Situation war vor allem auch durch die Verschlechterung der wirtschaftlichen Verhältnisse, die steigenden Steuern und die zunehmende Verschuldung belastet. Zu erinnern ist auch an die Hungersnot im Jahre 46/47 unter Claudius mit ihren katastrophalen Folgen für die Landbevölkerung. Dies alles traf vor allem die unteren Schichten, gerade die „Kleinbauern, Pächter, Fischer und Handwerker"[90] und führte zu einer Verschärfung der politischen Situation. Ab 50 kommt es zu gesteigerten Aktivitäten in der Widerstandsbewegung. Die Seligpreisungen gewinnen in diesem historischen Kontext konkrete Konturen[91]. Auf die Nöte dieser unteren Schichten zielt auch die Mahnung, den Bittenden zu geben und zu leihen. Im Zeichen der Barmherzigkeit des himmlischen Vaters geht es um die Solidarität von Armen mit noch Ärmeren; das Verständnis für die Nöte und Wünsche des anderen soll geweckt und so eine lebendige Wechsel-

---

[88] So mit Recht Theißen (194f, bes. Anm. 75) gegenüber der Kritik von Schottroff-Stegemann (80f) an der Zuordnung zur „Friedenspartei".

[89] Dazu vgl. den einleuchtenden Interpretationsansatz für Q von Schottroff-Stegemann, bes. 55ff.

[90] Vgl. Theißen, „Wir haben alles verlassen" (Mc.X.28). Nachfolge und soziale Entwurzelung in der jüdisch-palästinischen Gesellschaft des 1. Jahrhunderts n.Chr., in: Studien zur Soziologie des Urchristentums 106–141, hier 138. S. 136–138 stellt er Indizien für die Verschlechterung der wirtschaftlichen Lage der kleinen Leute zusammen. Die zelotische Bewegung ist auch als religiös-politische Reaktion auf die sozio-ökonomische Situation zu verstehen, vgl. Theißen ebd. 127–129, sowie G. Baumbach, Das Freiheitsverständnis in der zelotischen Bewegung: Festschrift für L. Rost (Berlin 1967) 11–18, bes. 14–17. Zur ökonomischen Situation in Palästina s. die von Theißen S. 136 Anm. 67 genannte Literatur sowie auch A. Ben-David, Talmudische Ökonomie (Hildesheim 1974) I 58–72; H. Kreissig, Die sozialen Zusammenhänge des jüdischen Krieges (Berlin 1970); S. Applebaum, Economic Life in Palestine, in: The Jewish People in the First Century (Amsterdam 1976) II 631–700, bes. 691f; P. A. Brunt, Josephus and Social Conflicts in Roman Judaea, in: Klio 59 (1977) 149–153; S. Freyne, Galilee from Alexander the Great to Hadrian (Wilmington-Notre Dame 1980) 71–91.155–255.

[91] Auch die Nennung „der Trauernden" ist – schon von der alttestamentlichen Tradition her – nicht ohne religiös-politischem Hintergrund zu denken, mag es sich um die Trauer der Frommen über die Schändung des Namens Jahwes handeln oder – sehr konkret – um die Trauer über die zahllosen von den Römern Hingerichteten oder von den Aufständischen Ermordeten.

seitigkeit in den gegenseitigen Beziehungen initiiert werden – statt des Kampfes aller gegen alle, zu dem die Not verführt. Bezeichnend ist wieder der universale Horizont, der in der Bezugnahme auf „die Menschen“ in der Goldenen Regel zum Ausdruck kommt. Auch dem Verbot des Richtens könnte besondere Aktualität zukommen, wenn dadurch – angesichts der heftigen politischen und religiösen Auseinandersetzungen (und den damit verbundenen ideologischen Diffamierungen) innerhalb des jüdischen Volkes, aber auch zwischen Jesusanhängern und ihren Gegnern – davor gewarnt wird, den anderen im Vorgriff auf das Urteil Gottes zu verurteilen oder, wie das angefügte Bildwort verdeutlicht, die eigenen Fehler auf ihn zu projizieren[92]. Vielleicht zielte diese Mahnung aber auch allgemeiner auf eine sich der Verurteilung des anderen enthaltende, vorurteilsfreie Gestaltung der Beziehungen, gerade auch im Umgang mit den eigenen Volksgenossen[93] – als wesentliche Voraussetzung für die Herstellung des inneren Friedens.

Der historische Kontext der Sammlung der Sprüche ist also weiter zu fassen, als es Theißen vorschlägt. Sie erwuchs aus dem Bemühen von Jesus-Anhängern, in der allgemeinen politisch-religiösen Krisensituation – inspiriert von der Weisung Jesu – für sich und ihre Volksgenossen gangbare Wege der Krisenbewältigung zu finden. Dabei nahmen sie gerade auf jene neuralgischen Punkte Bezug, an denen im besonderen die Gefahr gesellschaftlicher Desintegration bestand: Das Verhältnis zum Nationalfeind Rom, die allgemeine wirtschaftliche Not, die Konflikte im Volk selbst. Religiöse Hoffnungen, politische Realitäten und konkretes Alltagsverhalten sind dabei engstens aufeinander bezogen, wie es für das zeitgenössisch-jüdische Denken insgesamt kennzeichnend ist.

Die Weisungen Jesu stehen in Q in einem eschatologischen Rahmen[94]. Indem die Seligpreisungen den Angesprochenen vorneweg

---

[92] Vgl. Billerbeck I 446: Die rabbinischen Parallelen verdeutlichen die sozialpsychologischen Implikationen des Bildwortes. Die Mahnung richtet sich in der jüdischen Überlieferung vor allem gegen einen Mißbrauch der von Lev 19, 17 b gebotenen correctio fraterna: Zeller 116.

[93] Das Bildwort spricht wieder „von deinem Bruder“, damit ist, wie in Mt 5,47, der Volksgenosse gemeint (s. Anm. 85).

[94] Vgl. Davies 382; Lührmann, Die Redaktion der Logienquelle (Neukirchen 1969) 56; R. A. Edwards, A Theology of Q. Eschatology, Prophecy and Wisdom (Philadelphia 1976), bes. 85–87.

Gottes endzeitliches Heil zusagen, geben sie den folgenden Sprüchen eine positive Motivation. Sie können und sollen im Vertrauen auf Gottes Heilszusage, die gerade den Benachteiligten gilt, die geforderte neue Weise des Umgangs mit ihren Mitmenschen, auch mit ihren Feinden, wagen. Der einleitenden Verheißung korrespondiert der eschatologische Ausblick im Schlußteil. Das kommende Gericht stellt auch die, die sich auf den Menschensohn Jesus berufen, in eine Entscheidungssituation. Schon das Bildwort vom Baum und seiner Frucht erinnert im Gesamtzusammenhang von Q an die Forderung des Täufers (Mt 3,8/Lk 3,8), die „rechte Frucht der Umkehr" zu bringen, als Voraussetzung für die Rettung im drohenden Feuergericht. Lk 6,46 richtet sich warnend an die, die zwar Jesus als Kyrios anrufen und ihre Hoffnung auf sein Kommen als Menschensohn-Richter setzen, seine Worte aber nicht tun. Im Kontext sind dies die im vorangehenden zusammengestellten Sprüche Jesu, denen also für das Bestehen vor dem Menschensohn-Richter entscheidende Bedeutung zukommt (vgl. Lk 12,8 f). Das abschließende Doppelgleichnis verdeutlicht, daß nur der, der Jesu Wort hört und tut, in dem wie eine Naturkatastrophe über die Welt hereinbrechenden Endzeitgeschehen überleben wird. Entsprechend der traditionellen Vorstellung von den endzeitlichen Wehen dürfte mit dem Bild an eine Phase gedacht sein, die durch Kriege, Aufstände, Erdbeben, Hungersnöte gekennzeichnet ist (vgl. Mk 13,7 f). Die Zeitgeschichte wird für die judenchristlichen Gruppen der Q-Überlieferung zur Endzeit: eine Sicht des Geschehens, die damals in Palästina weit verbreitet war und auch für die Aufstandsbewegung gilt. Die der weisheitlichen Überlieferung entstammenden Weisungen Jesu stehen so in einem nicht mehr nur weisheitlich, sondern primär eschatologisch vermittelten Sinnhorizont, der ihnen ihre Plausibilität, aber auch eine besondere Dringlichkeit gibt[95].

[95] Vgl. die ähnliche Motivationsstruktur in Lk 12,2–9/Mt 10,26–33 oder Lk 12,22–32/Mt 6,25–34, wo die weisheitlich motivierten Forderungen zusätzlich eschatologisch begründet werden. Zu dieser Neusituierung weisheitlicher Mahnungen in apokalyptisch vermittelten Plausibilitätsstrukturen vgl. allgemein M. Küchler, Frühjüdische Weisheitstraditionen. Zum Fortgang weisheitlichen Denkens im Bereich des frühjüdischen Jahweglaubens (Freiburg-Göttingen 1979). Zum Verhältnis von Weisheit und Eschatologie in der Bergpredigt vgl. auch H. Windisch, Der Sinn der Bergpredigt (Leipzig 1929) 6–21, bes. 20f, was mir gerade auch für Q zuzutreffen scheint.

III.

In den folgenden beiden Abschnitten gilt es zu untersuchen, wie Mt bzw. Lk das ihnen durch Q überlieferte Gebot der Feindesliebe und die mit ihm verbundenen Sprüche in einer neuen Gemeindesituation ihrem Gesamtkonzept der Botschaft Jesu einordnen.

1. Der alte Streit, ob die matthäische Gemeinde noch dem Synagogenverband angehört oder sich von ihm bereits gelöst hat und der heidenchristlichen Kirche zugehörig weiß, ist im Sinn der zweiten Alternative zu entscheiden. Wenngleich nicht zu verkennen ist, daß der Evangelist dem judenchristlichen Erbe stark verbunden ist und dieses gerade in und durch die Synthese mit außerpalästinischen Traditionen im Rahmen seiner Evangelienschrift bewahren will (vgl. 13,52). Schon die Dominanz der Redekompositionen im Aufbau des Evangeliums zusammen mit 28,20 verdeutlicht dies. Im Zuge des Ablösungsprozesses von ihrer jüdischen Vergangenheit gewinnen die matthäische Gemeinde und die für sie konstitutive Lehre des Messias Jesu ihr Profil gerade in der Auseinandersetzung mit dem Judentum. Diese stellt nicht nur eine historische Reminiszenz im Rahmen einer heilsgeschichtlichen Betrachtungsweise dar; ihr kommt vielmehr offenbar anläßlich der Neukonstituierung des Judentums unter pharisäischer Führung in der Zeit nach dem jüdisch-römischen Krieg aktuelle Bedeutung zu. Die Überschärfe der Polemik verrät die unmittelbare Betroffenheit.

Wie wir sahen, war die Überlieferung und Sammlung der Sprüche in der Q-Vorlage der Bergpredigt durch die innerjüdische Krisensituation bedingt. Mt[96] stellt ihre zentralen Forderungen der Feindesliebe und des Rechtsverzichts in einen antithetischen Rahmen und ordnet sie einem neuen übergreifenden Zusammenhang ein. Zusammen mit den übrigen Antithesen zeigen sie nun gegenüber jüdischem Gesetzesverständnis das Neue der Auslegung des Willens Gottes

[96] Wenn ich im Folgenden von MtR spreche, ist mir bewußt, daß die matthäische Redaktion aus seiner Gemeindesituation erwächst. Insofern sind die Grenzen zwischen MtR und der sogenannten vormatthäischen Tradition fließend. Die Redaktion läßt sich also kaum als rein literarischer Vorgang begreifen. Dennoch wird durch die Verschriftlichung als spezifische Leistung des *Autors* diese Überlieferung in einer bestimmten Form festgeschrieben.

durch den messianischen Lehrer Jesus auf. Damit stehen sie in einem primär theologischen Kontext und haben auch eine apologetische Funktion erhalten[97].

Wie der Vergleich mit Mt 19,19 zeigt, erfolgt die Verbindung der Dekaloggebote mit dem Liebesgebot bewußt. Die Sprüche vom Rechtsverzicht und die Feindesliebeforderung bilden eng aufeinander bezogen den Ziel- und Höhepunkt der Antithesenreihe. Der redaktionelle Stichwortzusammenhang περισσόν (5,47) zu περισσεύειν (5,20) macht deutlich, daß MtR gerade in der zur Feindesliebe entschränkten Nächstenliebe jenes „Mehr" der Gerechtigkeit der Jünger sieht, das sie von Pharisäern und Schriftgelehrten unterscheidet.

Für Mt ist die heilsgeschichtliche Kontinuität zwischen dem Alten Testament und Jesus unaufgebbare Voraussetzung seines theologischen Denkens. Daher hält er mit seiner judenchristlichen Tradition und dem Judentum an der bleibenden Gültigkeit des Gesetzes als Ausdruck des Willens Gottes fest (5,18f; vgl. 23,2f). Jesu Neuauslegung des Gesetzes, auch dort, wo er die Tora überbietet oder außer Kraft setzt, bedeutet nicht „Auflösung", sondern „Erfüllung" von Gesetz und Propheten (5,17). Gerade indem er das Gesetz vom Liebesgebot her und auf das Liebesgebot hin auslegt und selbst in seinem Tun es in solcher Weise realisiert, deckt er nach MtR den im Gesetz und den Propheten enthaltenen Willen Gottes – gegen die Entstellung durch die pharisäische Überlieferung (15,3.9) – in seiner vollen und ursprünglichen Bedeutung auf, „erfüllt" er ihn messianisch[98]. Das Liebesgebot wird so zum Kanon der Gesetzesausle-

---

[97] Vgl. Theißen 190f.

[98] U. Luz, Die Erfüllung des Gesetzes bei Matthäus, in: ZThK 75 (1978) 398–435, möchte „erfüllen" auf das „Tun" des Gesetzes reduzieren und bezieht 5,17 zusammen mit 5,18f auf die bleibende Gültigkeit des Gesetzes (ebd. 412–417). Damit schafft er eine Spannung zu 5,20.21–48 (421), die er schließlich dadurch erklärt, daß bei Mt die Konsequenzen für das Gesetzesverständnis, die sich aus der erst kürzlich erfolgten Öffnung der matthäischen Gemeinde zur Heidenmission ergaben, „noch kaum reflektiert" seien. Diese Hypothese ist angesichts des bewußten Gebrauchs von „erfüllen" bei Mt und seiner reflektierten Darstellung des Verhältnisses Jesu zum AT kaum zutreffend. Man wird 5,17.20 nach wie vor mit W. Trilling, Das wahre Israel (München [3]1964) 183 (vgl. 174–179), als eine „kommentierende Umrahmung" verstehen, in der gerade mit Hilfe des Erfüllungsbegriffs die Synthese versucht wird. Dabei ist, wie gerade die Erfüllungszitate verdeutlichen, die *messianische* (*nicht,* wie oft formuliert wird, *eschatologische*) Dimension des Begriffs zu beachten.

gung[99]. Daher kann Mt in 7,12 die Goldene Regel Gesetz und Propheten gleichsetzen, in 22,36–40 das Doppelgebot der Liebe als ihre Grundlage definieren, gelten ihm in 23,23 „Recht, Barmherzigkeit und Treue" als die „gewichtigeren" Forderungen des Gesetzes, werden die Pharisäer in den Streitgesprächen aufgefordert, zu „lernen" bzw. zu „erkennen", was Hos 6,6 „Erbarmen will ich und nicht Opfer" als prophetischer Ausdruck des Willens Gottes besagt (9,13; 12,6), bilden für ihn allein die Taten der Barmherzigkeit das Kriterium im Gericht des Menschensohnes (25,31–46).

War, wie Becker formulierte, die Feindesliebe bei Jesus „Basisbestimmung" (S. 7), so erscheint sie bei Mt als ein Moment an der umgreifenden und grundlegenden Forderung von Liebe, Güte und Barmherzigkeit. Wenn sie Mt jedoch an so zentraler Stelle in der Bergpredigt statt der bloßen Nächstenliebe, ja sogar in bewußter Antithese zu ihr zitiert, bleibt ihre spezifische Funktion erhalten. Während die Nächstenliebe den Haß des Feindes nicht ausschließt, sondern im Gegenteil kraft Definition sogar produzieren kann (vgl. 5,43 c), schützt erst die zur Feindesliebe entschränkte Nächstenliebe letztere vor einer gruppenfixierten Auslegung. Diese *Entgrenzung* der Liebe ist durchgehend für das matthäische Verständnis der Forderung konstitutiv, hier wird sie exemplarisch durchgeführt. Erst durch solche Entschränkung der Liebe erreicht der Jünger die „Vollkommenheit des himmlischen Vaters" (5,48)[100].

2. Die Korrespondenz der von MtR bewußt gestalteten Makarismenreihe 5,3–12 zu der folgenden Darlegung der besseren Gerechtigkeit ist häufig beobachtet worden. Zuletzt hat R. Schnackenburg[101] mit Recht erneut die Beziehung der Seligpreisung der

---

[99] Vgl. nur G. Barth, Das Gesetzesverständnis des Evangelisten Matthäus: Überlieferung und Auslegung im Matthäusevangelium (Neukirchen 1960), bes. 70–80.

[100] Vgl. vor allem U. Luck, Die Vollkommenheitsforderung der Bergpredigt (München 1968), sowie neuerdings H. Giessen, Christliches Handeln. Eine redaktionskritische Untersuchung zum δικαιοσύνη-Begriff im Matthäusevangelium (Frankfurt-Bern 1982), bes. 133–140. – Interessant ist der Vergleich mit Mt 19,21: Auch hier meint die Vollkommenheitsforderung nicht eine Sonderethik im Unterschied zum AT, sondern wieder die *Entschränkung* der Nächstenliebe (V. 19) durch das „Mehr" einer sich restlos verausgabenden Liebe (vgl. dazu auch Giessen, ebd. 142f).

[101] Die Seligpreisung der Friedensstifter (Mt 5,9) im matthäischen Kontext, in: BZ 26 (1982) 161–178, bes. 167–170.

„Friedensmacher“ und der „Verfolgten“ (5,9.10–12) zur sechsten Antithese herausgestellt. Erwähnen ließe sich auch noch die inhaltliche Konvergenz der Seligpreisung der „Sanften“ und der „Barmherzigen“ (5,5.7) nicht nur mit der sechsten, sondern auch mit der ersten und fünften Antithese.

Mir geht es nicht nur um solche Einzelbezüge, sondern um eine grundsätzliche Zuordnung. Die Makarismen entfalten einzelne Aspekte eines bestimmten Jünger- und damit auch Menschenbildes, die nach Mt gerade den Menschen kennzeichnen, den Jesus mit seiner Gesetzesauslegung anspricht. Sie zählen nicht nur christliche Einzeltugenden auf, sondern ergänzen einander und bilden ein Ganzes. Der Rückgriff auf die alttestamentliche Armenfrömmigkeit ist bezeichnend. Der Jünger ist der „Arme im Geiste“, also der, der „arm/gebeugt und zerknirschten Geistes“ ist (vgl. Jes 66,2; Ps 34,19 sowie 1 QM 14,6; 11,10). Als solcher verzichtet er auf Größe und Macht und „erniedrigt“ sich wie ein Kind (18,4; 23,12); er ist der „Unmündige“ (11,25), der „Kleine“ (10,42; 18,6.10.14), der „Sanfte“ und „Gewaltlose“ (Mt 5,5)[102] – ein Mensch also, der sich seiner Ohnmacht bewußt ist und sie im Vertrauen auf Gott annimmt[103]. Er ist „lauter in seinem Herzen“, „barmherzig“ und „auf Frieden“ aus. Dieser Mensch leidet an den Widersprüchen der Welt (5,4; Jes 62,2, vgl. dazu Mt 9,15 diff. Mk 2,19)[104] und weiß sich in seinem Streben nach der besseren Gerechtigkeit ganz auf Gott angewiesen (5,6 mit 6,10). Obwohl in seinem Bild die Züge der Weichheit, Schwäche und Sensibilität dominieren, muß er um der Gerechtigkeit willen zum Konflikt bereit sein und Verfolgung auf sich nehmen (5,10.11f). Es ist bezeichnend, daß die Tugenden und Eigenschaften des „Herrenmenschen“ in dieser Aufzählung gerade unerwähnt bleiben: Kraft, Macht, Prestige, Einfluß, Ansehen usw.[105]

Dieses Jüngerbild mag durch die gesellschaftliche Situation der

---

[102] Die Nuance der Gewaltlosigkeit ist durch das begriffliche Umfeld und 21,5 sichergestellt.

[103] Vgl. Hauck-Schulz: ThWNT VI, 649.

[104] Vgl. Bultmann: ThWNT VI, 43.

[105] Zur Aktualität des matthäischen Jüngerbildes vgl. H. E. Richter, Der Gotteskomplex. Die Geburt und Krise des Glaubens an die Allmacht der Menschen (Hamburg 1979).

matthäischen Gemeinde bedingt sein, die als angefochtene Minderheitsgruppe unter jüdisch-heidnischer Mischbevölkerung lebt. Es trägt die Spuren der Geschichte der Verfolgung und Unterdrückung judenchristlicher Gemeinden, die Mt bekannt ist (vgl. 23,34; 10,17–25). Vielleicht hat sich in ihm auch die Erinnerung an die bitteren Erfahrungen der Zeit des jüdisch-römischen Krieges und der Zeit danach erhalten.

Für Mt hat dieses Jüngerbild jedoch grundsätzliche Bedeutung, wie die Konvergenz seiner charakteristischen Merkmale mit dem matthäischen Jesusbild zeigt. Nach Mt 11,28f fordert Jesus gerade als der Sanfte und im Herzen Niedriggesonnene auf, von ihm zu lernen und sein Joch auf sich zu nehmen. Schon die Versuchungsgeschichte macht unmißverständlich deutlich, daß der Gottessohn Jesus sich ganz dem Willen Gottes unterwirft und auf Macht und Weltherrschaft verzichtet (Mt 4). Der Weg des Christus „muß" vielmehr in Leiden und Tod führen (16,21, vgl. V. 23 mit Mt 4,10). In seinem Verhalten zu den Sündern entspricht er Gottes Forderung des Erbarmens (9,13); die Zuwendung zu Israel ist Tat des Hirten, der sich der ermatteten und geschundenen Herde erbarmt (vgl. 9,36; 10,6; 15,24 sowie 2,6). In seinen Heilungen trägt er wie der Gottesknecht die Leiden und Schwächen der Menschen hinweg (8,17: Jes 53,4.11). Er ist als „Gottes geliebter Sohn" (3,17; 17,5) der „Knecht Gottes", der nicht streitet und Geschrei macht, der das geknickte Rohr nicht bricht und den glimmenden Docht nicht löscht und gerade so Gottes Recht zum Siege führt (12,17–21: Jes 42,1–4). Als der „sanfte König" zieht er gemäß der Verheißung Sacharjas (9,9) als Friedensmessias in die Heilige Stadt ein und wird gerade so als der Sohn Davids begrüßt (21,5). Bei seiner Gefangennahme verzichtet er im Gehorsam gegen Gottes Willen auf jeden Widerstand (26,52–54 mit Bezug auf Mt 5,39b), wie der leidende Gottesknecht erträgt er beim Verhör die Schläge (26,67 mit Bezug auf 5,39a, vgl. Jes 50,6) und gibt schließlich sein Leben für die Vielen zur Vergebung der Sünden hin (26,28; 20,28, vgl. 2,21)[106]. Wie keiner der Evangelisten sonst stellt Mt Jesus in seiner Sendung zu Israel als den verheißenen Messias dar, zugleich eliminiert er aber konsequent in

---

[106] Interessant ist, wie Mt gerade die Messianität Jesu redaktionell hervorhebt, wo er in der Passionsgeschichte Ablehnung und Spott erfährt: 26,68; 27,17.29.39–43.

diesem Messiasbild alle Züge des national-politischen Messianismus.

Lehre und Leben Jesu bilden für Mt eine Einheit. Insofern ist er als der Lehrer zugleich auch das Urbild des wahren Jüngers. Die Merkmale, die für die Existenz des Jüngers gelten, kennzeichnen auch ihn: Güte, Barmherzigkeit, Friedfertigkeit, Macht- und Gewaltverzicht, Verfolgung um der Gerechtigkeit willen.

3. Welche Bedeutung kommt dieser Kennzeichnung Jesu und des Jüngers in der Gesamtkonzeption des Evangeliums zu?

Die matthäische Darstellung des Lebens Jesu ist von zwei Aspekten bestimmt, die sich nicht gegeneinander ausspielen lassen: einerseits ist Mt *historisierend* an einer Darstellung des Wirkens Jesu als des Messias für Israel interessiert; zum andern schreibt er die Geschichte Jesu so, daß sie in ihrer historischen Einmaligkeit *paradigmatischen* Charakter für seine Gemeinde, d.h. aber für die Jüngerschaft aus allen Völkern, gewinnt[107]. Dieser Doppelaspekt ist nicht nur Ausdruck eines schriftstellerischen oder historischen Interesses, sondern spiegelt den traditionsgeschichtlichen Prozeß wider, an dem Mt selbst teil hat. Mt steht mit seiner Gemeinde offenbar noch im Strom judenchristlicher Überlieferung und ist ihr verpflichtet, zugleich führt er jedoch das judenchristliche Erbe in die neue Gemeindesituation hinüber. Das Erfahrungspotential der judenchristlichen Gemeinden aus der Zeit vor dem jüdisch-römischen Krieg und in der Zeit danach, das in Q und in den matthäischen Sonderüberlieferungen seinen Niederschlag fand, erhält in seiner Christusgestalt exemplarischen Ausdruck. Durch diese *christologische Verdichtung* wird es Bestandteil der Geschichte des Messias mit seinem Volk und bleibt zugleich gültig für die Jüngerschaft aus allen Völkern. Mt verbindet die Geschichte der judenchristlichen Gruppen in Palästina mit dem historischen Jesus (vgl. bes. 23,34) und ordnet sie, wie die Geschichte Jesu selbst, der jüdischen Unheilsgeschichte ein, die in der Zerstörung Jerusalems – als Folge des zelotischen Aufstands gegen Rom – ihr theologisch qualifiziertes Datum hat. Die Katastrophe, die das Volk traf, wird von ihm auf

[107] Vgl. dazu G. Streckers Unterscheidung des historischen und eschatologischen Motivs: Der Weg der Gerechtigkeit (Göttingen 1962) 86ff.123ff.

die Ablehnung Jesu und seiner Boten in Israel zurückgeführt. In den Jerusalemer Gleichnissen droht Jesus den Hohenpriestern und Pharisäern als den Repräsentanten des Volkes (vgl. 21,45) den Verlust der Herrschaft Gottes und die Vernichtung an: Nach 21,41 werden die bösen Weinbauern wegen der Tötung des Sohnes vom Herrn des Weinbergs auf böse Weise vernichtet und wird der Weinberg andern Bauern gegeben werden, nämlich, wie Mt 21,43 verdeutlicht, einem Volk, das „seine Frucht bringt" (vgl. 3,8.10; 7,19). Im Gleichnis vom Hochzeitsmahl reagiert der König auf die Ablehnung und Tötung seiner Boten mit der Vernichtung der „Mörder" und der Zerstörung ihrer Stadt (22,7). In der Rede gegen die Pharisäer und Schriftgelehrten droht Jesus den Söhnen der Prophetenmörder, die das Maß ihrer Väter voll machen, Verwüstung Jerusalems und Zerstörung des Tempels an (vgl. 23,29 – 24,2). Vor Pilatus nimmt das Volk selbst die Verantwortung für die Ablehnung des Messias auf sich. Die Selbstverfluchung: „Sein Blut komme über uns und unsere Kinder" (27,25), ist in der Perspektive des Mt in der Zerstörung der Heiligen Stadt Realität geworden.

Mt gibt damit der Geschichte des jüdischen Freiheitskampfes gegen Rom eine eigene theologische und christologische Deutung. Von ihr her gewinnt seine Darstellung der Gestalt und Lehre Jesu ein spezifisches Profil. Der Friedensmessias Jesus steht im Gegensatz zum Ideal des Kriegs- und Siegesmessias, das die zelotische Aufstandsbewegung leitete[108]. Der Weg des Friedensmessias hätte Israel das Heil gebracht. Indem es ihn ablehnte, wählte es die Katastrophe.

Aus dieser Perspektive wird auch verständlich, wieso Mt in seiner Darlegung der Lehre Jesu jene Traditionen bewahrt, die speziell auf die Auseinandersetzung judenchristlicher Gruppen mit der zeitgenössischen politischen Situation in Palästina der Vor- und Nachkriegszeit zurückgehen, und sie sogar akzentuiert. Hier ist vor allem an die Q-Überlieferung zu erinnern, deren spezifisch-palästinisches Kolorit Mt erhalten hat. Mt übernimmt die paradoxen Forderungen der Sprüche Mt 5,39b–42, stellt sie aber in einen Rahmen, in dem jeder Widerstand generell abgelehnt wird – als Antithese zu einem

[108] Vgl. Hoffmann-Eid 163; Theißen 180; J. Blank, Gewaltlosigkeit – Krieg – Militärdienst: Im Urteil des Neuen Testaments, in: Orientierung 46 (1982) 157–163, hier 159f.

Verhalten, das das atl. Gesetz des „Auge um Auge“ für sich in Anspruch nimmt. G. Theißen hat hierin mit Recht eine Bezugnahme auf die politische Situation der Nachkriegszeit gesehen[109]. Wenn Jesus anläßlich seiner Gefangennahme auf jeden Widerstand verzichtet und die Verteidigung mit dem Schwert ausdrücklich zurückweist, gibt er ein Beispiel solchen Widerstandsverzichtes. Die Begründung für das Verhalten: „Denn alle, die das Schwert ergreifen, werden durch das Schwert umkommen“, weist über die Szene hinaus und könnte im Sinn des Redaktors als generelle Ablehnung der zelotischen Kriegsstrategie zu verstehen sein[110]. Eine solche Stellungnahme gegen die zelotische Bewegung zeigt sich auch in der ausdrücklichen Verurteilung der Ermordung des Sacharja ben Baruch durch die Zeloten im Jahre 67/68, die MtR in 23,35 einträgt. Damit wird das zelotische Vorgehen der Ungehorsamgeschichte Israels eingeordnet und mit der Katastrophe des Jahres 70 in ursächliche Beziehung gebracht[111].

Durch die matthäische Rahmung wird auch das Gebot der Feindesliebe einem Verhalten entgegengestellt, das die Liebe auf den Volksgenossen beschränkt und den Haß auf den Volksfeind zuläßt (Mt 5,43). Gerade der Rekurs auf Lev 19,18 verdeutlicht die nationale Dimension[112]. So bietet auch für die matthäische Explikation der Nächstenliebe durch „und du sollst deinen Feind hassen“ weniger die Qumran-Gemeinde mit ihrer Forderung, „alle Söhne der Finsternis zu hassen“ (1 QS 1,3f), das Anschauungsmaterial, als vielmehr die zurückliegende Kriegs- und Nachkriegszeit[113]. Umgekehrt verbindet MtR durch die Verheißung der Sohnschaft das Gebot der Feindesliebe mit der Seligpreisung der Friedensmacher

---

[109] Vgl. Hoffmann-Eid 158 sowie Theißen 176–180, der diese These weiter entfaltet und begründet. S. 177f veranschaulicht er dies durch Josephus, bell. 2,350–352. Agrippa II. mahnt hier in einer Rede vor Ausbruch des Kriegs zum Widerstandsverzicht: „Nichts läßt die Schläge eher aufhören als geduldiges Tragen, und das Stillehalten der Opfer führt zu einer Wandlung der Peiniger“ (351).

[110] Vgl. Schrage 111; Vögtle 81.

[111] Vgl. dazu Josephus, bell. 4,334–344 und O. H. Steck, Israel und das gewaltsame Geschick der Propheten (Neukirchen 1967) 33–40, auf den sich Theißen (179f) bezieht.

[112] Zu seiner Auslegung vgl. Billerbeck I, 353ff, sowie allgemein A. Nissen, Gott und der Nächste im antiken Judentum (Tübingen 1974) 304–329.

[113] Vgl. wieder Theißen 178 und seinen Hinweis auf Tacitus, hist. 5,5: Apud ipsos fides obstinata, misericordia in promptu, sed adversus omnes alios hostile odium.

(5,9), so daß es naheliegt, auch sie nicht nur auf den privaten Bereich, sondern auch auf die Versöhnung mit dem nationalen Feind zu beziehen[114].

4. Mt rezipiert die judenchristlichen Traditionen und verstärkt sogar die antizelotischen Bezüge, zunächst offenbar deswegen, weil er diesem judenchristlichen Erbe besonders verpflichtet ist. Zugleich dienen sie ihm jedoch im Sinn seiner Darstellung der Geschichte Jesu mit Israel zur Ausgestaltung jenes spezifischen Messiasbildes, das ihn Jesus als Gegentyp des nationalen Messiasideals zeichnen läßt und ihm ermöglicht, die Volksgeschichte Israels mit der Jesusgeschichte so zu verbinden, daß die Katastrophe des Jahres 70 zugleich als Folge der Ablehnung Jesu erscheint. Da jedoch diesem in Israel abgelehnten Messias an Ostern die Macht über Himmel und Erde gegeben wurde, ist – im Unterschied zu Israel – seine Geschichte nicht zu Ende; sie findet vielmehr in der Herrschaft des Menschensohnes über die Völkerwelt ihre Fortsetzung: Die einstigen Weisungen Jesu erhalten nun eine universale Dimension als verbindliche Gebote für die Jüngerschaft aus allen Völkern bis an das Ende der Weltzeit (vgl. 28,18–20). Die Geschichte Israels wird zum warnenden Exempel für die Geschichte der Kirche.

Mt leistet in diesem Geschichtsentwurf eine theologiegeschichtliche Verarbeitung der historischen Entwicklung der Jesusbewegung von einer innerjüdischen Gruppierung zu der dem Judentum gegenüberstehenden eigenständigen christlichen Gemeinde, die für sich nun in Anspruch nimmt, Israel in seiner heilsgeschichtlichen Bedeutung abzulösen. Damit steht er jedoch auch vor der Aufgabe, die alten Gebote auf die neue Situation zu transponieren.

Deutlich ist: Sie behalten ihre hervorragende Bedeutung, nun als Ausdruck der spezifisch jesuanischen Gesetzesauslegung im Gegenüber zum pharisäischen Judentum. Indem jedoch Mt das Gebot der Feindesliebe im zweiten Imperativ ausdrücklich auf die „Verfolger" der Gemeinde bezieht (im redaktionellen Rückbezug auf 5,10.11), trägt er auch der aktuellen Gemeindesituation Rechnung. Das Gebot gewinnt im Konfliktfeld Christengemeinde und Umwelt eine neue Bedeutung. Dabei geht es ihm nicht nur um die Verfolgung

[114] Theißen 178f.

durch Juden (vgl. 10,17–23; 22,6; 23,34), sondern gerade auch um Verleumdung, Haß und Verfolgung, die die Gemeinde um Jesu willen von seiten ihrer heidnischen Umwelt erfährt, und die Mt als bleibendes Merkmal christlicher Existenz in dieser Weltzeit ansieht (24,9, vgl. 5,10.11f; 13,21)[115]. Mt fordert seine Gemeinde dezidiert auf, den sie treffenden Haß mit Liebe und der Fürbitte für die Verfolger zu beantworten. Möglicherweise ist in 5,47 auf der Ebene der Redaktion die innergemeindliche Bruderanrede gemeint; dann wird hier deutlich, daß christliche Liebe sich nicht auf den engen Kreis der Brudergemeinde beschränken darf.

Die Forderung des Widerstandsverzichts als Teil der von Jesus geforderten besseren Gerechtigkeit erhält eine umfassendere Bedeutung, der sich die Beispiele aus Q in ihrem paradigmatischen Charakter einordnen lassen. Der Jünger soll, auch wenn ihm Unrecht oder Gewalt angetan wird, auf die Verteidigung der eigenen Rechtsansprüche oder die Sicherung seiner Interessen verzichten und dem „Bösen“ in einer uneigennützigen Liebe entgegenkommen. Er ist, wie schon die Auslegung der ersten Antithese durch Mt verdeutlicht, zur Aussöhnung und zum Wohlwollen seinem Widersacher gegenüber verpflichtet (vgl. 5,24.25a).

Auch die Gemeinde selbst ist kein konfliktfreier Bereich: Mt rechnet mit der Gefährdung durch falsche Propheten (7,15), mit gegenseitigem Verrat und Haß, mit dem Überhandnehmen der Ungerechtigkeit und dem Erkalten der Liebe (24,10–12). So schärft er allen die Sorgepflicht für die gefährdeten Glieder der Gemeinde ein (18,6–12); er sieht die Notwendigkeit disziplinarischen Vorgehens gegen sündige Brüder (18,15–17), unterstellt aber gerade ein solches Verfahren der Forderung einer uneingegrenzten Vergebungsbereitschaft (18,21f). Da jeder in der Gemeinde, wie das Gleichnis vom bösen Knecht zeigt, aus der Vergebung durch Gott lebt, muß in ihr auch ein jeder seinem Bruder von Herzen immer wieder vergeben (18,35). Nach innen und nach außen erscheint so die Gemeinde als Bereich erfahrener und praktizierter Versöhnung. Jenes „Mehr“, das die Feindesliebe von bloßer Nächstenliebe unterscheidet (5,47) und

[115] D. R. A. Hare, The Theme of Jewish Persecution of Christians in the Gospel according to St. Matthew (Cambridge 1967), betont einseitig die Konflikte mit Juden, vgl. 121.124.

gerade das Charakteristikum der „Vollkommenheit“ des Jüngers ausmacht, nötigt ihn, diesem Moment der Entgrenzung der Liebe immer wieder Geltung zu verschaffen.

5. Die christliche Gemeinde ist nach Mt nicht Selbstzweck. Mag sich auch seine Gemeinde als Minderheitsgruppe irgendwo in einer der Randprovinzen des römischen Reiches befinden – sie lebt nicht im Ghetto. Vielmehr versteht sie ihre Sendung offensiv nach außen auf die Ökumene hin ausgerichtet. Gleich in der Eröffnung der Bergpredigt wird die Jüngerschaft „Salz der Erde“ und „Licht der Welt“ genannt. Sie ist die „Stadt auf dem Berge“. Das Erwählungsbewußtsein, das in diesen Worten zum Ausdruck kommt, weist zugleich auf die Verantwortung hin, mit der die Gemeinde behaftet ist: „So soll euer Licht vor den Menschen leuchten, damit sie eure schönen Taten sehen und den Vater im Himmel preisen“ (5,16). Hier geht es nicht um die Selbstdarstellung oder gar um die Weltherrschaft der Jüngerschaft, sondern darum, daß durch das Zeugnis ihrer Praxis die Lehre Jesu zu einem Ferment wird, das das Leben der Völker im Sinn der besseren Gerechtigkeit durchdringt und ändert.

„Das Evangelium der Basileia wird in der ganzen Ökumene verkündet werden zum Zeugnis für alle Völker“, heißt es im Ausblick auf die Kirchengeschichte Mt 24,14. Der von Mt geprägte Ausdruck „Evangelium der Herrschaft“ interpretiert die Evangeliumsverkündigung als die Botschaft vom Herrschaftsanspruch Gottes, der in Jesu Wirken und Lehre in endgültiger Weise zur Sprache kam. Wie besonders die Bergpredigt als die Zusammenfassung dieser Lehre zeigt, geht es also um den Anspruch der Güte und einer uneingeschränkten Liebe, dem die Völker durch die christliche Verkündigung konfrontiert werden sollen (vgl. 28,19).

Das matthäische Kirchenverständnis steht durch die Unterscheidung der Basileia des Menschensohnes von der Kirche in einer eigentümlichen Spannung, die beachtet sein will. Nach Mt 28,18 begründet Jesu Auferstehung seine weltumfassende Herrschaft: die Basileia des Menschensohnes (vgl. 13,41; 16,28). Die Gemeinde steht zu dieser Basileia in Beziehung, sie ist aber nicht mit ihr identisch[116]. Der Acker, auf den der Menschensohn seinen guten Samen

[116] Vgl. Trilling, a.a.O. (Anm. 98) 151–163, bes. 153.162.

auswirft, ist die Welt. Die Gemeinde erscheint ihr gegenüber als die Gruppe derer in der Welt, die sich auf die Forderungen dieses Menschensohnes einlassen und zu Söhnen der Basileia erst werden, wenn sie die geforderte Frucht bringen und am Ende der Zeiten in die Herrschaft des Vaters aufgenommen werden. Herrschaft des Menschensohnes und Kirche sind also in dieser Weltzeit nicht dekkungsgleich. Seine Herrschaft ist kirchlich nicht einholbar. So bleibt die Kirche nach Mt stets nach außen hin auf die Welt hin orientiert als dem Ort, in dem Gott durch den Menschensohn Jesus seine Herrschaft realisiert wissen will. Die Weite der matthäischen Konzeption verdeutlicht die Weltgerichtsszene 25,31–46. In ihr ist die Kirche als eine eigene Größe nicht im Blick; die Völker werden vor dem Thron des Menschensohnes versammelt und die Scheidung erfolgt zwischen Gerechten und Ungerechten. Maßstab des Gerichts ist allein die Güte, die sie gerade dem Geringsten in seiner jeweiligen Not erwiesen oder nicht erwiesen haben. Überraschenderweise haben das Bekenntnis zu Jesus, die Zugehörigkeit zu seiner Gemeinde für das Urteil keine Bedeutung. Nicht nur in seiner Gemeinde (vgl. 18,20; 28,20), sondern in den Geringsten schlechthin[117] ist der nun als der Weltenrichter kommende, einst auf Macht und Ansehen verzichtende Messias Jesus gegenwärtig. Allein die Güte ihnen gegenüber ist heilsentscheidend.

IV.

Anläßlich der Einzelanalyse und der Rekonstruktion des Q-Textes mußten zahlreiche Details der lukanischen Redaktionsarbeit in 6,27–38 – im Vorgriff auf diesen Abschnitt – bereits erörtert werden; sie können daher hier vorausgesetzt werden. Im folgenden soll es nun darum gehen, die Lk bei der Bearbeitung des Q-Textes leiten-

---

[117] Daß Mt hier redaktionell unter den geringsten Brüdern nur Christen verstehe, wie häufig angenommen wird, scheint mir nicht zwingend zu sein. Ich möchte die in der Szene vollzogene Entgrenzung des Bruder-Begriffs auf die Geringsten schlechthin auch für Mt ernstnehmen: gegen J. Friedrich, Gott im Bruder? (Stuttgart 1977) 238f.259 (vgl. die Übersichtstabelle über die Deutungen in den letzten hundert Jahren S. 186–189). Für das weitere Verständnis entscheiden sich auch U. Wilckens, Gottes geringste Brüder – zu Mt 25,31–46, in: Jesus und Paulus. FS f. W. G. Kümmel (Göttingen 1975) 363–383, bes. 372.381–383, und vor allem E. Brandenburger, Das Recht des Weltenrichters (Stuttgart 1980) 76–86.128–131.

den Interessen aus seiner Gesamtkonzeption verständlich zu machen und – im Sinn unserer Frage nach der Auslegung des Gebots der Feindesliebe in der synoptischen Tradition – die Bedeutung der auffallenden Kombination der eher disparaten Themen Feindesliebe und Wohltätigkeit zu erklären.

1. Daß dem Themenbereich „arm–reich" bei Lk eine eigentümliche Dominanz zukommt, wurde in der Lukas-Forschung in der Regel gesehen, wenngleich der Befund widersprüchliche Deutungen fand. In der älteren Forschung des 19. und beginnenden 20. Jahrhunderts läßt sich der Rahmen der Diskussion durch die Schlagworte „Ebionitismus" oder „Sozialismus" abstecken[118]. Während R. Bultmann in seiner „Geschichte der synoptischen Tradition" (S. 392) die Armutsaussagen eher durch die Anawim-Frömmigkeit der „benutzten Tradition" bedingt sah und auch noch H. Conzelmann – in seiner grundlegenden redaktionsgeschichtlichen Untersuchung – sie daher im Sinn seiner heilsgeschichtlichen Periodisierung der Jesus-Zeit zuordnete, ihnen aber für die eigene Zeit des Lk keine Bedeutung zuerkannte[119], wird in den neueren Untersuchungen das aktuelle Interesse des Lk an ihnen herausgearbeitet. Vor allem L. Schottroff – W. Stegemann[120], U. Busse[121] und zuletzt F. W. Horn[122] haben in ihren Arbeiten deutlich gemacht, daß die lukanische Paränese die Situation einer hellenistischen Stadtgemeinde voraussetzt, in der gerade Reiche und Wohlhabende zu „Distanz vom Besitz" und Wohltätigkeit gegenüber Armen motiviert werden sollen, um so Gemeinde als Liebesgemeinschaft zu realisieren. Damit steht die lukanische Redaktionsarbeit im Rahmen der sozialen Umstrukturierung in der frühen Kirche um die Jahrhundertwende, die neben Lk auch im Jakobusbrief sowie in den Petrus- und Pastoralbriefen erkennbar ist[123]. Für eine angemessene Würdigung des lukanischen

[118] Vgl. den Forschungsüberblick bei Horn 24–34.
[119] Die Mitte der Zeit (Tübingen [5]1964) 218.
[120] S. 89–153: Nachfolge Jesu als solidarische Gemeinschaft der reichen und angesehenen Christen mit den bedürftigen und verachteten Christen. – Zu älteren Ansätzen vgl. Horn 26.27.226 f.
[121] U. Busse u. a., Jesus zwischen arm und reich. Lukas-Evangelium (Stuttgart 1980), bes. 11 f; vgl. auch Schrage 152–154.
[122] S. 215–243.
[123] Vgl. Horn 221.

Programms ist vor allem zu beachten, daß es im griechisch-hellenistischen Kulturbereich eine „Ethik der Wohltätigkeit und Barmherzigkeit gegenüber den Armen" – im Unterschied zur jüdischen Tradition der Armenfürsorge – nicht gab. „Nicht Armenpflege, sondern Freundesliebe ist Grundsatz griechischer Ethik."[124]

2. Dieser Verstehenshorizont der lukanischen Ethik braucht nicht weiter erörtert zu werden; hier geht es vornehmlich darum, welche Bedeutung Jesu Gebot der Feindesliebe in dieser neuen Überlieferungssituation bekommt. Die eigentümliche Verschränkung der Feindesliebe mit der Wohltätigkeitsthematik in Lk 6,27–38 ist bereits bei der Einzelanalyse aufgefallen. Das Thema war Lk in Q in den Sprüchen vom Geben und Leihen und in der Barmherzigkeitsforderung als selbständiges Element neben der Feindesliebe und dem Verbot des Richtens vorgegeben, infolge seiner Redaktion überlagert es nun – in hellenistische Fachterminologie übersetzt – den ganzen Abschnitt.

Den Schlüssel zum Verständnis des lukanischen Auslegungsvorgangs bietet, wie die grundlegende Untersuchung von W. C. van Unnik „Die Motivierung der Feindesliebe in Lukas VI 32–35", auf die sich auch Horn bezieht, gezeigt hat[125], die lukanische Redaktionsarbeit in diesem Mittelteil seiner dreiteiligen Komposition. Nach deren Interpretationen setzt sich Lk in V. 32–35 mit einem von der griechisch-römischen Vulgärethik bestimmten, am Prinzip der Gegenseitigkeit orientierten Sozialverhalten auseinander[126]. Nach Horn handelt es sich nicht um eine nur theoretische, nach außen gerichtete Auseinandersetzung mit hellenistischer Ethik, vielmehr be-

[124] Horn (228) mit Bezug auf die grundlegende Untersuchung von H. Bolkestein, Wohltätigkeit und Armenpflege im vorchristlichen Altertum (Utrecht 1939), bes. 67–379.

[125] Zur Rezeption seiner These s. Hoffmann-Eid 153f; Schottroff 217; Schottroff-Stegemann 146f; Theißen 180–183; Busse (Anm. 121) 51f; Marshall 262. – Schürmann verweist zwar auf van Unnik (352 Anm. e), setzt sich aber nicht mit ihm auseinander.

[126] Vgl. das schon von J. Wettstein, Novum Testamentum (Amsterdam 1751) I, 752 (zu Lk 14), gesammelte Belegmaterial sowie Bolkestein (Anm. 124); A. Dihle, a.a.O. (Anm. 68), bes. 30–40; ders., Art. „Ethik", in: RAC VI, 646–795, bes. 658f.686f; A. R. Hands, Charities and Social Aid in Greece and Rome (London 1968) 26–48; K. Treu, Art. „Freundschaft", in: RAC VIII, 418–434; Schottroff 216–218. S. auch J. Benisch, Feindesliebe und Gegenseitigkeitsethik. Lk 6,27–38 in Auseinandersetzung mit ethischen Vorstellungen der spätjüdischen und hellenistischen Umwelt, Diplomarbeit Bamberg 1983.

zieht sich Lk auf ein „von diesem Prinzip abhängiges Verhalten in seiner Gemeinde" (S. 100). Die Bezugnahme auf die Vulgärethik wird in der lukanischen Umgestaltung der in Mt 5,47 erhaltenen Q-Vorlage greifbar. Dort ersetzt Lk das plastische ἀσπάσησθε durch ἀγαθοποιῆτε (V. 33); μισθός wird dem himmlischen Lohn in V. 35 vorbehalten und in V. 32–34 stereotyp durch χάρις ersetzt. In beiden Fällen nimmt Lk Termini der vom do-ut-des bestimmten Gegenseitigkeitsethik auf: χάριν ἀποδιδόναι bzw. ἀντιχαρίζεσθαι bezeichnet die das eigene Wohltun (ἀγαθοποιεῖν, εὖ ποιεῖν) motivierende, vom andern erwartete Reaktion[127].

In den drei parallel angelegten rhetorischen Fragen (V. 32–34) stellt Lk dieses Verhaltensmuster anschaulich dar und disqualifiziert es als Verhalten der Sünder. In Q wurde mit „lieben" und „grüßen" zwischenmenschliches Verhalten auf der Ebene der Freund-Feind-Beziehung veranschaulicht. Indem Lk das Motiv gegenseitiger Liebe durch „Gutes-Tun" (statt des gegenseitigen „Grüßens") und – in Aufnahme des in Q (Mt 5,42) vorgegebenen Motivs – durch „Leihen" weiterführt, konzentriert er die Aussage auf den Aspekt gegenseitiger Hilfe. Gerade das letzte Beispiel wird differenziert beschrieben. Lk hat offenbar an ihm besonderes Interesse[128]. Deutlich wird die vom Gegenseitigkeitsprinzip bestimmte Begrenzung der Darlehenspraxis herausgestellt: „Wenn ihr nur denen leiht, von denen ihr hofft (wieder) zu empfangen – auch die Sünder leihen Sündern, damit sie das Gleiche empfangen" (V. 34). Durch τὰ ἴσα wird die finanztechnische Einfärbung deutlich[129]. Das ist Absicht. Lk wird offenbar bewußt so konkret, weil es ihm nicht nur in allgemeiner Weise um die gegenseitigen Beziehungen geht, sondern speziell auch um ihre finanzielle Seite. In dem Beispiel wird der Geldverkehr zwischen Reichen beschrieben. Entsprechend verlangt Jesu neues Gebot (V. 35a) nicht nur allgemeine Wohltätigkeit, sondern gerade auch zu „leihen, ohne etwas zurückzuerhoffen"[130]. Gemeint

---

[127] Vgl. Horn 100, sowie 102 zu χάρις.

[128] Vgl. Theißen 181, mit dem Hinweis auf Sir 29,1ff.

[129] Wahrscheinlich ist hier nicht finanztechnisch der Zinsbetrag oder die gleiche Summe samt den Zinsen, sondern allgemeiner die „gleiche Summe" (Horn 101) oder noch pauschaler der gleiche Dienst in einer analogen Notsituation (Marshall 263) gemeint. Zur Terminologie vgl. G. Stählin: ThWNT III, 345.

[130] Zum singularen Gebrauch von ἀπελπίζειν in dieser Bedeutung vgl. Bultmann: ThWNT II, 531.

ist also der Verzicht des Gläubigers auf die Rückzahlung der Schuld. Der kommerzielle Regelkreis wird zugunsten einer konditionslosen Wohltätigkeit aufgehoben, die sich nicht mehr nur Seinesgleichen, sondern auch den Habenichtsen zuwendet. Unter dem Einfluß der durch Jesus zur Feindesliebe entschränkten Forderung der Nächstenliebe durchbricht Lk das auf die gleiche Gesellschaftsschicht beschränkte Verhalten der wohlhabenden Mitglieder seiner Gemeinde.

An die Stelle der irdischen Vergeltung tritt zum Ausgleich der himmlische Lohn. Wird nach Q der Jünger durch die Feindesliebe *jetzt* schon zum Sohn Gottes, weil er Gottes vorbehaltlos gütiges Wesen nachahmt, so ist bei Lk die Sohnschaft deutlich *zukünftig* verstanden und auf die eschatologische Existenz bezogen (V. 35 c). Das bestätigt Lk 20,36, wo gerade diejenigen Söhne Gottes genannt werden, die an der Auferstehung Anteil erhalten. Dem entspricht das Futur in dem sekundären Hinweis auf den „reichen Lohn“ (V. 35 b, vgl. 6,23) sowie die Fortsetzung in 6,37 f. Die Darstellung des beispielhaften Verhaltens Gottes ist, wie Horn mit Recht herausstellt, deutlich dieser Interpretationsintention angepaßt. χρηστός meint als „Relationsbegriff“ gerade den wohltätigen Gebrauch, den jemand von seiner Vorzugsstellung macht und ἀχάριστος bezeichnet denjenigen, der die erwartete χάρις nicht leistet[131]. Das Verhalten Gottes dient Lk also als Kontrastbild zu einem vom Gegenseitigkeitsprinzip geleiteten Sozialverhalten.

3. Diese Interpretation wird durch Lk 14,12–14 bestätigt. Hier wird in einer für die höhere Gesellschaftsschicht typischen Gastmahlsszene der Gastgeber von Jesus aufgefordert, „das Prinzip ‚Einladen, um wieder eingeladen zu werden‘ aufzugeben und die Gruppen einzuladen, die keine Möglichkeit der Rückerstattung haben“ (Horn, S. 100). Lk führt die Angehörigen der unteren Bevölkerungsschichten ausdrücklich auf: Arme, Krüppel, Lahme, Blinde. Deutlich wird andererseits in der Kritik am Verhalten des Gastgebers, daß Angehörige der höheren Gesellschaftsschicht (vgl. „reiche Nachbarn“: V. 12) angesprochen sind. Ihre Orientierung am Prinzip der Gegenseitigkeit wird durch die Wortbildungen ἀντικαλεῖν, ἀνταπόδομα

[131] Vgl. Horn 103.

deutlich gemacht. Wie schon in 6,35 wird der Gastgeber zu dem andersartigen Verhalten durch den jenseitigen Lohn motiviert: „Selig bist du, wenn sie nicht haben, dir zu vergelten (ἀνταποδοῦναι). Denn dir wird vergolten werden (ἀνταποδοθήσεται) bei der Auferweckung der Gerechten" (14,14).

Der soziale Gegensatz, den Lk hier voraussetzt, bestimmt auch das mit der Szene eng verbundene Gleichnis vom Gastmahl [132]. Wie die lukanische Gestalt der Entschuldigungsgründe zeigt, sind es gerade Besitzende, die in Gefahr stehen, im Interesse ihrer Geschäfte sich der Einladung zu verweigern (vgl. 14,18f). Umgekehrt ist es die gleiche Personengruppe wie in 14,13, die an ihrer Stelle zum Mahl geladen wird (14,21). Lk charakterisiert sie hier als die Bettler, „in der Stadt"; ihnen folgen in der zweiten Einladung noch Leute,die sich „auf den Wegen und an den Umfriedungen" außerhalb der Stadt herumtreiben: „Landstreicher und Bettler" [133]. Die eschatologische Umkehrung der Verhältnisse soll den Reichen ein warnendes Beispiel sein [134].

4. Das Interesse des Lk, Wohlhabende mit Hilfe des Motivs des himmlischen Lohnausgleichs zu einem die gesellschaftlichen Grenzen überschreitenden Sozialverhalten zu führen, bestimmt auch seine weitere Redaktionsarbeit in Lk 6,36–38.

Da 6,35 deutlich den Abschluß des Argumentationsgangs 6,31–35 bildet, ist V. 36 als Überleitung zum Folgenden zu verstehen. Dadurch wird das aus Q stammende Verbot des Richtens dem übergreifenden Thema der Barmherzigkeit untergeordnet und mit weiteren Imperativen verbunden, die die Forderung der Barmherzigkeit entfalten. Lk nimmt, „nachdem er Feindesliebe mit Geben kombiniert hat, auch hier eine thematische Inkonzinuität mit der Verbindung von Richten und Geben in Kauf" [135]. Dem Verbot des Richtens korrespondiert das Verbot des „Verurteilens" (καταδικάζειν), womit ein Fachterminus der Gerichtssprache aufgenommen

[132] Vgl. Schottroff-Stegemann 130–133.
[133] Vgl. W. Bauer, Wörterbuch 1711.
[134] Vgl. auch Lk 16,19–31 sowie 1,52f und in der Feldrede selbst 6,24–26.
[135] Horn 103. Seine Vermutung (Anm. 73), V. 37b.38 handle es sich um eine vorlukanische Erweiterung, widerspricht seiner eigenen Argumentation, die das lukanische Interesse am Geben-Aspekt überzeugend herausstellt.

wird[136]. Auch κρίνειν ist nicht wie in Q generell im Sinn des Urteilens und Verurteilens anderer zu verstehen, sondern spezifisch als „vor Gericht ziehen, der richterlichen Strafe überliefern"[137]. Dagegen stehen zwei positive Forderungen: ἀπολύετε, δίδοτε. Ersteres meint umfassend die Lösung eines Menschen aus einer Verbindlichkeit[138]; es dürfte hier auf die privatrechtliche Situation bezogen sein und die Lösung eines Schuldverhältnisses meinen[139]. Ihm korrespondiert die Forderung zu „geben", mit der Lk das Gebot uneingeschränkter Wohltätigkeit (6,30.35a) erneut aufgreift. Lk führt also die mit dem Stichwort δανίζειν (V. 34) begonnene Linie konsequent weiter: Gerade Besitzenden wird deutlich gemacht, wie sie sich gegenüber Menschen zu verhalten haben, die bei ihnen in Schuld stehen – damit auch ihnen ihre Schuld dereinst erlassen werden kann.

Wie in 6,35 motiviert Lk zu einem solchen Verhalten durch den Hinweis auf die zukünftig-jenseitige Vergeltung[140]. Dazu dienen ihm die nach dem eschatologischen jus talionis formulierten Sprüche sowie – mit einem „Bild des Geschäftslebens" (Horn, S. 104) – die zusätzliche Verheißung des überreichen himmlischen Lohns in V. 38b. V. 38c unterstreicht nochmals den Entsprechungsgedanken mit sprachlichen Ausdrucksmitteln der Gegenseitigkeitsethik, wie die Formulierung ἀντιμετρηθήσεται zeigt (diff. Mt 7,2; Mk 4,24. Vgl. 14,12.14 die analogen Formulierungen mit ἀντι-).

Wieder ist die Verschiebung des Gedankengangs im Vergleich zu Q deutlich. Bezog sich dort der Spruch auf den geforderten Verzicht,

---

[136] Vgl. F. Preisigke, Wörterbuch der griechischen Papyrusurkunden (Berlin 1925) I 749 s.v. sowie Apg 25,15 καταδίκη. Horn (103) schließt von V. 37 her auf ein „überhebliches Selbstbewußtsein" der in V. 32–35 angesprochenen Reichen gegenüber den Bedürftigen (vgl. ebd. 204ff). Das ist nicht auszuschließen, doch läßt die forensische Terminologie eher an Prozesse denken, die Reiche gegen Arme führen. Vgl. die Reichen-Polemik Jak 2,6; 5,6.

[137] Vgl. Bauer, Wörterbuch 892 Nr. 4. – LkR hat den Zusammenhang des Verbots des Richtens mit dem Bildwort beseitigt und so ein neues Verständnis ermöglicht.

[138] Vgl. Preisigke, a.a.O. (Anm. 136) I 188–190 s.v.: es kann sich um Arbeit, Pflichtleistungen, Ehe, Schulden, Gefangenschaft u.a. handeln.

[139] Vgl. Mt 18,27 sowie Bauer, Wörterbuch 191, gegen Schürmann 361, der an einen Freispruch denkt, was sprachlich möglich wäre, aber zum folgenden „geben" nicht paßt.

[140] Vgl. Horn 279–281: „Die Verbindung von Wohltätigkeitsparänese und ihrer Motivierung durch den Lohn- und Vergeltungsgedanken ist keine spezifisch lk Eigenart, sondern verbindet ihn mit paganem Denken und seiner jüdischen und christlichen Umwelt" (S. 281). S. auch 281–283 zum Gerichtsgedanken, sowie Theißen 169–174.

über andere zu richten, so hier „auf Besitzverzicht und Wohltätigkeit“ (Horn, S. 104). Lk bewegt sich hier also durchaus noch im Argumentationshorizont von 6,32–35. Das traditionelle Verbot wird auf die spezifische Situation seiner Gemeinde bezogen und unter dem Aspekt des Verhaltens der Reichen zu den Armen aktualisiert. Dadurch wird auch die Trennung des Bildwortes vom „Splitter und Balken“ von dem Verbot zu richten in der lukanischen Komposition plausibel.

5. Mit dem Ausblick auf Gottes jenseitig-zukünftige Vergeltung durchbricht Lk das an der irdischen Gegenseitigkeit orientierte Sozialverhalten. Gott tritt an die Stelle des menschlichen Partners und gibt damit Raum für ein von der Erwartung irdischer Rückerstattung absehendes Verhalten. Der Arme und Besitzlose wird so zum Gegenüber der Reichen und Besitzenden. Damit steht Lk im Gegensatz zu der jeweils an den Gleichen und Freunden orientierten hellenistischen Vulgärethik; er folgt jedoch durchaus jüdischer Tradition, wie Sir 4,8–10 zeigt, wo gerade dem Wohltätigen die Sohnschaft des Höchsten zugesprochen und die Rettung vom Tode verheißen wird. Allerdings wird im Vergleich mit der bereits von van Unnik (S. 290) in diesem Zusammenhang zitierten Stelle Sir 12,1–6 deutlich, wie die Forderung der wohlwollenden Zuwendung zum Armen bei Lk nochmals entgrenzt und damit radikalisiert wird. Sirach geht wie die hellenistische Vulgärethik vom Gedanken des Wohltuns in Gegenseitigkeit aus, dehnt aber die Forderung der Barmherzigkeit auch auf den Gerechten aus, der „vielleicht nicht selber vergelten kann“, an dessen Stelle aber Gott vergelten wird. Der Frevler, der Böse, die Freche wird hingegen ausdrücklich von der Barmherzigkeit ausgeschlossen. Dies wird doppelt begründet: Man erntet nur Undank, vor allem aber: „Die Bösen haßt auch Gott, und übt Vergeltung an den Frevlern“ (12,6).

Der Unterschied zu Lk ist deutlich. Er macht in 6,35 am Beispiel der Güte Gottes deutlich, daß die Wohltätigkeit nicht nur den ἀχάριστοι, denen also, die den üblichen Dank nicht leisten, zu erweisen ist, sondern auch den *Bösen. Die Funktion, die dem Gebot der Feindesliebe im Rahmen der lukanischen Argumentation zukommt, wird an dieser Stelle sichtbar.*

Schottroff-Stegemann haben in ihrer Darstellung die offene Formulierung der lukanischen Forderung des Almosengebens hervorgehoben und sie auch auf *nichtchristliche* Arme beziehen wollen. In 6,27–38 geht es ihrer Meinung nach jedoch speziell um die innergemeindliche Liebestätigkeit im Sinn einer „konkreten Sozialutopie" (S. 143–148), der Lk in den Gemeindesummarien der Apostelgeschichte (2,41–47; 4,32–37) exemplarischen Ausdruck gibt (S. 150–153). Horn hat diese Alternative kritisiert (S. 229 Anm. 52) und folgert von den Acta-Summarien her, „daß die lk Paränese vorwiegend im ekklesialen Raum aufgenommen und gelebt sein will, wiewohl sie – wie er Schottroff-Stegemann konzediert – nicht auf ihn begrenzt bleibt, da Lk 6,30; 14,13 u.a. die Wohltätigkeitsparänese auf alle Bedürftigen ausdehnen" (S. 229). Das mag prinzipiell für Lk zutreffen, doch ist damit der Stellenwert der programmatischen Aussage von Lk 6 für die lukanische Gesamtkonzeption übersehen. Gerade Lk 6 eignet sich nicht als Grundtext einer speziell auf Gemeindemitglieder bezogenen *innerkirchlichen* Wohltätigkeit, sonderrn *entschränkt* die von Jesus geforderte Wohltätigkeit über die Grenzen der Gemeinde hinaus. Die lukanische Verschränkung von Feindesliebe und Wohltätigkeit hat offenbar gerade diese Funktion. Schon die „Bösen" in V. 35 lassen sich nicht auf arme Christen beziehen, und es ist nur schwer denkbar, daß Lk die Beziehung von wohlhabenden Christen zu diesem mit Gottes Verhalten zu „Bösen" vergleicht. Wie im Gebot der *Feindesliebe* geht es um die Wohltätigkeit gegenüber Menschen, die als feindlich und böse erfahren werden.

Der Kontext in Lk 6 kann dies wieder bestätigen. Die Beispiele für die Forderung der Feindesliebe, die Lk in 6,29 bringt, vor allem der Raubüberall, den er in V. 30b sogar auf den Besitz überhaupt bezieht, veranschaulichen, was mit den „Bösen" in V. 35 gemeint ist. Selbst dort, wo der Zugriff auf den Besitz unrechtmäßigerweise erfolgt, soll der Christ zu Besitzverzicht bereit sein. Besteht schließlich unsere Vermutung zu Recht, daß die einleitenden Imperative (6,27f) sich auf die Verfolgungssituation der Jünger in 6,22f zurückbeziehen und für sie die Feindesliebe fordern, verdeutlicht der zweite Imperativ „Tuet wohl denen, die euch hassen" nochmals das Interesse, das Lk an einer Ausweitung des Radius christlicher Wohltätigkeit hat. Selbst dem, der die Christen haßt, darf die barmherzige Zuwendung nicht verweigert werden.

Sicherlich einmalig in der soziokulturellen Situation wird also von Lk hier ein Programm christlicher Wohltätigkeit entworfen, das über die Grenzen der Gemeinde, des berechtigten persönlichen Vorbehalts und der gesellschaftlichen Vorurteile hinweg bereit ist, den Hilfsbedürftigen als der Hilfe Bedürftigen zu erkennen und ihm, wie es Lk 10 auch in der Erzählung vom barmherzigen Samariter verdeutlicht, zum Nächsten zu werden. Unter dem Einfluß der Weisung Jesu wird also die Zuwendung zum Notleidenden entgrenzt. Sie läßt sich weder auf die Zugehörigkeit zur gleichen Gesellschaftsschicht eingrenzen noch ist sie an nationale, wirtschaftliche oder moralische Konditionen gebunden. Sie schließt selbst den Verfolger der Gemeinde nicht aus. Die Feindesliebe ist hier zum Modell christlichen Sozialverhaltens geworden.

Lk bietet kein „sozialethisches Programm", vielmehr ist die Paränese pastoral „der Gemeinde- und Glaubensauferbauung" zugeordnet[141]. Durch Lk wird also die gesellschaftliche Ordnung, werden die herrschenden Verhältnisse nicht in Frage gestellt. Er geht davon aus, daß es wie in der hellenistischen Umwelt auch in der christlichen Gemeinde Reiche und Arme, Höhergestellte und Niedriggestellte gibt und immer geben wird. Die Bessergestellten werden von ihm jedoch in die Pflicht genommen. Ihre bleibende Aufgabe ist es, gerade sich der Hilfsbedürftigen „anzunehmen". Der lukanische Paulus spricht in Milet in diesem Sinn die Gemeindeleiter exemplarisch an (Apg 20,33–35)[142]. Wahrscheinlich nicht ohne den Einfluß jüdischer Überlieferung und der Praxis der Armenfürsorge wird hier in christlichen Stadtgemeinden am Ende des 1. Jahrhunderts die Grundlage für die christliche Liebestätigkeit gelegt, die in der Gestalt des „Liebespatriarchalismus" in der Geschichte des Christen-

---

[141] Horn 232f.

[142] Die auffallende Adressierung der Gebens-Forderung in Apg 20 an die Presbyter (in Absetzung von der Warnung vor den Irrlehrern: V. 29f) erklärt auch den lukanischen Einschub in Lk 6,39.40. Er richtet sich nicht an Falschlehrer (so H. Schürmann, Die Warnung des Lukas vor der Falschlehre in der ‚Predigt am Berge' Lk 6,20–49, in: BZ 10 (1966) 57–81, mit der Annahme einer vorlukanischen Verankerung in diesem Kontext) und auch nicht in Fortsetzung der vorangehenden Mahnungen allgemein an die reichen Gemeindemitglieder, sondern an die offenbar aus der Schicht der Wohlhabenden stammenden „Führer" in der Gemeinde, deren besondere Anrede Lukas aufgrund ihres gesellschaftlichen Status für angebracht hielt. Das gleiche Interesse zeigt Lukas auch 12,41–48; 22,24–27 (in der spezifischen lukanischen Diktion). Der redaktionelle Charakter des Einschubs 6,39f wird von daher deutlich und verständlich.

tums bis in die Neuzeit hinein überdauern wird. Die lukanische Wohltätigkeitsparänese ist ein Beispiel für diese allgemeinchristliche Entwicklung, zugleich jedoch auch ihr kritisches Korrektiv, indem sie die christliche Gemeinde vor einer auf sich selbst beschränkten Liebestätigkeit warnt.

V.

Der Weg durch die einzelnen Etappen der synoptischen Überlieferung ermöglicht es, die jeweils älteste Gestalt des Traditionsstoffes auszumachen, die sich zumindest in Einzelfällen mit einiger Wahrscheinlichkeit auf den historischen Jesus zurückführen läßt. Die Authentizitätsfrage soll nicht eigens diskutiert werden[143]. Mir genügt der relativ breite Konsens für die Authentizität des Gebots der Feindesliebe (sei es in der ein- oder zweigliedrigen Fassung) samt seiner Begründung sowie der Sprüche vom Rechtsverzicht in ihrem Grundbestand, mag bei letzteren auch die Entscheidung für die matthäische Überlieferungsform (abgesehen von einzelnen redaktionellen Elementen) nicht so eindeutig sein wie beim Gebot der Feindesliebe. Die Möglichkeit, daß auch die rhetorischen Fragen auf Jesus zurückgehen, ist nicht grundsätzlich auszuschließen[144].

1. Das Problem, das sich nicht zuletzt durch das methodische Verfahren der historischen Rückfrage ergibt, ist, daß uns – nach dem notwendigen Abbau seiner sekundären Kontexte in der Überlieferung – der primäre Kontext des Gebots nicht mehr direkt zugänglich ist. Das Gebot erhält dadurch eine *Vieldeutigkeit,* die L. Schottroff zurecht als die crux seiner Interpretation herausstellt. „Vieldeutig bleibt diese Forderung, solange die Feinde nicht näher definiert sind“ (S. 216). Hält man hingegen die „Explikation der Feinde als ‚unsere Verfolger‘“ im zweiten Imperativ für jesuanisch, so zeigen sich *ihrer* Meinung nach „keine wesentlichen Verschiebungen“ gegenüber den späteren Traditionsstufen. Auch Jesus hätte dann also das Gebot schon auf die besondere Verfolgungssituation der Jünger bezogen[145]. Mag man auch den zweiten Imperativ für ursprünglich

[143] Vgl. die Problematisierung durch Lührmann 427ff. [144] S.o. Anm. 76.

[145] So auch Braun II 103 Anm. 1, vgl. aber 57 Anm. 1 Abs. 2: Feindesliebe meine „nicht bloß den religiös Außenstehenden, sondern auch den persönlichen Gegner“. Jeremias (229f) ordnet Mt 5,39 der Boteninstruktion Jesu zu.

halten, so läßt doch seine Formulierung „Betet für die, die euch beschimpfen/mißhandeln“ eine solche spezifische Deutung nicht zu. Es geht allgemein um Mißhandlungen, und die so Angesprochenen sind nicht als Jünger erkennbar. Der Spruch behält also auch so seine Vieldeutigkeit. Er läßt sich nicht im Sinn einer gemeindebezogenen Auslegung vereinnahmen. Auch eine Einschränkung auf die religiösen Gegensätze im zeitgenössischen Judentum läßt sich durch die Formulierung nicht rechtfertigen[146].

Noch konsequenter postuliert G. Lohfink einen „ekklesialen Sitz im Leben der Aufforderung Jesu zum Gewaltverzicht“ [147]. Um sein Konzept exegetisch abzusichern, interpretiert er schon Jesu Verkündigung in Israel als „ausschließlich“ auf Israel bezogen (S. 244). Das Heil der Heiden habe Jesus nicht im Blick gehabt, da sie im Rahmen der endzeitlichen Völkerwallfahrt zu Israel stoßen würden (ebd.). Nach dem Scheitern in Israel habe er sich auf den Jüngerkreis konzentriert: „Er bindet also jetzt die Gottesherrschaft, ohne Gesamt-Israel aus dem Blick zu verlieren, an seine Jüngergemeinde“ (S. 245). „Das Ethos der ‚Bergpredigt‘ soll – in diesem Sinn – im Jüngerkreis gelebt werden, es ist aber zugleich Ethos für das ganze Volk“ (S. 246) – da der Jüngerkreis Israel präfiguriert. Diesen Jüngerkreis bilden jedoch nicht nur die nachfolgenden Jünger, sondern alle, die sich auf seine Botschaft einlassen (S. 247). Jesus verstehe dieses „zu sammelnde Gottesvolk, aus dem später die Kirche geworden ist, als eine wirkliche Kontrastgesellschaft ... als Gemeinschaft, die einen eigenen Lebensraum bildet, als Gemeinschaft, in der man anders lebt und anders miteinander umgeht, als dies sonst in der Welt üblich ist“ (S. 248).

Spätestens hier werden jedoch die falschen Konsequenzen, die Lohfink aus den zum Teil richtigen historischen Einsichten zieht, greifbar. Indem er den Unterschied zwischen denen, die Jesu Botschaft annehmen, und dem speziellen Kreis der nachfolgenden Jünger verwischt, schafft er sich die Basis für seine Konstruktion der Jüngergemeinde als „eigenem Lebensraum“. Dabei ist jedoch verkannt, daß jener weitere Adressatenkreis der Botschaft Jesu nach wie vor in *seinem Lebensbereich* bleibt und in ihm – nicht aber in einer prae-ekklesialen Gemeinschaft – die Weisungen Jesu realisieren soll. Gerade an dieser Einengung ist jedoch Lohfink interessiert, weil er nur so eine ntl. Basis für seine Gemeindekonzeption und die Interpretation der Weisung Jesu als „Gemeinde-Ethos“ findet. Dagegen ist festzuhalten, daß Jesus von seinen Zuhörern in Galiläa ein der Basileia gemäßes Verhalten fordert, ohne sie in eine Sondergemeinde hineinzurufen. Sie sollen seine Botschaft nicht unter soziologischen Sonderbedingungen praktizieren, son-

---

[146] Vgl. Anm. 81: Grundmann, Schulz.
[147] In: ThQ 162 (1982) 236–253. S. jetzt auch ders., Wie hat Jesus Gemeinde gewollt? (Freiburg 1982), bes. 63–70.

dern in ihrer realen Lebenssituation, in der sie sich als einzelne wie als Volk befinden. Der Kontext der Auslegung des jesuanischen Ethos ist also nicht die (zukünftige) Gemeinde, die zudem ohne gesellschaftliche Interdependenz nicht denkbar ist, sondern jener offene gesellschaftliche Lebensbereich der Menschen in Palästina: die Welt, der sich Gott in seiner Herrschaft zuwendet. Insofern verlangt die gegenwärtige Auslegung der Weisungen Jesu eine *universale* Vermittlung, ist die Frage nach seinen *gesellschaftlichen* Implikationen gefordert. Das läßt sich kaum dadurch widerlegen, daß Jesus „weder versucht (hat), mit Herodes Antipas noch mit Pontius Pilatus Verbindung aufzunehmen, um ihnen zu sagen, wie sie regieren müßten" (S. 249).

Fraglich ist auch schon Lohfinks Rekonstruktion des Israel-Konzeptes Jesu, das bereits auf die kirchliche Einengung der Botschaft Jesu zielt. Die einzige Belegstelle (Mt 8,11 f) für die jesuanische Verwendung des Motivs der Völkerwallfahrt richtet sich gegen Israel. Daß es für Jesu Denken insgesamt konstitutiv war, läßt sich nicht beweisen (vgl. S. 244). Auch Mt 6,9 läßt sich nicht allein von Ez 36 her als Wiederherstellung des Gottesvolkes Israel verstehen (ebd.). „Daß für Jesus offenbar der Reich-Gottes-Gedanke die Sammlung des Volkes (i. S. Lohfinks!) als Selbstverständlichkeit impliziert" (S. 245), bleibt bloße Behauptung.

Auch Becker (S. 8) schließt ein solches Verständnis aus: „Jesus hat endlich nicht von der Basis einer Kleingruppe (z. B. dem Jüngerkreis) her gedacht. Er *formuliert* insofern *gruppenunspezifisch* und tendenziell weltweit."

Ebensowenig haltbar ist jedoch die entgegengesetzte Position D. Zellers. Er geht von der Verwurzelung des Spruches in weisheitlicher Tradition aus und schließt daraus, daß Mt 5,44 trotz des Plurals „Feinde" „in erster Linie den dem Einzelnen je und je begegnenden Feind" meine. „Denn die Weisheit, die ja zunächst mit dem Alltäglichen befaßt ist, hat nur den persönlichen Feind im Auge. Nationale oder religiöse Konflikte liegen außerhalb ihres Gesichtskreises" (S. 107). Abgesehen von der Frage, ob bei solcher formgeschichtlicher Argumentation die weisheitliche Redegattung nicht zu eng gefaßt ist, läßt sich Jesus selbst nicht auf die Rolle des Weisheitslehrers festlegen. Seine weisheitliche Rede steht in einem *prophetischen* Kontext, der zu einer Horizontverschiebung führt oder wenigstens führen kann. Wenn auch richtig ist, daß Jesus die Einzelnen in ihrer alltäglichen Lebenssituation anspricht, so läßt sich umgekehrt diese Lebenssituation nicht auf die „private Sphäre" (etwa den Streit mit dem Nachbarn) reduzieren. Die Beispiele in Mt 5,39–41 verdeutlichen die mögliche Bandbreite der Situationen.

So wird man H. Merklein zunächst folgen, der die anstößige *Offenheit* der Formulierung positiv in die Interpretation aufnimmt. Die

Forderung der Feindesliebe „ergeht absolut und damit grundsätzlich. Eine Explikation, wer mit ‚Feind' gemeint ist, wird nicht gegeben, wohl bewußt nicht, weil sie – ähnlich wie die jüdische Diskussion der Frage ‚wer ist mein Nächster?' (Lk 10, 28–37) – nur neue Kasuistik begründen würde und die radikale Zuwendung zum Mitmenschen von neuem auf gesetzliche Regeln festlegen ... würde" (S. 235)[148]. Er sieht daher in der Formulierung den nationalen, religiösen, sozialen oder persönlichen Feind grundsätzlich mitgemeint: es ist jeder, „der dem Angesprochenen feindlich gegenübersteht und gegenübertritt" (ebd.)[149]. J. Becker radikalisiert diesen Ansatz: „Der *Feind* ist nicht letzte Stufe der noch gerade möglichen Zuwendung, sondern *Basisbestimmung*. Der Extremfall wird Ansatz für jedes Sozialverhältnis, das grundsätzlich immer durch Liebe bestimmt sein soll" (S. 7).

In einer ähnlich offenen Weise sind auch die Sprüche vom Rechts- bzw. Gewaltverzicht (Mt 5,39–41) als provokative Illustrationen[150] des von Jesus geforderten neuen Verhaltens dem gegenüber, der mir als „Feind" begegnet, zu begreifen[150]. Sie (zer-)stören das gängige menschliche Verhaltensmuster der nur an der Wahrung der eigenen Rechte und Interessen orientierten Reaktion und schaffen damit den notwendigen Freiraum für die Entwicklung positiver Beziehungen zum sogenannten Feind[151]. Die Beispiele entsprechen zeitgenössischen Lebenssituationen und setzen beim Verhalten des einzelnen ein, geben aber einer grundsätzlichen Forderung Ausdruck.

Der universale Horizont des Gebots wird in der Begründung deutlich. Jesus nimmt entsprechend weisheitlicher Tradition auf Gottes

---

[148] Vgl. auch Hübner 106f; Theißen 195. Auch Jeremias (205f) stellt die „Grenzenlosigkeit" der Liebesforderung heraus.

[149] Die Bedeutungsbreite wird mit unterschiedlicher Akzentuierung häufig betont, vgl. Braun (o. Anm. 145: persönlich und religiös); Hübner 106 (persönlich, national, religiös); Piper 56.128 (persönlich und national); Guelich 228 (persönlich und kollektiv); Becker 7 (wie oben); Schrage 77.

[150] Vgl. Perrin 162f: „Diese Worte sind Illustration für die Notwendigkeit des neuen Weges, nicht Vorschriften für ihn. Aber natürlich implizieren diese Logien, daß dieser neue Weg gefunden werden kann..." (163); R. C. Tannehill, The „Focal Instance" as a Form of New Testament Speech: A Study of Matthew 5,39b–42, in: JR 50 (1970) 373–385; J. Eckert, Wesen und Funktionen der Radikalismen in der Botschaft Jesu, in: MThZ 24 (1973) 301–325. Schon Ch. H. Weiße, Die evangelische Geschichte (Leipzig 1838) II 38, spricht den Sprüchen „änigmatischen Charakter" zu; „es sind Räthselworte, bestimmt, durch ihre eindringende Gewalt zum weiteren Denken aufzuregen".

[151] Vgl. Hoffmann-Eid 159f; Merklein 272; Vögtle 97f: „Die unbestreitbare Forderung, den Gewaltmechanismus zu überwinden".

Schöpfungshandeln Bezug. Die weisheitliche Einsicht, daß „jeder Mensch nur den ihm Gleichgestellten" liebt (Sir 13,15) wie auch die eher resignativ-skeptische Feststellung, daß „den Gerechten wie den Frevler" das gleiche Los trifft (vgl. Koh 9,2f), werden von ihm unterlaufen. Gottes allen Menschen in gleicher Weise sich zuwendendes und Leben ermöglichendes Schöpfungshandeln wird positiv als Modell menschlichen Verhaltens verstanden. Gegen die vom Menschen errichtete Welt von Unterschieden, Gegensätzen und Feindschaften wird das Bild einer Welt sichtbar, wie sie als Gottes Schöpfung sein könnte.

2. Auch wenn D. Zeller (S. 106) mit Recht feststellt, daß im Gebot der Feindesliebe die „Ausweitung des Begriffs ‚Nächster' auf den Feind... nicht explizit vollzogen wird" (wie in Mt 5,43), so ist die Rede vom Feind ohne diesen Gegenbegriff nicht denkbar. Das Gebot impliziert also die Kritik an einer Liebe, die ihre Zuwendung auf den „Nächsten" beschränkt. Im Kontext der zeitgenössischen Diskussion war dies aber vorrangig der Volksgenosse. Die Formulierung überschreitet jede menschliche Grenzziehung, wie die Erzählung vom barmherzigen Samariter exemplarisch verdeutlicht.

Eine historische Interpretation kann der Frage nicht ausweichen, welcher Stellenwert den Forderungen Jesu in der zeitgenössischen politisch-gesellschaftlichen Situation zukommt, es sei denn, man versteht den historischen Jesus nach dem Klischee eines weltabgewandten religiösen Schwärmers, wobei allerdings das zugrundegelegte Religionsverständnis nicht das des antiken Judentums ist. Gerade die apokalyptische Bewegung, der ja Jesus einzuordnen ist, verdeutlicht, wie eng die Botschaft des Apokalyptikers auf die politische Realität bezogen ist[152]. Das legt es nahe, die Spitze der jesuanischen Forderung der Feindesliebe in der Antwort auf die Herausforderung zu sehen, die die Unterdrückung durch die Römer für das jüdische Volk darstellte[153].

Theißen hat, ausgehend von zwei zeitgenössischen Beispielen gewaltlosen Widerstands der Juden auf römische Provokationen, deutlich gemacht, daß

---

[152] Vgl. jetzt die Studie von P. Lampe, Die Apokalytiker – ihre Situation und ihr Handeln, in: U. Luz u.a., Eschatologie und Friedenshandeln (Stuttgart 1981) 59–114.

[153] Diesen politischen Aspekt betonte bereits Fiebig 37–41; vgl. auch Manson; Piper (oben Anm. 81); Hengel (Anm. 86) 386; Schrage 111.

Jesus mit seiner Forderung nicht nur im Gegensatz zum Judentum stand. „Jesu Verkündigung war eine Alternative zum ‚zelotischen' Widerstand und zu den essenischen Phantasien vom zukünftigen großen Krieg (1 QM). Aber Jesus und seine Bewegung stehen nicht isoliert im Judentum: Es gab noch andere Kräfte, die auf eine gewaltlose Lösung von Konflikten hinarbeiteten" (S. 194). Er findet bei Jesus „jene drei Verhaltensmuster, deren Kombination jeder Macht gefährlich werden können: 1. Den Mut zur öffentlichen Kritik (und eine entsprechende Resonanz), 2. die Bereitschaft zu provokatorischen Handlungen, durch die bestehende Regeln kompromittiert werden und 3. eine demonstrative Wehrlosigkeit" (S. 195).

3. Die Forderung der Feindesliebe steht im Rahmen der Verkündigung Jesu nicht isoliert da; die Konvergenzen mit seiner Botschaft und Praxis der Güte Gottes sind deutlich. Der nahe und gegenwärtige Gott ist für Jesus der Gott unbedingter Güte und vorbehaltloser Vergebung[154]. Wie Jesus aufgrund dieser Gotteserfahrung in seiner ganzen Existenz zum Übermittler dieser Erfahrung wird, soll und kann auch der Mensch, der die Liebe dieses Gottes durch ihn erfahren hat, diese Liebe weitergeben. Ein zweiter Aspekt kommt hinzu: Da alle ohne Ausnahme vor Gott schuldig und auf sein Erbarmen angewiesen sind, wie das Gleichnis vom bösen Knecht (Mt 18) verdeutlicht[155], kann keiner dem andern sein Erbarmen verweigern. Feindesliebe erwächst also aus der Einsicht in die Solidarität der Schuld und aus der Solidarität erfahrener Vergebung. In der Sicht Jesu muß ich auch meinen Feind als den Menschen erkennen, dem genauso wie mir Gottes Zuwendung gilt.

Läßt sich Jesu Wirken und Leben insgesamt als der prophetisch-charismatische Versuch verstehen, punktuell-situativ die Gegenwart der Herrschaft Gottes wahrzunehmen als Chance für eine neue Weise des Lebens und seine Hörer dazu zu ermutigen, so ist auch die Feindesliebe als Antizipation des Kommenden zu verstehen – unter den Bedingungen des noch andauernden alten Äons.

Wenn aber Jesu Weisung im Horizont der anbrechenden Basileia Gottes steht, die Gottes heilvolles Handeln an der *Welt* zum Ziel hat

[154] Auch Merklein stellt diesen Bezug betont heraus (235f) und sucht ihn – was allerdings weniger überzeugt und auch nicht erforderlich ist – textlich abzusichern, indem er einen ursprünglichen Zusammenhang von Mt 5,44f mit V. 48 (= Lk 6,36) postuliert. Vgl. dazu oben S. 57.
[155] So auch Merklein 237–242.

und insofern – über Israel hinausgehend – Gottes Zuwendung zu *jedem* Menschen ohne Ausnahme meint, muß auch die Auslegung des Gebots dieser universalen Dimension folgen. Es zielt in der konkreten historischen Situation zunächst auf die Bekehrung Israels, doch kraft der Botschaft über Israel hinaus – auf die Welt als ganze, in der Gott als Herr anerkannt und seine Herrschaft als die Herrschaft der Güte wahrgenommen und realisiert werden soll.

VI.

1. Die bisherige Untersuchung machte deutlich, daß J. Beckers Urteil, in der synoptischen Überlieferung werde Jesu Gebot vor allem für die bedrängte Gemeinde aktualisiert, nur partiell zutrifft. Es zeigte sich vielmehr, wie in vielfältiger Variation Tradition und Situation sich gegenseitig herausfordern und die Tradenten unter den jeweils neuen soziokulturellen Verhältnissen ihrer Gemeinde zu einer differenzierten Auslegung und Neuorientierung christlicher Praxis führen. Dabei bewahrt Jesu Forderung ihre provokative Kraft und ist Anlaß für die Durchbrechung herrschender Verhaltensmuster und die *Entschränkung* gruppenbezogener Lebenseinstellungen. In Q führt sie zu einer Überwindung der Clan-Solidarität und so zu Gewaltverzicht und Versöhnungsbereitschaft gerade auch dem übermächtigen Nationalfeind Rom gegenüber. Bei Mt wird die zur Feindesliebe entgrenzte Nächstenliebe zum christlichen Kanon der Gesetzesauslegung, sie konstituiert so das Idealbild des auf Gewalt und Macht verzichtenden, dem Frieden verpflichteten Jüngers Jesu und bestimmt die Einstellung sowohl zum Verfolger der Gemeinde als auch zum irrenden Bruder im Sinn unbegrenzter Versöhnungsbereitschaft. Bei Lk begründet sie die Kritik eines am Prinzip der Gegenseitigkeit orientierten, auf Seinesgleichen beschränkten Sozialverhaltens und verlangt eine Wohltätigkeit, die über die Grenzen der eigenen Gesellschaftsschicht und auch der christlichen Gemeinde hinaus sich jedem zuwendet, der in Not ist. Dieser Befund verdient Beachtung, gerade auch im Hinblick auf die Frage der Aktualität der Forderung Jesu in der gegenwärtigen Situation. Das Gebot wurde unter der Herausforderung der jeweiligen Situation neu aktualisiert und verschließt sich auch heute einer solchen Aktualisierung nicht.

Andererseits behält Beckers Analyse der frühchristlichen Entwicklung auch für die synoptische Überlieferung darin recht, daß es zu einer *Verkirchlichung* der ursprünglich offenen Aussage Jesu kommt. Aus der Feindesliebe wird primär, wenn auch nicht ausschließlich, die Bruderliebe. Die politisch-gesamtgesellschaftliche Dimension der Forderung, die sie bei Jesus und in Q zumindest auch besaß, gerät mehr oder weniger aus dem Blick. Diese Verschiebung der Perspektive ist durch die historische Entwicklung bedingt: Durch den Wandel der Jesusbewegung von einer prophetischen Erweckungsbewegung in Israel zur religiösen Sondergruppe in der hellenistisch-römischen Gesellschaft, die als gesellschaftliche Minderheit zunächst sich ihrer Eigenexistenz vergewissern mußte und zudem – bis zur konstantinischen Wende – mehr Opfer als Träger politischer Macht war. Diese Entwicklung schafft ein bleibendes Moment: Die christliche Gemeinde/Kirche wird der Ort, wo das jesuanische Ethos nicht nur tradiert wird, sondern auch praktiziert werden soll und praktiziert werden kann.

Insofern kommt G. Lohfinks Beschreibung der christlichen Gemeinde als „Kontrastgesellschaft" durchaus Berechtigung zu[156]. Sie enthält beachtliche und kritische Konsequenzen für das Selbstverständnis eines klein- oder großbürgerlich etablierten Christentums. Fraglich ist mir jedoch[157], ob sich damit die Beschränkung des jesuanischen Ethos auf eine Gemeindeethik rechtfertigen läßt, die zugunsten des ekklesialen Aspekts darauf verzichten muß, nach der politisch-gesellschaftlichen Relevanz der Botschaft Jesu zu fragen. Bedeutet dies nicht den Rückzug in das Ghetto charismatischer oder sonstiger Selbstgenügsamkeit? Wird die universale Kirche dadurch nicht zur Sekte? Die soziokulturellen Konditionen der ersten christlichen Gemeinden lassen sich nicht theologisch absolutsetzen. Die gesellschaftlichen Bedingungen, unter denen die frühe Kirche das Ethos Jesu in ihre Situation zu übersetzen hatte, unterscheiden sich erheblich von den Bedingungen, unter denen diese Aufgabe die durch Konstantin zur Staatskirche avancierte Christenheit zu leisten hatte und zum Teil nicht geleistet hat; und – die Reihe ließe sich

[156] ThQ (Anm. 147) 248.250; Gemeinde 69 u.a.
[157] Vgl. ThQ 249f.253; Gemeinde 69 (vgl. auch 50) – trotz der Konzessionen, die er ThQ 252f macht.

durch die Kirchengeschichte hindurch fortsetzen – diese Bedingungen waren auch andere, als sie die heutige Christenheit vorfindet. Die Tatsache, daß in der zurückliegenden Geschichte bis in die jüngste Gegenwart hinein sowohl von den Kirchen als auch von den politisch Verantwortlichen die Botschaft Jesu für machtpolitische Interessen mißbraucht wurde, disqualifiziert die Verantwortlichen, nicht aber den universalen Anspruch der Botschaft Jesu.

Theologisch scheint es mir notwendig, im Sinn der Verkündigung Jesu den Primat des Herrschaftsanspruches Gottes über die Welt als Herrschaft seiner Güte gegen seine ekklesiogene Verkürzung festzuhalten. Er weist die christliche Gemeinde – im Sinne ihres rechtverstandenen missionarischen Auftrags – über sich hinaus auf die Welt. Zweifellos nicht, um in ihr den „totalitären Gottesstaat" zu errichten, wohl aber, um im Zusammenspiel und notfalls auch im Konflikt mit anderen gesellschaftlichen Kräften im Namen des Gottes Jesu für das Wohl der Menschen einzutreten. Dies verlangt notwendig, das Ethos Jesu nicht als *Gemeinde*-Ethos, sondern als *Welt*-Ethos auszulegen.

2. Damit stehen wir vor der konkreten Frage, welche Relevanz Jesu Forderung der Feindesliebe und des Gewaltverzichts für die christliche Verkündigung angesichts der gegenwärtigen weltpolitischen Situation in einer Gesellschaft zukommt, in der zum Teil wenigstens sowohl die Kirchen als auch einzelne Christen an politischen Entscheidungsprozessen – sei es direkt oder indirekt – verantwortlich teilnehmen.

Hier gerät das Gebot zwangsläufig in Konflikt mit den gegen es geltend gemachten Forderungen des bonum commune. Eine Lösung bringt weder die Jesu Forderung letztlich paralysierende Unterscheidung von Gesinnungs- und Verantwortungsethik noch ein fundamentalistischer Biblizismus, der sich dem Problem mit Hilfe der persönlichen Gewissensentscheidung entzieht. Der Moraltheologe und Exeget muß sich bei der Auslegung der Forderung Jesu notwendig auf einen *Vermittlungsprozeß* einlassen.

H. Merklein, mit dem ich mich hier als erstem Beispiel eines gängigen Auslegungsmusters auseinandersetzen möchte, hat dies in seiner Auslegung der fünften Antithese versucht. Er stellt zunächst mit Recht heraus, daß dabei sowohl die „Intention Jesu" als auch die konkrete „Situation, auf die sich die Forderung in ihrer konkreten Gestalt bezieht“, Berücksichtigung finden müssen. In ihr gehe es um den „Konflikt zweier Individuen“. In dieser Situation können das eigene Recht und Wohl nicht als „Grenze benutzt werden, die mich vor einer radikalen Zuwendung zum anderen (i.S. der Intention Jesu) schützt“. „Die Sachlage ändert sich aber sofort, sobald mein Wohl unlöslich mit dem Wohl eines Dritten verbunden ist und ein Verzicht auf mein Recht das Wohl des Dritten außer acht lassen würde“. Das ist „die Situation des Staates. Ein Verzicht auf Widerstand... führt bei rigoroser Anwendung zur Mißachtung des Wohles des (angegriffenen) Bürgers bzw. der Allgemeinheit. So könnte Verzicht auf Widerstand direkt zur Pervertierung jener von Jesus geforderten radikalen Zuwendung zum Mitmenschen führen. Oder umgekehrt: in solcher Situation kann Widerstand in paradoxer Weise geradezu Ausdruck dessen sein, was Jesus mit dem Verzicht auf Widerstand meint“ (S. 274f.)[158].

Die Rabulistik der letzten Schlußfolgerung Merkleins, die in der vorliegenden Formulierung Machtpolitikern ein willkommenes Alibi bietet, pervertiert die Aussage Jesu. Zweifellos kann Widerstand gegen Unrecht Ausdruck der von Jesus geforderten Liebe sein. Doch dies ist nicht das Thema der fünften Antithese. Nach Merklein wird durch den Wechsel von der Individual- zur gesellschaftlichen Situation, wie das in der gegenwärtigen Rüstungsdiskussion oft geschieht[159], die Intention Jesu außer Kraft gesetzt. Aufgabe der Auslegung wäre es hingegen zu zeigen, wie Jesu Intention der radikalen Zuwendung zum andern gerade unter den – in der Tat – veränderten Bedingungen einer politischen Konfliktsituation zum Zuge kommen kann. Natürlich ist es Pflicht auch des christlichen Politikers, Schaden vom eigenen Volk abzuhalten; doch müßte er sich, wenn er schon Christlichkeit für sein Verhalten in Anspruch nimmt, von Jesu

---

[158] Merklein exemplifiziert den Sachverhalt am Problem der Strafverfolgung des Kriminellen und weist m. R. auch auf die gesellschaftlichen Konsequenzen der Forderung hin. Differenzierter zur politischen Dimension, aber nach wie vor zu „gefällig“ äußerte sich Merklein jetzt in: Politische Implikationen der Botschaft Jesu?, in: Lebendige Seelsorge 35 (1984) 112–121.

[159] Vgl. den aktuellen Überblick bei Vögtle 109–140: „Bergpredigt“ und weltliches Regieren. Umfassender W. Lienemann, Gewalt und Gewaltverzicht, Studien zur abendländischen Vorgeschichte der gegenwärtigen Wahrnehmung von Gewalt (München 1982). – Auch das Hirtenwort der deutschen Bischöfe „Gerechtigkeit schafft Frieden“ (Bonn 1983) benutzt das Argumentationsmodell (18f).

Intention motivieren lassen, eine Politik zu entwickeln, die *zugleich* auch jener „radikalen Zuwendung zum andern" gerecht wird, statt die anderen gegebenenfalls dem Wohl des eigenen Volkes zu opfern. Dies forderte heute die Infragestellung eingefahrener politischer Denkklischees und militärischer Planspiele und könnte politisch innovierend wirken.

Das zweite Beispiel entnehme ich der Argumentation des Sozialethikers W. Korff „Der Christ und der Frieden. Grundsätze einer christlichen Friedensethik"[160]. Korff stellt in seinem Beitrag zunächst zutreffend die politisch-gesellschaftliche Relevanz der Feindesliebe gegen ihr rein privates Verständnis heraus:

„In jedem Fall wäre es völlig verfehlt, Feindesliebe als rein individualethische Gesinnung anzusetzen und ihre aufbrechende und befreiende Kraft ausschließlich zwischenmenschlich geltend zu machen. Denn nicht nur *‚personale'*, sondern auch gesellschaftlich organisierte, über gesetzte Ordnungen verfügte *‚strukturelle'* Gewalt hat ihre Ursache beim Menschen und kann nur durch Menschen geändert werden. Gerade weil aber Feindesliebe nicht Unterwerfungsmoral, sondern zutiefst innovatorisch ausgerichtetes, auf Überwindung jeglicher Menschenfeindlichkeit zielendes Ethos ist, legt sie sich damit zwangsläufig auch mit Strukturen an" (S. 36).

Im Folgenden unterscheidet Korff dann „entsprechend den unterschiedlich vorgegebenen Strukturgestalten von Gewalt" verschiedene Begrenzungen des Gebots der Feindesliebe und Gewaltlosigkeit. Diese sind für ihn vor allem dann gegeben,

„wo sich ein freiheitlich verfaßtes, auf die Personwürde des Menschen hin zentriertes gesellschaftliches Ordnungssystem einem Gesellschaftssystem konfrontiert sieht, das von einem völlig anders gearteten Grundverständnis der Wahrheit über den Menschen ausgeht und hierfür gleichermaßen universelle Geltung beansprucht. Dort nämlich, wo letzteres dem Anspruch seiner von ihm behaupteten Wahrheit mit Gewalt diese universelle Geltung zu verschaffen sucht, stellt es sich jenem als eine Bedrohung dar, die unabdingbar nach geeigneten, die Bedrohung aufhebenden oder zumindest paralysierenden Gegenmaßnahmen ruft. So wenig dabei dem Einzelnen auch dann noch das Recht versagt werden darf, vom reinen sittlichen Gedanken der Feindesliebe her für sich selbst den Weg der Gewaltlosigkeit als Mittel zur Überwindung solch substantieller Bedrohung zu wählen, so wenig kann das freiheitliche Gesellschaftssystem als solches diese Haltung als Rechtspflicht auferlegen. Läßt sich doch mittels des Rechts als eines Zwangsinstituts nicht eine Haltung erwirken, die als Äußerstes menschlichen Seinkön-

---

[160] In: W. Korff (Hg.), Den Frieden sichern (Düsseldorf 1982) 120–143.

nens um des Menschen willen gerade jeglichem Zwang entsagt. Feindesliebe läßt sich nicht kollektiv verordnen" (S. 139).

Auf die dem Freund-Feind-Klischee verpflichtete Diktion dieses Abschnitts brauche ich nicht einzugehen; mir kommt es hier vor allem auf Korffs Unterscheidung zwischen dem Martyrium des Einzelnen und einer kollektiv verordneten Feindesliebe an. In der Tat läßt sich Feindesliebe nicht „verordnen". Nur fällt Korff mit seiner Argumentation, gerade wenn es um die globale Konfrontation ideologisch unterschiedener Machtblöcke geht, auf das Niveau eines individualethischen Verständnisses der Feindesliebe zurück. Er konzediert in dieser Situation nur eine Liebe, die, beschränkt auf ihren „reinen sittlichen Gedanken", realpolitisch zum Scheitern verurteilt ist. Damit hält er aber seinen eigenen Ansatz einer auf die Strukturen bezogenen Feindesliebe nicht durch. Denn dieser würde verlangen, Strategien zu entwerfen, durch die Feindesliebe nicht nur Opfer produziert, sondern ihre Relevanz durch eine Minderung der Aggression im internationalen Bereich erweist.

In diesem Sinn hat M. Linz die Entwicklung einer *„tragfähigen Strategie politischer Feindesliebe"* verlangt[161], eine Aufgabe, der sich der christliche Sozialethiker nicht entziehen dürfte, so wenig wie dies mittelalterliche Theologen getan haben, als sie unter der Herausforderung ihrer Situation die Lehre vom gerechten Krieg formulierten.

3. Der Exeget vermag – angesichts der historischen Distanz zwischen Jesus und uns – zu dieser Diskussion nur partiell, aber doch Grundlegendes beizutragen, wenn er die *Perspektiven* verdeutlicht, die sich aus der Botschaft Jesu ergeben. Die Ausarbeitung eines solchen Konzepts ist Sache des Sozialethikers, der dazu auf das interdisziplinäre Gespräch, vor allem mit der Friedens- und Konfliktforschung angewiesen ist. Davon verschieden ist nochmals die Aufgabe der Umsetzung in konkrete politische Handlungsvorschläge. Diese Komplexität des Übersetzungsprozesses warnt vor kurzschlüssigen Übertragungen, rechtfertigt es aber nicht, auf eine solche Übersetzung im Sinn der Trennung von Religion und Politik zu verzichten. Sie verlangt vielmehr das Gespräch der Beteiligten miteinander.

---

[161] Gedanken zum Gebot der Feindesliebe: Wird es denn überhaupt gehen?, in: FS f. W. Dirks (München-Mainz 1980).

Ich beschränke mich zunächst auf einige Aspekte für ein von der Feindesliebe inspiriertes *politisches Ethos*[162] und frage, an welchen neuralgischen Punkten heute das Gebot, wie einst im NT, zu einer *Entschränkung* gruppenfixierter Einstellungen und damit zu einer Bewußtseinsänderung führen könnte – als erster Schritt auf eine christlich orientierte Friedenspolitik hin.

a) Jesu Forderung der unbedingten Güte übersieht nicht, sondern setzt voraus, daß wir *alle* „böse" (Mt 7, 11) und auf Vergebung angewiesen sind und nur in gegenseitiger Vergebung leben können. Das verbietet von vornherein einseitige Schuldzuweisungen und verlangt, die negativen Implikationen des eigenen politischen Handelns zu sehen und einzugestehen. Die Einsicht, daß alle Beteiligten machtpolitische Eigeninteressen verfolgen, verweist den Christen auf die Schuldverfallenheit des nur sich suchenden und auf Selbstbehauptung fixierten Menschen; sie nötigt aber auch zu einer unsentimentalen politischen Selbstbeurteilung. Sie erst macht zum Kompromiß, auf Dauer vielleicht auch zur Versöhnung fähig.

b) Für Jesus ist auch der „Feind" Gottes Geschöpf; auch ihm gilt die jedem Menschen sich vorbehaltlos zuwendende Güte Gottes. Das ist nicht als fromme Floskel gemeint, sondern bezeichnet die Prämisse, die vom Ansatz her christlich orientiertem politischem Planen und Handeln seine Ausrichtung gibt. Die feindliche Macht bleibt kein anonymes Gegenüber, auf das nur machtpolitisch oder militärtechnisch reagiert wird, sondern ist, wenn auch nicht schon der Freund, so doch der Partner von morgen. Mit ihm muß zwar u. U. hart gestritten werden; vor allem gilt es jedoch, mit ihm zusammen zu leben, d. h. angesichts der wachsenden atomaren Bedrohung zu *über*-leben. Die bestehenden ideologischen oder machtpolitischen Gegensätze können nicht übergangen werden, sie dürfen aber weder zum Alibi werden, um die eigenen Interessen absolut zu setzen, noch rechtfertigen sie die Verweigerung der Partnerschaft.

c) Die gegenwärtigen Beziehungen zwischen Ost und West sind in einer unverantwortbaren Weise durch Feind-Bilder, Vorurteile und Projektionen belastet, die auf beiden Seiten offenbar bewußt ge-

[162] Vgl. z. B. H. R. Reuter, Bergpredigt und politische Vernunft, in: R. Schnackenburg (Hg.), Die Bergpredigt (Düsseldorf 1982) 60–80.

steuert und für politische Eigeninteressen eingesetzt werden. Dies wiederholt sich bedauerlicherweise auch im jeweiligen eigenen Lager im Umgang mit dem politischen Gegner. Eingedenk des jesuanischen Verbots des Richtens müßte gerade auch der christliche Politiker sich für den Abbau der Feindbilder, die Entideologisierung und Entemotionalisierung der Beurteilung des Gegners einsetzen, statt Ideologie und Emotion als Instrument der Meinungsbildung oder Stimmungsmache zu mißbrauchen. Gerade wenn er die „Wahrheit" auf seiner Seite weiß, dürften ihm derartige „einseitige Vorleistungen" nicht schwerfallen. Dazu gehören auch eine offene, auf Meinungsmanipulation verzichtende Informationspolitik und die Respektierung abweichender Standpunkte im eigenen Einflußbereich.

d) Die Feindesliebe zielt auf Grenzüberschreitungen, auf die Öffnung des nur an der eigenen Gruppe interessierten, „block"-orientierten Verhaltens. Im Sinn der Goldenen Regel, die hier einer Allerweltsweisheit Ausdruck gibt, müssen wir es lernen, auch vom andern her zu denken. Die Interessen, Ängste, Sicherheitsbedürfnisse der anderen Seite müssen von uns wahrgenommen und in ihrer Berechtigung anerkannt werden – um letztlich dem andern die Chance zu geben, uns vertrauen zu können und so zu einer positiven Wechselseitigkeit der Beziehungen zu gelangen.

e) Jesu radikale Forderung, auf Gegengewalt, die Durchsetzung der eigenen Rechte und Interessen zugunsten des anderen zu verzichten, läßt uns die Grenzen des politisch Machbaren bewußt werden. Vielleicht wäre, dieses sich und anderen einzugestehen, schon ein Gewinn. Doch trotz dieser Grenzerfahrung entläßt uns die Forderung nicht aus der Pflicht, mit allen Mitteln die Eskalation der Kriegspotentiale zu verhindern und die von Gewalt und Gegengewalt bestimmten Verhältnisse auf eine friedliche Kooperation hin zu verändern[163]. Dieses Postulat der Minimierung der Gewalt wird auch von der politischen Vernunft nahegelegt. Dies verbietet eine Strategie, die auf Überlegenheit über den Gegner und seine Besie-

[163] Vgl. Gerechtigkeit schafft Frieden (Anm. 159) 19: „Diese Liebe wird sich mit aller Kraft und immer neu bemühen, den Gegner für den Frieden zu gewinnen, gewaltfreie Lösungen der Konflikte zu erschließen und Felder der Kooperation anzubieten. So soll der Teufelskreis der Gewalt gesprengt, sollen Aggressivität und Konfrontation abgebaut werden."

gung zielt[164] oder die mit dem Gedanken des Ersteinsatzes von Atomwaffen spielt[165] – um den Preis, daß eine Unzahl von Menschen auf beiden Seiten für den „Endsieg" geopfert werden.

Die „Kriterien", die im Hirtenwort der deutschen Bischöfe in der diffizilen Diskussion um die Abschreckungsdoktrin genannt werden[166], suchen diesem Postulat bei größtmöglichem Entgegenkommen an die geltend gemachten „realpolitischen" Erfordernisse Rechnung zu tragen. Läge es jedoch in der Perspektive Jesu nicht noch näher[167], im Sinn eines kalkulierten Risikos einseitige Abrüstungsvorleistungen als vertrauensbildende Maßnahmen zu wagen oder – zumindest – konsequent eine Defensivstrategie zu verfolgen?

Die hier angesprochenen Fragen betreffen das christliche Selbstverständnis zentral; es handelt sich nicht um Marginalien oder ethische Adiaphora. Dafür ist das Zeugnis der Jesustradition zu eindeutig, ist die Bedeutung der Feindesliebe für die Sache der Herrschaft Gottes, die uns Jesus als Herrschaft unbedingter Güte verstehen lehrte, zu offensichtlich. Wenn irgendwo, so wird hier etwas vom Wesen des Christentums greifbar. Daher kann es nicht bei theoretischen Erörterungen oder kirchlichen Verlautbarungen bleiben. Dieses Ethos der Feindesliebe müßte vor allem auch in den christlichen Gemeinden praktiziert und gesellschaftspolitisch wirksam werden. Das bedeutet für manche Gemeinde eine Herausforderung. Nur: Wann wäre die Botschaft Jesu nicht eine Herausforderung gewesen?

---

[164] Vgl. R. Scheer, Und brennend stürzen Vögel vom Himmel. Reagan und der „begrenzte" Atomkrieg (München 1983), bes. 7–33.

[165] Vgl. Die Herausforderung des Friedens. Pastoralbrief der katholischen Bischofskonferenz der USA über Krieg und Frieden, in: Hirtenworte zu Krieg und Frieden (München 1983) 202–205 (= II C: spez. zu dieser Nato-Strategie), vgl. auch S. 132.

[166] A.a.O. (Anm. 159) 53–55.

[167] Vgl. ebd. 19f: „Die Feindesliebe macht es uns möglich, uns durch keine Gegnerschaft in Aggressivität abdrängen zu lassen. Sie eröffnet uns die Freiheit, immer wieder und ohne Resignation auf den Gegner zuzugehen und den *ersten Schritt* zu tun. Sie läßt sich auch dadurch nicht entmutigen, daß sie keineswegs sicher sein kann, den Gegner zum Freund zu machen. Dieses Potential christlicher Friedensmöglichkeit haben wir Christen in politisches Friedenshandeln umzusetzen und einzubringen, damit auf diese Weise die Forderungen Jesu zur Gewaltlosigkeit und Feindesliebe auch in den gesellschaftlichen und politischen Strukturen zur Geltung kommen." (Hervorhebung von mir)

Häufiger zitierte Literatur:

J. Becker, Feindesliebe – Nächstenliebe – Bruderliebe. Exegetische Beobachtungen als Anfrage an ein ethisches Problemfeld, in: ZEE 25 (1981) 5–18.

H. Braun, Spätjüdisch-häretischer und frühchristlicher Radikalismus. Jesus von Nazareth und die essenische Qumransekte, Tübingen 1957.

R. Bultmann, Die Geschichte der synoptischen Tradition, Göttingen [5]1964.

W. D. Davies, The Setting of the Sermon on the Mount, Cambridge 1964.

J. Dupont, Les Béatitudes. Le problème littéraire – Les deux versions du Sermon sur la montagne et des Béatitudes, Louvain 1958.

R. A. Guelich, The Sermon on the Mount, Waco/Texas 1982.

A. Harnack, Sprüche und Reden Jesu, Leipzig 1907.

P. Hoffmann – V. Eid, Jesus von Nazareth und eine christliche Moral. Sittliche Perspektiven der Verkündigung Jesu, Freiburg [3]1978.

F. W. Horn, Glaube und Handeln in der Theologie des Lukas, Göttingen 1983.

H. Hübner, Das Gesetz in der synoptischen Tradition, Witten 1973.

J. Jeremias, Neutestamentliche Theologie. Erster Teil: Die Verkündigung Jesu, Gütersloh [2]1973.

D. Lührmann, Liebet eure Feinde (Lk 6,27–36/Mt 5,39–48) in: ZThK 69 (1972) 412–438.

T. W. Manson, The Sayings of Jesus, London 1949.

I. H. Marshall, The Gospel of Luke, Exeter 1978.

H. Merklein, Die Gottesherrschaft als Handlungsprinzip. Untersuchung zur Ethik Jesu, Würzburg 1978.

N. Perrin, Was lehrte Jesus wirklich? Rekonstruktion und Deutung, Göttingen 1972.

J. Piper, ‚Love your enemies'. Jesus' love command in the synoptic gospels and the early Christian paraenesis, Cambridge 1979.

J. Schmid, Matthäus und Lukas. Eine Untersuchung des Verhältnisses ihrer Evangelien, Freiburg 1930.

L. Schottroff, Gewaltverzicht und Feindesliebe in der urchristlichen Jesustradition. Mt 5,38–48; Lk 6,27–36, in: *G. Strecker* (Hg.), Jesus Christus in Historie und Theologie. FS für H. Conzelmann, Tübingen 1975, 197–221.

L. Schottroff – W. Stegemann, Jesus von Nazareth – Hoffnung der Armen, Stuttgart 1978.

W. Schrage, Ethik des Neuen Testaments, Göttingen 1982.

H. Schürmann, Das Lukasevangelium. Erster Teil, Freiburg 1969.

S. Schulz, Q. Die Spruchquelle der Evangelisten, Zürich 1972.

G. Theißen, Gewaltverzicht und Feindesliebe (Mt 5,38–48/Lk 6,27–38) und deren sozialgeschichtlicher Hintergrund in: *ders.,* Studien zur Soziologie des Urchristentums, Tübingen 1979, 160–197.

W. C. van Unnik, Die Motivierung der Feindesliebe in Lukas VI 32–35, in: NT 8 (1966) 284–300.

A. Vögtle, Was ist Frieden? Orientierungshilfen aus dem Neuen Testament, Freiburg 1983.

R. D. Worden, A Philological Analysis of Luke 6: 20b–49 and Parallels, Princeton 1973.

H. Th. Wrege, Die Überlieferungsgeschichte der Bergpredigt, Tübingen 1968.

D. Zeller, Die weisheitlichen Mahnsprüche bei den Synoptikern, Würzburg 1977.

IV

Handlungsorientierte Auslegung der Antithesen Mt 5,21–48

Von Wilhelm Egger, Brixen

Mit der Bezeichnung „handlungsorientierte Auslegung“ soll ein bestimmter methodischer Aspekt des vorliegenden Beitrags hervorgehoben werden. Handeln ist das zentrale Thema der neutestamentlichen Ethik[1], und so werden in jeder Auslegung der Bergpredigt und der Antithesen die Stichworte „Handeln“, „Handlungsrelevanz“ u.ä. verwendet, freilich häufig in einer alltagssprachlichen, noch nicht reflektierten Bedeutung. Im vorliegenden Beitrag soll nun versucht werden, durch die Anwendung eines reflektierten und methodisch schärfer geklärten Begriffes von „Handeln“ die Handlungsrelevanz der Antithesen deutlicher herauszuarbeiten. Als methodisches Instrumentarium zu dieser Klärung werden die von Hermeneutik, Pragmatik und Handlungstheorien gebotenen Betrachtungsweisen verwendet. Während hermeneutische Überlegungen zum Problem der biblischen Ethik in großem Maß angestellt wurden[2], wurden Pragmatik und Handlungstheorien kaum ausdrücklich herangezogen, auch wenn sich in den exegetischen Arbeiten viele in diese Richtung gehende Beobachtungen finden.

Obwohl in einer handlungsorientierten Auslegung der Antithesen ganz einfache und elementare Fragen an den Text gerichtet werden, nämlich die Fragen: „Zu welchem Handeln wollen die Antithesen bewegen?“, „Welche Veränderungen wollen sie hervorrufen?“, „Unter welchen Bedingungen funktionieren diese Texte als Handlungsanweisung für heute?“, „Wie wollen sie zum Handeln provozieren?“, scheint die Beantwortung dieser Fragen doch Teil einer Quaestio disputata zu sein.

---

[1] *W. Schrage,* Ethik des Neuen Testamentes (NTD Erg. 4) (Göttingen 1982) 9: „Sache einer neutestamentlichen Ethik ist die Frage nach Ermöglichung und Begründung, Kriterien und Inhalten urchristlichen Handelns und urchristlicher Lebenspraxis“.

[2] Vgl. Anm. 14–15.

Die Gliederung des Aufsatzes entspricht den Fragestellungen, wie sie Handlungstheorie, Hermeneutik und Pragmatik vorlegen.

1. Handeln als Verändern eines Zustandes (Gesichtspunkte der Handlungstheorie)

Die Bergpredigt und verwandte Texte (wie etwa Mk 10,17–31) haben immer wieder in der Kirche zu Veränderung und Erneuerung geführt. Immer wieder ist so die Frage aufgebrochen, zu welchem Handeln die Bergpredigt inspirieren will. Neben den anderen vielfach eingesetzten Methoden kann auch die Handlungstheorie dazu einige Gesichtspunkte beisteuern. Freilich ist die Anwendung handlungstheoretischer Gesichtspunkte auf einen Text, zumal auf einen in Tradition und Redaktion so mannigfach überarbeiteten Text wie die Antithesen, nicht leicht; so hat auch die folgende Darlegung nur den Charakter eines Versuches.

Zunächst soll anhand von einigen Stichworten dargelegt werden, worum es der Handlungstheorie geht und unter welchen Gesichtspunkten sie sich mit dem Handeln beschäftigt[3].

„Handeln" ist zu verstehen als die „Veränderung eines Zustandes in der Zeit, der ohne Einwirkung eines Handelnden gleichgeblieben wäre oder eine andere Veränderung erfahren hätte, oder die Verhinderung einer Änderung eines Zustandes, wenn ohne Einwirkung eines Handelnden die Situation sich geändert hätte"[4]. Die Veränderung eines Zustandes setzt beim Handelnden die Wahrnehmung der Situation voraus, ebenso den Entwurf eines Bildes der Zukunftssituation, die Wertmaßstäbe zur Beurteilung der verschiedenen Situationen, Leitbilder, Modelle, eine Strategie, eine bestimmte Einschät-

---

[3] *G. Meggle – A. Beckermann* (Hrsg.). Analytische Handlungstheorie (Frankfurt 1977), Bd. 1: *G. Meggle* (Hrsg.), Handlungsbeschreibungen; Bd. 2: *A. Beckermann* (Hrsg.), Handlungserklärungen; *H. Lenk* (Hrsg.), Handlungstheorien interdisziplinär, 4 Bde (München 1980); *J. Zelger*, Die Aufgaben einer Handlungstheorie (Ms. Innsbruck 1983).
Die Einführungen in die Linguistik bieten häufig eine Übersicht über die Handlungstheorien (siehe Anm. 25: S. J. Schmidt, B. Schlieben-Lange, T. A. van Dijk).
Zu berücksichtigen sind auch die moraltheologischen Ausführungen über das „Handeln".

[4] W. Kummer, zitiert bei *S. J. Schmidt*, Texttheorie. Probleme einer Linguistik der sprachlichen Kommunikation (UTB 202) (München 1976) 138.

zung der eigenen Fähigkeiten usw., nicht zuletzt neben dem Wissen auch ein „Wollen“ und das „Können“[5].

Mit diesen Stichworten sind wenigstens einige Probleme einer handlungstheoretischen Betrachtungsweise genannt; es ließen sich nun die Antithesen jeweils unter diesen Gesichtspunkten befragen; hier soll jedoch nur ein Aspekt behandelt werden, und zwar jener der Veränderung eines Zustandes t (Zustand zum Zeitpunkt t) in einen Zustand t_1 (Zeitpunkt t_1). Sofort entsteht die Frage, wieweit in den Antithesen überhaupt von einer Situation, die zu ändern wäre, gesprochen wird: kommt der Zustand t (der zu ändern ist) überhaupt hinreichend in den Blick? Für welche Situationen wollen die Antithesen Handlungsanweisungen geben?[6]

Aufgrund der Traditions- und Redaktionsgeschichte[7] ist schon gleich zu unterscheiden zwischen der Situation, die Matthäus im Blick hat und zu deren Änderung er beitragen will, und der Situation, die in den ursprünglichen (soweit jeweils rekonstruierbaren) Logien vorausgesetzt ist.

---

[5] *J. Zelger,* Handlungstheorie (Anm. 3), 4–6.

[6] In der exegetischen Forschung wird, verglichen mit dem Interesse, das dem „hermeneutischen Hauptproblem“, also dem Verhältnis von Theo-logie und Eschato-logie entgegengebracht wird, den Aussagen der Antithesen, insofern sie eine Schilderung des Zustandes der tatsächlichen Welt enthalten, relativ geringes Interesse geschenkt.

[7] Aus der Fülle der Literatur seien aus den letzten Jahren genannt: *I. Broer,* Freiheit vom Gesetz und Radikalisierung des Gesetzes. Ein Beitrag zur Theologie des Evangelisten Matthäus (SBS 98) (Stuttgart 1980); *Chr. Dietzfelbinger,* Die Antithesen der Bergpredigt (TEH 186) (München 1975); *ders.,* Die Antithesen der Bergpredigt im Verständnis des Matthäus, in: ZNW 70 (1979) 1–15; *R. A. Guelich,* The Antitheses of Matthew V. 21–48: Traditional and/or Redactional?, in: NTS 22 (1976) 444–457; *P. Hoffmann – V. Eid,* Jesus von Nazareth und eine christliche Moral. Sittliche Perspektiven der Verkündigung Jesu (QD 66) (Freiburg 1975); *J. P. Meier,* Law and History in Matthew's Gospel (AnBib 71) (Rom 1976) 125–171; *H. Merklein,* Die Gottesherrschaft als Handlungsprinzip. Untersuchung zur Ethik Jesu (FzB 34) (Würzburg 1978) Kap. 5; *G. Strecker,* Die Antithesen der Bergpredigt, in: ZNW 69 (1978) 36–72; *M. J. Suggs,* The Antitheses as Redactional Products, in: Jesus Christus in Historie und Theologie (FS für H. Conzelmann), hrsg. von G. Strecker (Tübingen 1975) 433–444; *D. Zeller,* Die weisheitlichen Mahnsprüche bei den Synoptikern (FzB 17) (Würzburg 1977).

1.1 Änderung von Einstellungen (Redaktion der Antithesen)

Hinsichtlich der Redaktion besteht ein Konsens in der Forschung, daß Mt einem rabbinischen Ideal der Gerechtigkeit eine größere Gerechtigkeit gegenüberstellt. Kennzeichen dieser größeren Gerechtigkeit ist das „Vollkommensein", das „Mehr". Die Stichworte gibt Mt selbst in Mt 5,20.47.48. Die Situation, mit der sich Mt auseinandersetzt, ist jene des erstarkenden rabbinischen Judentums in den Jahren 70–90 n. Chr. Die einzelnen Antithesen beschäftigen sich zwar mit den verschiedenen Problemen des Alltagslebens (ein politischer Kontext ist nur für Mt 5,41 red anzunehmen[8]) und wollen zur Bewältigung dieser Probleme helfen, doch gibt Mt – wohl im Anschluß an den Dekalog – eine systematisierende Darstellung, durch die die einzelnen Antithesen zu einer Art Illustration der von Mt geforderten neuen Gerechtigkeit werden. So geht es dem Mt im letzten um die Überwindung einer bestimmten, von den Pharisäern und Schriftgelehrten repräsentierten Verstehensweise der Forderungen Gottes; man könnte fast sagen, es geht dem Mt um den hermeneutischen Schlüssel, mit dem die Weisung zu lesen ist. Dieser Schlüssel besteht nicht mehr in der rabbinischen Auslegungsmethode, sondern in dem die Erfüllung bringenden Wort Jesu. Der neue Zustand (um in der Terminologie der Handlungstheorie zu bleiben), der nach Auffassung des Mt in den Gemeinden bestehen sollte, ist deutlich von dem Zustand der Gerechtigkeit der Schriftgelehrten und Pharisäer abgehoben: als Hauptmerkmale der neuen Gerechtigkeit stellt Mt in den Antithesen neben der formalen Kennzeichnung als größere Gerechtigkeit die Ausweitung und Entgrenzung der Forderungen hin: der Geltungsbereich der atl. Weisung darf nicht eingeschränkt werden, etwa auf Mord, Ehebruch oder falsches Schwören; er umfaßt nach Mt schon Zorn, Begierde und das Schwören selbst; das deutlichste Beispiel von Entgrenzung der Forderung ist das Gebot der Feindesliebe. Selbst das Verbot der Ehescheidung (meist als Aufhebung des atl. Gebotes verstanden) beruht nach Mt auf einer Ausweitung der atl. Forderung: der Tatbestand von Ehebruch ist sowohl durch die

---

[8] *G. Theißen,* Gewaltverzicht und Feindesliebe (Mt 5,34–48/Lk 6,27–38) und deren sozialgeschichtlicher Hintergrund, in: Studien zur Soziologie des Urchristentums (Tübingen 1979) 160–197, bes. 176f.

Begierde nach einer fremden Frau (Mt 5,28) als auch durch die Ehescheidung (Mt 5,31 f) gegeben. Die Ausweitung und Entschränkung geht so weit, daß Gottes unbegrenztes Verhalten zum Vorbild gegeben wird. Die Einstellung des Hörers zum Gesetz soll verändert werden: das Gesetz ist nicht mehr Grenze, sondern ruft zu grenzenlosem Verhalten[9].

Durch die Sprachform der Antithesen stellt Mt das bisher geltende Verhalten und das in der christlichen Gemeinde geltende Verhalten deutlich gegenüber: aufgrund dieses von neuen Einstellungen gegenüber dem Gesetz geprägten Verhaltens gewinnt die Gemeinde ihre klare Identität[10].

1.2 Veränderung von Situationen (Antithesen auf der Stufe der Tradition)

Da die Logien, die Mt übernimmt und überarbeitet, in der Tradition noch nicht die Antithesenform aufweisen (höchstens die erste und die zweite[11]), ist in der Tradition der „hermeneutische" Gesichtspunkt des Mt (nämlich: wie sind die Forderungen Gottes auszulegen) und die identitätsorientierte Zielrichtung nur in geringem Maß gegeben. Erst Mt macht die einzelnen Antithesen einem einheitlichen Ziel dienstbar; auf der Stufe der Tradition, in der diese Einheitlichkeit fehlt, ist eine große Mannigfaltigkeit festzustellen, sowohl was den Inhalt als auch was die Form betrifft. Hier soll nun der Aspekt der handlungstheoretischen Betrachtungsweise berücksichtigt werden: für welche Situationen geben die Antithesen (in ihrer rekonstruierten ursprünglichen Fassung) Handlungsanweisungen?

Schon der erste Blick auf die Antithesen unter diesem Gesichtspunkt zeigt die Vielfalt der Situationen: es geht in den Antithesen

[9] Wieweit die Darstellung des Gesetzes durch Mt dem jüdischen Gesetzesverständnis der Zeit entspricht, sei dahingestellt. Daß in den Antithesen des Mt Gesetzesordnung und Bundesgnade, Rechtssatz und apodiktisches Gebot gegenüberstehen, wie *L. Goppelt,* Theologie des Neuen Testmentes (Göttingen 1975) 150–152, ausführt, läßt sich am Text kaum nachweisen

[10] Die Festigung der Gruppenidentität kann u. U. das Hauptziel des Sprechens sein; vgl. *B. Schlieben-Lange,* Pragmatik (s. Anm. 25) 100.

[11] Siehe Anm. 7. Zur vierten Antithese jetzt: *G. Dautzenberg,* Ist das Schwurverbot Mt 5,33–37; Jak 5,12 ein Beispiel für die Torakritik Jesu?, in: BZ 25 (1981) 47–66.

um vielfältige Konflikte unter den Menschen, die es zu überwinden gilt, und um Zustände, die verändert werden sollen:

Mt 5,21 Konflikte mit dem Bruder
Mt 5,27 Wünsche im Menschen selbst
Mt 5,31 Konflikte in der Ehe (durch Scheidung „lösbar“)
Mt 5,33 Glaubwürdigkeit eines Menschen
Mt 5,38 Gewaltanwendung
Mt 5,43 Feindschaft

Als Ausgangssituationen werden also konkrete Grenzfragen des menschlichen Alltags genannt[12]. Jesus gibt Anweisungen, was man in solchen Situationen tun soll. Durch solches Handeln soll ein Zustand t_1 erreicht werden. Welches Bild des Zustandes t_1 entwerfen nun die Antithesen?

(1) Versöhnte Welt (vgl. auch Mt 5,23–26)
(2) schon im Herzen geheilt
(3) „Zusammengehörigkeit“ von Mann und Frau gewahrt
(4) Transzendenz Gottes anerkannt
(5) Der Kreis der Gewalt durchbrochen
(6) Universale Brüderlichkeit

Damit ist in den Antithesen ein konkretes Bild entworfen, wie der Zustand t' aussieht. Die in den Antithesen dargestellte „neue Welt“ (die erstrebenswerte Zukunftssituation) weist viele Bezüge zur Gottesherrschaft auf. Die in den Antithesen anvisierte Zukunft, die auf dieser Erde verwirklicht werden soll[13] – mit dem nahen Ende wird nicht gerechnet –, entnimmt die Beweggründe zum Handeln, die Leitbilder und Modelle dem Gottesbild und dem Wissen um das Heilshandeln Gottes.

---

[12] *L. Goppelt,* Das Problem der Bergpredigt. Jesu Gebot und die Wirklichkeit dieser Welt, in: Christologie und Ethik. Aufsätze zum Neuen Testament (Göttingen 1969) 27–43, bes. 37. Selbst wenn die Antithesenform nicht in allen Antithesen ursprünglich ist, gilt, daß in diesen Logien Probleme des menschlichen Alltags vorausgesetzt sind.
[13] *L. Goppelt,* ebd. 36, verweist zurecht auf die Worte über die Ehe, die in dieser Welt gelten.

1.3 Zusammenfassung

Dem Evangelisten als Redaktor geht es in der Redaktion der Antithesen darum, die Identität der Gemeinde als christlicher Gemeinde zu stärken: ihr Verhalten soll geleitet sein von der (auf Jesus zurückgeführten) ausgeweiteten und entgrenzten Forderung Gottes. So hilft Mt einer Gemeinde, die von der rabbinischen Hermeneutik der Forderung Gottes stark beeindruckt zu sein scheint, zu einem neuen Verständnis und zu einer neuen Einstellung. In der Redaktion des Mt geht es also vor allem um eine Änderung von Einstellungen gegenüber der Forderung Gottes.

Geht es dem Redaktor vor allem um eine Hermeneutik der Forderung Gottes,wird in der Tradition der Antithesen in erster Linie die erstrebenswerte Zukunftssituation entworfen, und zwar in einem doppelten Horizont: dem der Gottesherrschaft und dem Horizont der für alle Menschen zutreffenden alltäglichen Situationen, die es zu bewältigen gilt.

Der Impuls zum Handeln, der von der Bergpredigt im Lauf der Kirchengeschichte immer wieder ausgegangen ist, geht nicht zuletzt auf diese Eigenart der Bergpredigt zurück, daß die Bergpredigt den Hörer in Bewegung bringen will, indem sie den Ausgangspunkt und den Zielpunkt des Handelns zeichnet: dem rabbinischen Gerechtigkeitsideal wird das „Mehr“ der christlichen Gerechtigkeit gegenübergestellt; der tatsächlichen Welt des Menschen, die mit ihren Konflikten und Spannungen als Ausgangspunkt des Handelns gezeichnet wird, wird eine neue mögliche Welt gegenübergestellt. Sowohl im rabbinischen Gerechtigkeitsideal wie auch im Bild der tatsächlichen Welt kann der Leser gut sich selbst erkennen; und zugleich ist er zur Veränderung herausgefordert.

2. Leitbilder und Modelle als Handlungsrahmen (Hermeneutische Überlegungen I)

Ethische Weisungen gewinnen (wie übrigens jede einzelne Aussage) ihren vollen Sinn erst in einem größeren Zusammenhang. Dieser Gesamtrahmen, aus dem heraus die Antithesen erst in vollem Ausmaß als Handlungsanweisung relevant werden, wird verschieden bezeichnet: Sinnhorizont, Einheitshorizont, Handlungshorizont, Handlungsprinzip[14].

Als Sinnhorizont der ethischen Weisung (im allgemeinen wie auch bezüglich der Antithesen) werden Theologie (Gottesbild), Eschatologie (Botschaft von der Gottesherrschaft) und Christologie genannt. Die diesbezüglichen hermeneutischen Probleme sind in der Forschung ausführlich behandelt worden[15]. So brauchen in diese Darlegung (und auch dies in Kürze) nur jene Gesichtspunkte aufgenommen zu werden, die für eine handlungsorientierte Auslegung der Antithesen relevant sind.

In einer handlungstheoretischen Auslegung sind die genannten Größen Theologie, Eschatologie und Christologie als Leit- und Vorbilder zu betrachten. In den Antithesen (bes. Mt 5,45) wird auf die Theologie (das Gottesbild) als ein Leitbild hingewiesen: es gilt so zu handeln, wie Gott (als Schöpfer) mit den Menschen umgeht. Das Verhalten Gottes – und zwar das schöpfungsmäßige Verhalten[16] – wird so gewissermaßen zu einem Modell (wobei Modell hier als eine Art Plan verstanden wird, in dem die wichtigsten Faktoren des Verhaltens verzeichnet sind), an dem sich das Verhalten des Menschen ausrichten soll; ähnliches gilt auch für das Handeln Gottes, insofern es eschatologisch ist, d.h. die Heilszeit heraufführt: das Eingreifen Gottes zugunsten der Menschen bedeutet auch eine Aufforderung an die Menschen, füreinander dazusein[17].

Das Handeln, zu dem Jesus bewegen will, muß dem Leitbild des gütigen Verhaltens Gottes und der Gottesherrschaft (als dynamisches Eingreifen Gottes zum Wohl der Menschen verstanden) entsprechen.

Der Christologie kommt in den Antithesen schon aufgrund der

---

[14] Diese Bezeichnungen heben zum Teil den hermeneutischen Aspekt des Problems hervor, nämlich den Aspekt von Teil und Ganzem; der Handlungsaspekt wird mehr bei *H. Merklein,* Gottesherrschaft 42, hervorgehoben: er versteht unter Handlungsprinzip „ein Prinzip, das formal zum Handeln provoziert und material das provozierte Handeln in einer bestimmten Weise ... festlegt ...".

[15] Zur Übersicht vgl. *H. Merklein,* Gottesherrschaft 36–45.

[16] Ein eschatologisches Verständnis von Mt 5,44f, wie es *Merklein,* Gottesherrschaft 236, annimmt, liegt im Text nicht unmittelbar vor; der Text handelt vom schöpfungsmäßigem gütigem Verhalten Gottes.

[17] Lk 15,11–32 zeigt diesen Zusammenhang, indem mit dem Mahl, das der Vater veranstaltet, auch die brüderliche Gemeinschaft verbunden ist.

Sprachgestalt eine überragende Bedeutung zu. Durch das „Ich aber sage euch ..." wird den Antithesen ein ausdrücklicher Bezug zur Christologie gegeben. Dieser Bezug ist jedoch nicht nur formal, im Sinn, daß die Antithesen als Jesuswort qualifiziert werden; damit ist auch ein materialer Handlungsrahmen gegeben: das theologische und eschatologische Leitbild, von dem das Verhalten des Hörers/Lesers der Antithesen geprägt sein soll, ist nämlich im Wirken und Leiden Jesu konkretisiert, so daß das sittliche Handeln nicht auf ein noch ausstehendes Handeln Gottes verwiesen ist, sondern im Wirken Jesu und in seinem Leiden sein Modell hat. Das neue Verhalten Jesu und sein Autoritätsanspruch rufen die Gegnerschaft wach. So ist die Zuwendung Jesu zu den Menschen, in der sich die Zuwendung Gottes zeigt, und das Verhalten Jesu in seinem Leiden, in dem Jesus die Ablehnung der Menschen trägt, zu einem angemessenen Verständnis der neuen Verhaltensnormen, die Jesus gibt, zu berücksichtigen. Im Kreis der engeren und entfernteren Anhänger Jesu haben sich dann auch soziologisch greifbare Formen herausgebildet, an denen abzulesen ist, wie ein der Gottesherrschaft und dem Gottesbild entsprechendes Verhalten beschaffen ist[18]. In diesem Kreis (zumal im Jüngerkeis) haben verschiedene Gemeinschaftsregeln auch ihren Sitz im Leben[19].

Für Methode und Darstellungsweise einer ntl. Ethik ergeben sich daraus einige Folgerungen (die zum Teil allgemein anerkannt, zum Teil umstritten sind):

(1) Die ethischen Weisungen sind jeweils im größeren Sinnzusammenhang von Gottesbild, Gottesherrschaft und Christologie zu sehen. Es genügt jedoch nicht, dazu nur die Texte von Logien anzuführen. Die narrativen Texte sind genauso wichtig, um den Handlungsrahmen abzustecken. Freilich erhebt sich damit ganz allgemein die Frage, welche Texte für die Ethik Jesu als repräsentativ zu gelten haben (z. B. der Platz der Gerichtsdrohungen, der narrativen Texte, der Erzählungen über den Zusammenhang von Autoritätsanspruch Jesu und Leiden usw.).

---

[18] Vgl. dazu *G. Theißen,* Die Soziologie der Jesusbewegung. Ein Beitrag zur Entstehungsgeschichte des Urchristentums (TEH 194) (München 1977).

[19] Vgl. dazu *H. Schürmann,* Der Jüngerkreis als Zeichen für Israel (und als Urbild des kirchlichen Rätestandes), in: Ursprung und Gestalt. Erörterungen und Besinnungen zum Neuen Testament (Düsseldorf 1970) 45–60.

(2) Der Charakter und die Eigenart von Leitbildern und Modellen[20] sind nicht nur mit Hilfe der ethischen Texte herauszuarbeiten, sondern mit Hilfe der Gleichnisse, der Streitgespräche usw. Ebenso ist die Relevanz einer „Soziologie der Jesusbewegung" zu berücksichtigen.

(3) Die hermeneutische Zuordnung der Begriffe Gottesherrschaft, Gottesbild, Christologie und Ethik erfordert eine genaue Klärung der Begriffe[21]. Wenn das Gottesbild dynamisch genug aufgefaßt ist (wie ja auch die Aussage über die Gottesherrchaft eine dynamische Aussage über das Handeln Gottes zum Heil der Menschen ist), sind Gegenüberstellungen von Gottesherrschaft und Gottesbild nicht so leicht möglich. Die Größen Gottesherrschaft, gütiges Verhalten Gottes und Christologie erscheinen dann deutlicher als komplementäre Größen. Dabei gilt: „In jeder Hinsicht ist der Gottesgedanke der ‚Eschatologie' vorzuordnen; denn diese kann ja doch nichts anderes meinen als das souveräne und rettende ‚Handeln Gottes', bei dem Gott selbst überragendes ‚Subjekt' ist und bleibt ..."[22].

(4) Das faktische Nebeneinander von theologischen und eschatologischen Aussagen in der Jesusüberlieferung ist in der Auslegung der einzelnen Texte zu respektieren; es ist nicht möglich, die Texte unter einem Einheitshorizont zu lesen. Wenn der unmittelbare Sinnzusammenhang, in dem eine Aussage steht, geklärt ist, kann in einer mehr systematischen Arbeit versucht werden, die Aussage in einen umfassenderen Horizont, den Gesamthorizont zu stellen[23], wobei zwischen systematischem Bemühen und historisch-kritischer Auslegung kein Gegensatz zu postulieren ist[24].

---

[20] *J. Blank,* Zum Problem „ethischer Normen" im Neuen Testament, in: Schriftauslegung in Theorie und Praxis (München 1969), zuerst in: Conc(D) 3 (1967) 356–362, verwendet den Begriff, um Konkretheit und Abwandlungsfähigkeit neutestamentlicher Normen zu erklären.

[21] *D. Zeller,* Mahnsprüche 181.

[22] *J. Blank,* Rez. zu: H. Merklein, Gottesherrschaft, in: BZ 26 (1982) 297–302, bes. 302.

[23] Einen gelungenen Vorschlag solcher „Horizonterweiterung", und zwar in formgeschichtlicher Fragestellung, bietet *D. Zeller,* Mahnsprüche 165–184, indem er die relative Selbständigkeit der weisheitlichen Mahnsprüche und die Vorgeordnetheit der Reich-Gottes-Verkündigung aufzeigt.

[24] Einen solchen Gegensatz nimmt *Merklein,* Gottesherrschaft 212, an.

Ergebnis

Aus der in der Forschung breit diskutierten Frage um das hermeneutische Hauptproblem der Verkündigung Jesu ergibt sich für eine handlungsorientierte Auslegung der Antithesen: in der Botschaft Jesu von Gott als Vater und seinem heilsentschlossenem Eintreten für die Menschen liegen Leitbilder und Modelle vor, nach denen sich das Handeln ausrichten soll: das Handeln muß dem durch Jesu Wirken und Leiden konkretisierten Leitbild des Verhaltens Gottes entsprechen.

3. Sprechen als Handlungsanweisung (Pragmatische Betrachtungsweise)

Nach den Ausführungen über das Handeln, sofern es Veränderung von Zuständen bedeutet, und über die Leitbilder und Modelle des Handelns, soll nun anhand der von der Pragmatik[25] gebotenen Fragestellungen die Eigenart des Sprechens als Handlungsanweisung betrachtet werden. Wer spricht, will den Hörenden beeinflussen und ihn zu bestimmten Verhaltensweisen führen oder darin bestärken. Für jedes Gespräch (mit Ausnahme gewisser Selbstgespräche) gilt nämlich, „daß der Sprecher daran interessiert sein muß, den Hörer mit der Botschaft zu einem situationsadäquaten Verhalten zu bewegen. Der Hörer soll auf den Text reagieren. Das braucht nicht unbedingt ein Handeln im engsten Sinn des Wortes zu sein. Der Hörer kann sich in seinem Verhalten auch kognitiv oder emotional beeinflussen lassen. Wenn jedoch der Hörer am Ende eines Sprachspiels sein Verhalten in gar keiner Weise geändert hat, so hat dieses Sprachspiel seinen Sinn verfehlt und ist mißlungen“[26]. Desgleichen gilt:

„Sprachliche Äußerungen ... beabsichtigen in der Regel, einen

[25] Einführungen in die Pragmatik bieten: *B. Schlieben-Lange,* Linguistische Pragmatik (Urban-T 198) (Stuttgart ²1979); *S. J. Schmidt,* Texttheorie. Probleme einer Linguistik der sprachlichen Kommunikation (UTB 202) (München ²1976); *T. A. van Dijk,* Textwissenschaft. Eine interdisziplinäre Einführung (DTV 1880) (München 1980); *H. Weinrich,* Kommunikation, Instruktion, Text, in: Sprache in Texten (Stuttgart 1976) 11–20.

[26] *H. Weinrich,* Sprache in Texten 16.

Beitrag zur Kommunikation und sozialen Interaktion zu liefern. Daher besitzen sie ... auch eine ‚dynamische' Funktion in bestimmten Prozessen"[27].

Mit dieser und ähnlichen Funktionen sprachlicher Äußerungen und mit ihren Merkmalen in Kommunikationsprozessen beschäftigt sich die sog. Pragmatik. Ihre Fragestellung lautet: „Wozu sprechen wir überhaupt miteinander und was versprechen wir uns davon"[28]. Die Pragmatik hilft somit zu einer weiteren Differenzierung der Analyse. So ist nun zu den Antithesen darzulegen, welches Ziel erreicht werden soll (Intention), welche Handlungsanweisung im einzelnen ergeht (Instruktionen) und welche Mittel verwendet werden, um den Angesprochenen dazu zu bringen, das Intendierte auszuführen.

3.1 Intention und Instruktionen

Die Intention, die in den Antithesen (in Tradition und Redaktion) verfolgt wird, wurde schon dargelegt: durch das Handeln soll eine neue „Welt" heraufgeführt werden, in der die Verhaltensweisen sind „wie in der Gottesherrschaft"; die Gemeinden sollen ihre christliche Identität finden.

Bezüglich der Instruktionen – Handlungsanweisungen – werden die Antithesen durch die Redaktion des Mt zu Illustrationen einer einheitlichen Instruktion: die zentrale Forderung ist jene der „Vollkommenheit", der „größeren Gerechtigkeit"[29]. In der Tradition fehlt den Antithesen diese Einheitlichkeit. Auf dieser Stufe sind sie nicht als eine einzige Variation zum Thema „Nächstenliebe", „Zuwendung zum Nächsten" aufzufassen, wie zuweilen angenommen wird[30], sondern als eine Anweisung zu mannigfachem Verhalten[31]. Die Instruktionen der Antithesen lauten:

---

[27] *T. A. van Dijk,* Textwissenschaft 68

[28] *B. Schlieben-Lange,* Pragmatik 97.

[29] Vgl. *H. Gießen,* Christliches Handeln. Eine redaktionskritische Untersuchung zum δικαιοσύνη-Begriff im Matthäus-Evangelium (EHS.T 181) (Frankfurt – Bern 1982).

[30] Besonders deutlich bei *Merklein,* Gottesherrschaft, passim, und *E. Schweizer,* Das Evangelium nach Matthäus (NTD 2) (Göttingen 1973) zu den Antithesen.

[31] *J. P. Meier,* Law and History (Anm. 7) 128f; *L. Goppelt,* Theologie des Neuen Testamentes I (Göttingen 1975).

Die Antithesen über Zorn und Begierde (1. und 2.) wollen den Blick des Hörers auf das eigene Herz lenken: für ein angemessenes Verhalten ist die Einsicht notwendig, daß das Herz die Quelle des Bösen ist. Freilich wird eine solche Einsicht sich dann auswirken und auch dem Nächsten zugute kommen; doch ist nicht diese Zuwendung das zunächst Intendierte, sondern zunächst geht es darum, daß der Hörer den Blick auf sein Herz lenkt[32].

Die Antithese mit dem Verbot der Ehescheidung enthält die Aufforderung zur Treue der Partner und zur Sorge für den schwächeren Teil; doch wurde diese Antithese, wie die vielfältigen „Novellierungen" bei den Synoptikern und bei Paulus zeigen, auch als Instruktion an die Gemeinde verstanden, wonach in den christlichen Gemeinden Ehen nicht geschieden werden durften. So wurden diese Worte nicht nur als Provokation, sondern auch als rechtliche Regelung verstanden[33]. Die Antithese über das Schwurverbot enthält nicht in erster Linie die Weisung, sich dem anderen, der auf das Wort angewiesen ist, zuzuwenden, sondern ist in erster Linie eine Instruktion, die Unverfügbarkeit und Transzendenz Gottes zu achten[34].

Die Antithese über den Gewaltverzicht ist weniger eine Anweisung, auf den Gegenschlag zu verzichten, weil Gott richtet[35], sondern eher eine Weisung zu demonstrativer Wehrlosigkeit. Die eigentümliche Kraft der Gewaltlosigkeit liegt darin, daß sie nicht so sehr verzichtend, als vielmehr demonstrativ aufgezeigt wird[36].

In der letzten Antithese, jener der Feindesliebe, geht es um die Überwindung des Freund-Feind-Denkens zugunsten universaler Brüderlichkeit.

3.2 Strategien des Sprechens

Mit der Frage nach der Intention und den Instruktionen der Antithesen eng verbunden, jedoch davon zu unterscheiden ist die Frage nach der Strategie. Mit diesem Ausdruck ist in unserem Fall der Einsatz von sprachlichen Mitteln zur Erreichung eines Zieles gemeint, also Leserlenkung durch sprachliche Mittel.

In der exegetischen Forschung wurden Intention und Strategie besonders deutlich an den Gleichnissen Jesu herausgearbeitet.[37] In ähnlicher Weise

---

[32] *Hoffmann – Eid,* Jesus von Nazareth 75.

[33] Den provokativen Charakter des Wortes Jesu über die Ehescheidung stellt gut heraus *G. Lohfink,* Jesus und die Ehescheidung. Zur Gattung und Sprachintention von Mt 5,32, in: Schüler-FS für R. Schnackenburg (Würzburg 1974) 207–217.

[34] *G. Dautzenberg,* Schwurverbot (Anm. 11) 55–56 zeigt dies für die paränetische Grundform des Schwurverbotes; dies gilt auch für die mt Bearbeitung.

[35] *D. Zeller,* Mahnsprüche 191.

[36] *G. Theißen,* Gewaltverzicht (Anm. 8), 191–197.

[37] Zuletzt *H. Weder,* Die Gleichnisse Jesu als Metaphern. Traditions- und redaktions-

sind auch die sprachlich durch viele Eigentümlichkeiten gekennzeichneten Antithesen zu untersuchen. In der Forschung wird vielfach darauf hingewiesen, daß die den Antithesen und der Bergpredigt eigene „bewegende Kraft" nicht zuletzt auf der sprachlichen Form gründet, die dem Leser Einverständnis abgewinnt.

Es ist also (auch hier wieder getrennt in bezug auf Tradition und Redaktion) zu untersuchen: Welche sprachlichen Mittel werden in den Antithesen verwendet und was tragen diese Mittel bei, um die Intention des Textes durchzusetzen? Warum werden diese Sprachmittel verwendet? Welcher Zusammenhang besteht zwischen Intention und Strategie.

a) Die Strategie des Mt

Die durchgehende Verwendung der Antithesenform ist ein strategisches Mittel des Mt, um ein Ziel zu erreichen. Durch die Gegenüberstellung von „These" und „Antithese" gibt Mt den „Thesen" jeweils das Merkmal: /:von nun an unvollständig:/ oder /:von nun an unerlaubt:/[38].

Diese Gegenüberstellung von These aus dem AT und Antithese dient in der Redaktion zunächst einer identitätsorientierten Zielsetzung: Der Redaktor will die christliche Gemeinde abheben von der Gerechtigkeit der Schriftgelehrten und Pharisäer. Eine geeignete Strategie dazu ist die Gegenüberstellung: Gegenüberstellungen dienen auch im Alltag der Klärung und Verdeutlichung der eigenen Position.

Schon durch die Form der Antithesen wird der Hörer in eine Bewegung hineingenommen. Diese Bewegung läßt sich so beschreiben: in der These treffen sich zunächst Sprecher und Hörer, doch dann wird der Hörer zu Neuem geführt[39]. Der Sprachduktus des Mt in den Antithesen ist ein geeignetes Sprachmittel, um den Hörer zu

---

geschichtliche Analysen und Interpretationen (FRLANT 120) (Göttingen 1978); *E. Arens,* Kommunikative Handlungen. Die paradigmatische Bedeutung der Gleichnisse Jesu für eine Handlungstheorie (Düsseldorf 1982).

[38] Welches dieser Merkmale auf einzelne Antithesen zutrifft, ist in der Forschung umstritten.

[39] *H. Venetz,* Theologische Grundstrukturen in der Verkündigung Jesu? Ein Vergleich von Mk 10,17–22; Lk 10,25–37 und Mt 5,21–48, in: Mélanges D. Barthélemy (OBO 38) (Freiburg i. Üe. 1981) 614–650.

einem bestimmten Handeln zu bewegen. Der Vergleich mit einigen Texten des NT, in denen in ähnlicher Weise ein Wort aus dem AT und ein Wort Jesu gegenübergestellt sind, kann verdeutlichen, was mit „Bewegung durch Sprache“ gemeint ist. Es handelt sich um folgende Texte: die Berufung des reichen Mannes (Mk 10,17–31: der Weisung des AT, die aus der zweiten Dekalogtafel genommen ist, wird der Nachfolgeruf gegenübergestellt); das Wort über das Hauptgebot und das Gleichnis vom barmherzigen Samariter (Lk 10,25–37: die Weisung des AT über die Nächstenliebe wird durch das Wort Jesu entgrenzt); das Wort über Ehe und Ehelosigkeit (Mt 19,3–12: einige verzichten um des Himmelreiches willen auf die Ehe): Diese Texte weisen eine Struktur auf, die sich auch in den Antithesen findet: ihre Grundelemente sind: nicht nur – sondern auch (so in Mk 10,19–21 und Luk 10,25–37); nicht – sondern (Mt 19,12). In diesen Erzählungen wird eine bestimmte Strategie verwendet: es handelt sich immer um eine „Ereigniswerdung und eine Konkretisierung des allgemein Gültigen“[40] und die Unausweichlichkeit einer Stellungnahme; besonders die Erzählung vom barmherzigen Samariter „verführt zu einer Stellungnahme“[41]. *E. Neuhäusler* hat die Strategie, die in diesen Texten verwendet wird, treffend zusammengefaßt:

„Wir erkennen an diesem Beispiel (Mk 10,17–31par) eine entscheidende Eigentümlichkeit der Jesusethik: Ausgehend von der Forderung des Willens Gottes im Gesetz, treibt Jesu Wort unentwegt in eine Richtung weiter, seine Lehre explodiert gleichsam von einem einzigen Punkt ins Absolute hinein, weil sie sich vorher aus der Vielfalt des gesetzlichen Müssens in das ‚Eine Notwendige‘ zurückgeholt und sich so, als gesetzliche Lehre, selbst überholt hat“[42]. „Weil der Jünger (in Mt 19,3–12) überwältigt ist von der Begegnung mit Jesus und der neuen Gemeinschaft mit ihm, begreift er die Situation und läßt selbst das zurück, was vorher gottgewollt und natürlicherweise ihm zugedacht war“[43]. „Sobald die ethische Frage (gemeint: die Frage nach dem Tun) aufbricht, ist es natürlich, daß sie in herkömmlicher Weise an Jesus herangetragen wird. Jesu Ant-

---

[40] Ebd. 633. [41] Ebd. 634.

[42] *E. Neuhäusler,* Beobachtungen zur Form der synoptischen Jesusethik, in: Lebendiges Zeugnis, 1965, H. 1/2, 91–107, bes. 102.

[43] Ebd. 104.

wort wird immer auch dort ansetzen, ehe er zu Letztgültigem vorstößt und damit dem Fragenden eine neue Blickrichtung gibt“[44]. Texte dieser Art legen es nahe, wenigstens in der Gedankenführung der Antithesen (unbeschadet der Frage der Redaktion) eine für Jesus typische Eigenart anzuerkennen.

b) Die in den Antithesen verwendeten sprachlichen Mittel im einzelnen

Neben dem Einsatz der Antithesenform als Sprachmittel, um den Hörer zum intendierten Tun zu führen, werden in den Antithesen vielfältige andere Sprachmittel verwendet, die den inhaltlichen Impuls der Antithesen verstärken.

Im folgenden sollen (im Anschluß an die Forschungsergebnisse) die Sprachmittel, die in den Antithesen verwendet werden, aufgezählt werden.

Bei fast allen Autoren wird der Ausdruck *„Provokation“* verwendet: die Antithesen sind so formuliert, daß der Adressat sich provoziert fühlt[45].

Zu präzisieren ist: Was geschieht, wenn jemand einen anderen provozieren will, und welche Wirkungen kann man sich davon versprechen? Provokation ist ein verbaler Angriff, auf den wahrscheinlich als erste Reaktion des Angegriffenen der Ausruf erfolgt: „Unerhört!“ Durch Provokationen werden heiligste Gefühle, als selbstverständlich angenommenes Recht usw. in Frage gestellt. Provokation wird eingesetzt, wo verhärtete Fronten vorliegen. Welche Funktion hat eine solche „Provokation“, die bleibend in der Kirche vorgelesen wird? Manchmal freilich wird Provokation im Sinn eines „Aufrufes“ verstanden.

Die Formulierungen der Antithesen werden sodann als *paradox* bezeichnet, also als etwas, was auf den ersten Blick widersinnig erscheint und so zum Nachdenken zwingt. Die unmittelbare Funktion des paradoxen Redens ist nicht so sehr unmittelbare Handlungsanweisung als vielmehr Anregung zum Nachdenken. Dieses Sprachmittel besteht nämlich darin, den Hörer mit etwas Unerwartetem zu konfrontieren, und arbeitet mit einem Überraschungseffekt[46]. Nach normalem menschlichem Empfinden ruft der Schlag auf die Wange

---

[44] Ebd. 104.

[45] Vgl. vor allem *G. Lohfink*, Jesus und die Ehescheidung (Anm. 33).

[46] Diese Gegenüberstellung einer neuen Logik gegenüber einer Logik des Herkömmli-

eine bestimmte voraussehbare Reaktion hervor. Daß jemand seine Bereitschaft zeigt, noch einen Schlag zu erdulden, geht gegen die normale Hörererwartung. Indem eine dem Hörerempfinden extrem gegenüberstehende Verhaltensweise angeführt wird, beginnt der Hörer zu denken: „It starts him thinking in a definite direction“[47].

Als Mittel, um den Hörer zum Nachdenken zu führen, wird auch *zugespitzte Redeweise*[48] verwendet, die den Hörer aufrütteln will, aber keine allgemein gültigen Regeln geben will.

Wichtige Sprachmittel sind zudem die Verwendung von *Rechtssätzen,* und zwar entweder als Tat-Folge-Nennung (1. Antithese) oder als Tat-Schuld-Qualifizierung der Tat (2. und 3. Antithese). Kennzeichen solcher Rechtssätze sind: „legal clarity, general area of behaviour, clear deduction as to the range of its application or, in the case of lack of charity, it invites clarifying amendments“[49]. Rechtssätze nennen im Vordersatz „Rechtsfälle“, nicht konkrete Vorfälle und Situationen. In welchem Maß die in den Antithesen angeführten Rechtssätze ursprünglich als Gemeinderegeln Anwendung gefunden haben, ist in der Forschung umstritten[50]. Eine Reihe von Indizien zeigen, daß wenigstens einige tatsächlich als Rechtssätze angewendet wurden: bezüglich des Verbotes der Ehescheidung weisen die kasuistischen Präzisierungen der Synoptiker und die Anpassung des Paulus auf ein solches Verständnis; zum Verbot des Zorns weisen die Rechtsregeln von Qumran (vgl. etwa CD IX) auf die Möglichkeit eines gesetzlichen Verständnisses; die Wirkgeschichte des Gebotes des Gewaltverzichtes in den ersten christlichen Jahrhunderten weist ebenfalls darauf hin, daß dieses Gebot als Gemeinderegel verstanden wurde.

Zu den weiteren Sprachmitteln gehört die Verwendung von *Beispielen.* In einer Reihe von Sätzen (in den weisheitlichen Mahnsprüchen) enthalten die Konditionalsätze, Partizipialkonstruktionen

---

chen und „Normalen“ findet sich besonders deutlich in den Gleichnissen vom barmherzigen Vater (Lk 15,11–32) und von den Arbeitern im Weinberg (Mt 20,1–16).

[47] *R. C. Tannehill,* The „Focal Instance“ as a Form of New Testament Speek: A Study of Matthew 5 39b–42, in: JR 50 (1970) 372–385, bes. 382.

[48] *D. Zeller,* Mahnsprüche 153.

[49] *R. C. Tannehill,* The „Focal Instance“ 380.

[50] Vgl. die Bemerkungen von *J. P. Meier,* Law and History 128, Anm. 7, zur Möglichkeit einer Kirchenordnung.

und Relativsätze (zum Unterschied zu den Gesetzesworten) keine Definition von Einzelfällen, in denen so oder so zu verfahren wäre. Sie bieten keine Kasuistik, sie bieten „Fallbeispiele", indem sie Fälle nennen, denen der Hörer das grundsätzlich Nötige entnehmen und es in entsprechenden Situationen richtig anwenden soll[51]. Solche Worte haben einen exemplarischen Sinn. Vielfach werden ganz konkrete Fälle angeführt, solche aus dem alltäglichen Erfahrungsbereich.

Ein weiteres Sprachmittel ist der *Hinweis auf die Erfahrung*. Indem Jesus auf die allen Menschen zugänglichen Erfahrungen hinweist und damit an die Einsicht des Hörers appelliert, werden die einzelnen Forderungen mit der Autorität des Alltäglichen (das allgemein Zustimmung findet) ausgerüstet. Die Gottesherrschaft wird in solchen Sätzen nicht als Beweggrund des Handelns angeführt.

Ein weiteres Sprachmittel, das zum Weiterdenken einlädt, ist die *Serienbildung:* indem Aussagen und Beispiele in Reihen angeordnet werden, ist der Leser zum Nachdenken eingeladen, da er diese Reihen ganz von selbst durch Beispiele aus seinem Erfahrungsbereich erweitern kann, die ein ähnlich extremes Verhalten (wie Mt 5,39–42) nahelegen[52]. Ähnliches gilt auch von der auffächernden Beschreibung in Mt 5,22.34–36.

c) Ergebnis

Die Übersicht über Intention und Strategie der Antithesen zeigt (besonders für die Stufe der Tradition) eine große Vielfalt: das Handeln, zu dem die Antithesen bewegen wollen, ist in einigen Antithesen ein auf den anderen bezogenes Handeln; in anderen Antithesen ist eine Veränderung von Einstellungen als erstes Ziel intendiert; im Verbot der Ehescheidung ist eine Regelung von Rechtsverhältnissen beabsichtigt. Durch die Strategie, d.h. die Verwendung der sprachlichen Mittel, wird nicht nur ein bestimmtes Ergebnis angezielt, sondern wird der Hörer in eine Bewegung hineingenommen. Die sprachlichen Mittel werden so verwendet, daß der Hörer zum Teil mitgehen muß (aufgrund des Appells der alltäglichen Erfahrung), zum Teil wenigstens eine Entscheidung treffen muß, wie er

---

[51] *D. Zeller,* Mahnsprüche 153, verweist auf *H. Braun,* Jesus 88.
[52] *R. C. Tannehill,* The „Focal Instance" 378.

sich verhalten will (etwa bei Provokationen). Die „bewegende Kraft“, die von der Bergpredigt immer wieder in der Kirchengeschichte entfaltet wurde, geht nicht zuletzt auf diese „Strategie“ zurück, die auf jeden Fall zum Nachdenken (als ersten Schritt zur Veränderung) bewegt.

3.3 „Sprechakte“

Anhand der pragmatischen Sprechakt-Theorie soll nun versucht werden, zu klären, „wer“ in den Antithesen spricht: Jesus als Weisheitslehrer/als Prophet/als charismatischer Anführer einer Gruppe, der neue Normen erstellt. Zuerst geht es noch um die Frage: Was „tut“ Jesus, indem er die Antithesen vorlegt?

Durch den Sprachgebrauch werden nicht nur Äußerungen hervorgebracht, sondern auch bestimmte soziale Handlungen ausgeführt, da eine Äußerung in der Regel auch bestimmte soziale Implikationen hat, etwa ein Befehl oder ein Versprechen. Weil es zahlreiche Fälle gibt, in denen ein Mensch durch Worte etwas tut und durch Worte Handlungen mit sozialen Auswirkungen vollzogen werden, ist der Ausdruck „Sprechakt/Sprechhandlung“ eingeführt worden[53]. Mit dieser Bezeichnung wird der Handlungscharakter menschlichen Sprechens betont.

a) Bedingungen für das Gelingen von Sprechakten

Zu den Sprechakten, durch die wir redend etwas tun, gehören: ernennen, ein Gerichtsurteil sprechen, taufen, versprechen, behaupten, befehlen, raten usw. Damit ein solcher Sprechakt gelingt, d.h. sinnvoll ist, müssen jedes Mal eine Reihe von Bedingungen erfüllt sein.

Beim Versprechen muß der Sprecher wissen, daß er das Versprochene auch ausführen kann; er muß auch wissen, daß der Hörer Wert darauf legt, etwas zu erhalten (andernfalls könnte es höchstens eine Drohung sein).

---

[53] Einführungen in die Sprechakttheorie: Funkkolleg Sprache Eine Einführung in die moderne Linguistik (FischerT 6111–6112) Bd. 2 (Frankfurt 1973) 113–124; *B. Schlieben-Lange,* Pragmatik 82–92; *T. A. van Dijk,* 79–82; *D. Wunderlich,* Studien zur Sprechakttheorie (Frankfurt 1976). Bei diesen Autoren finden sich viele Beispiele von Sprechakten und ihren Bedingungen.

Die Art des Sprechaktes kann unter Umständen durch ein eigenes Verb (ein sog. performatives Verb) näher angegeben werden, z.B. „Ich befehle dir/bitte dich/sage dir, das und das zu tun"; jedoch sagt der Inhalt einer Äußerung allein und u. U. selbst ein performatives Verb noch nicht, um welchen Sprechakt es sich handelt. Die Eigenart des Sprechaktes läßt sich erst aufgrund der bestehenden Kommunikations- und Autoritätsstruktur feststellen.

Die Äußerung: „Monika, es zieht", kann eine Feststellung sein; in bestimmten Kontexten kann es sich jedoch um eine Bitte (oder einen Befehl) handeln, das Fenster zu schließen. Selbst wenn jedoch ein performatives, d.h. den Sprechakt spezifizierendes Verb[54] verwendet wird, etwa „Ich bitte dich, das und das zu tun", ist damit noch nicht gesagt, daß es sich um eine echte Bitte handelt; es kann bei bestimmten Autoritätsverhältnissen ein verdeckter Befehl sein.

Die hier unter dem Stichwort „Sprechakt" behandelten Themen werden in der exegetischen Forschung unter dem Stichwort „Literarische Gattung" besprochen. Für die Antithesen wurde die Gattung als „weisheitliche Mahnrede" oder auch als „Weisheitswort im Gewande prophetischer Autorität" bestimmt. In der Forschung wird auch die Frage besprochen, mit welcher Autorität in der ethischen Weisung gesprochen wird (Jesus als Weisheitslehrer, als Prophet[55]).

Die Eigenart eines Sprechaktes läßt sich also nicht aufgrund der sprachlichen Form der Äußerung allein bestimmen; es sind auch die Bedingungen, unter denen der Sprechakt erfolgt, zu berücksichtigen. Dies gilt auch hinsichtlich der Antithesen.

Um den Sprechakt festzustellen, um den es sich in der Äußerung der Antithesen handelt, müssen die umfassenden Bedingungen festgestellt werden, unter denen die Antithesen geäußert werden. Zu klären ist, was Jesus tut, wenn er die Antithesen vorträgt; mit anderen Worten: Welcher Sprechakt liegt in den Antithesen vor? Da es sich in den Antithesen um „Aufforderung", „Rat", „Befehl" (dieser wieder als Befehl an einen einzelnen oder als Gesetz für eine Gruppe) handeln könnte, sollen diese Sprechakte und die Bedingungen, die zu ihrem Gelingen erfüllt sein müssen, besprochen werden.

[54] Zu den sog. performativen Verben siehe Funkkolleg Sprache Bd. 2, 116f.
[55] *D. Zeller,* Mahnsprüche 152–160.

Ein sinnvoller Befehl setzt eine bestimmte Intention des Sprechers voraus, sodann die Überordnung des Sprechers über den Angesprochenen (Weisungsrecht oder Weisungsmacht) und die Macht, den Befehl durchzusetzen (durch Sanktionen). Ein Befehl kann auch dann sinnvoll sein, wenn er dem Angesprochenen nicht einsichtig gemacht wird.

Zu einem sinnvollen Rat gehören: bestimmte Erfahrungen; Kenntnis von Tun und Folgen; Wissen, was für den Ratsuchenden gut ist. Beim echten Rat muß der Ratsuchende Entscheidungsfreiheit bewahren; diese Entscheidungsfreiheit muß unter Umständen eigens genannt sein: „Ich rate, befehle aber nicht“ (vgl. 1 Kor 7).

Zu einer sinnvollen Aufforderung gehört, daß sie (evtl. als Bitte) auch von einem Untergebenen vorgebracht werden kann.

Wie diese Beispiele zeigen, reicht die Berücksichtigung der Form einer Äußerung noch nicht aus, um den Sprechakt einer Äußerung zu bestimmen; auch die Autoritätsstruktur muß berücksichtigt werden: bei einem bestimmten Machtverhältnis wird eine Bitte, eine Aufforderung und selbst ein Rat zu einem Befehl; wie auch bei mangelnder Autorität ein Befehl wirkungslos und damit sinnlos werden kann.

Um den Sprechakt „Antithesen“ zu erfassen, sind die Voraussetzungen dieses Sprechaktes, vor allem die Autoritätsstruktur, auf denen diese Äußerungen ruhen, zu erarbeiten.

b) Die in den Antithesen vorausgesetzte Autoritätsstruktur

Aus dem Gesagten ergibt sich, daß die in den Antithesen vorgelegten Handlungsanweisungen nur dann für den Hörer/Leser zu sinnvollen und wirkungsvollen Handlungsanweisungen werden, wenn zwischen Sprecher und Hörer/Leser eine bestimmte Kommunikationsstruktur besteht: erst wenn der Hörer den Sprechenden als Autorität anerkennt, wird er die Antithesen als Handlungsanweisung akzeptieren; wie ja auch der Sprechende die Antithesen nur unter der Annahme seiner bestehenden Autorität sinnvollerweise vorbringen wird.

Zur Autorität, mit der der Sprechende spricht, finden sich zunächst im Text einige Hinweise: der Sprechende stellt seine Autorität dem Anspruch des bisher zu den Alten Gesagten entgegen. In einigen Antithesen werden allgemein einsichtige Sachverhalte als Unterstützung der Normen vorgebracht: so argumentiert der Sprecher mit der Autorität des allgemein Einsichtigen. Die Sanktionen, die in einigen Antithesen angeführt sind, sind ebenso ein Hinweis auf die Autorität des Sprechenden. An und für sich ist bei einem Befehl nicht notwendig, daß der Sprechende sich selbst einführt; ein Befehl kann auch ohne ein sog. performatives Verb, etwa: „Ich befehle dir", erlassen werden. In den Antithesen führt der Sprechende sich selbst jeweils ein durch das performative Verb: „Ich aber sage euch". In Verbindung mit dem auf diese Ansage folgenden Gebot „Du sollst!" bzw. Verbot „Du darfst nicht!" ist ausgedrückt, daß es sich um einen Befehl handelt.

Die eigentliche Autorität, die hinter den Antithesen steht und die die Antithesen zu einer autoriativen Handlungsanweisung macht, läßt sich erst aufgrund einer „Soziologie der Jesusbewegung" erheben: die Autorität des in den Antithesen Sprechenden ist die Autorität des charismatischen Führers einer Gruppe, die sich diesem Führer verpflichtet weiß[56]. Die häufig im Zusammenhang mit der Bergpredigt genannten Berufungstexte (etwa Mk 10,17–31) bestätigen, daß in den Antithesen jener spricht, der die Menschen aus eigener Vollmacht beruft. Welcher soziologische Rahmen soll nun für den Adressatenkreis angenommen werden? Die Frage des Adressatenkreises in der matthäischen Redaktion kann hier übergangen werden[57]. Als erster Adressatenkreis dieser Handlungsanweisungen (von denen einige ursprünglich nicht die Antithesenform aufweisen) kommt nicht unmittelbar der engste Kreis jener Jünger Jesu in Betracht, die sein Wanderleben teilen und an seiner Predigttätigkeit teilnehmen. Wenn dieser Kreis angesprochen wäre, wäre in stärkerem Maß die Aufzählung von Berufsbedingungen zu erwarten (wie etwa in den Sendungsreden). Da in den Antithesen vor allem Probleme, Sorgen und Konflikte des täglichen Lebens genannt werden, ist als Adressatenkreis die Gruppe jener Anhänger anzunehmen, die zwar nicht das Wanderleben Jesu teilen, sich jedoch für Jesus als Autorität entschieden haben[58].

Die Überlegungen anhand der Sprechakt-Theorie zeigen, von

[56] Vgl. *G. Theißen,* Soziologie der Jesusbewegung.

[57] Vgl. den Beitrag von G. Lohfink in diesem Band.

[58] So auch *G. Lohfink,* Der ekklesiale Sitz im Leben der Aufforderung Jesu zum Gewaltverzicht (Mt 5,39b–42/Lk 6,29f), in: ThQ 162 (1982) 236–253. So ist der Horizont der Weisung Jesu neben einer formgeschichtlichen Erweiterung (dazu D. Zeller, oben Anm. 23) auch soziologisch zu erweitern, etwa im Sinn der „Sympathisanten" von G. Theißen.

welcher Bedeutung die „Christologie“ für ein adäquates Erfassen der Antithesen ist. Die Antithesen sind „autoritative Handlungsanweisung“, wobei „autoritativ“ im Sinn der oben dargelegten in einer Gruppe geltenden (auch soziologisch faßbaren) Autoritätsstruktur zu verstehen ist. Die Wirkungsgeschichte gerade der Antithesen bestätigt, daß die Antithesen ihre Geltung nur in bestimmten soziologisch faßbaren Gruppen (wieder) gewinnen.

c) Ergebnis

Um festzustellen, welcher Sprechakt in den Antithesen vorliegt, wurden zunächst einige Bedingungen angeführt, die erfüllt sein müssen, damit eine Äußerung überhaupt sinnvoll ist. Aus der Form eines Satzes allein ist der Sprechakt nicht genau festzustellen; dies ist erst möglich aufgrund der Feststellung der umfassenden Kommunikations- und Autoritätsstruktur.

Damit die Antithesen als autoritative Handlungsanweisung gelingen (gelingen im Sinn der Sprechakt-Theorie verstanden), müssen sie eingebettet sein in den soziologischen Rahmen der Jesusgruppe. Der Ort der Antithesen ist also nicht so sehr der institutionelle Rahmen eines Lehrer-Schüler-Verhältnisses (wie in der weisheitlichen Mahnung) oder die prophetische Ankündigung von Einlaßbedingungen (auch wenn die Antithesen vielfach als Einlaßbedingungen formuliert sind), sondern der weitere Kreis von Menschen, die sich für Jesus entschieden hatten. Wenn eine solche Entscheidung für Jesus nicht gegeben ist, werden die Antithesen auch nicht zur einer wirksamen Handlungsanweisung. Dies werden sie erst, wenn ein bestimmter Konsens zwischen dem Sprecher und den Hörern besteht.

So läßt sich nun auch bestimmen, um welchen Sprechakt es sich in den Antithesen handelt, d.h. welcher Handlungscharakter den Antithesen zukommt: Jesus erhebt den Anspruch, Normen zu geben, wie es das AT tut. Bedingung, daß ein solcher Sprechakt autoritativer Weisung sinn- und wirkungsvoll ist, ist das Bestehen eines bestimmten Konsenses zwischen Sprecher und Angesprochenen: die Angesprochenen nehmen das Leitbild des Gottesbildes und der Gottesherrschaft an; sie erkennen dem Sprechenden Autorität zu, und sie leben in bestimmten soziologisch faßbaren Strukturen, in den diese Normen verwirklicht werden.

4. Normative Texte der Vergangenheit – heute (Hermeneutische Überlegungen II)

In einer handlungsorientierten Auslegung geht es nicht nur darum, die Texte als Handlungsanweisung des urchristlichen Handelns zu verstehen; es geht auch darum zu erfassen, welche Gültigkeit diese Weisung für heute hat. Mit dem bloßen Verstehen, was der Text damals gemeint hat, ist die Aufgabe also noch nicht erfüllt. Um die Gültigkeit der Antithesen für heute zu erfassen, ist ein Doppeltes zu bedenken[59].

Zunächst hängen die Auffassungen, in welchem Ausmaß die ethischen Forderungen der Schrift, und besonders gilt dies für die Antithesen, für heute noch gültig sind, von einem bestimmten Vorverständnis ab. Dieses Vorverständnis ist zum Teil kirchlich bedingt: so wird das Verbot der Ehescheidung im katholischen Raum als rechtlich durchzuführende Norm verstanden, während das Verbot des Schwörens nicht als Rechtsnorm verstanden wird; ebensowenig wird das Verbot der Gewaltanwendung wörtlich verstanden. Angesichts der schon dargestellten Vielfalt der Sprachmittel in den Antithesen wäre es zu kurz gegriffen, wenn man verlangen wollte, alle Antithesen in gleicher Weise als für heute gültig zu erklären. Weil jedoch das jeweilige Vorverständnis gerade bei den Antithesen so starken Einfluß ausübt, ist eine Reflexion notwendig. Es handelt sich dabei um das Problem von Vorverständnis (das gleichzeitig Begrenzung, aber auch Ermöglichung des Verstehens ist) und verstehender Aneignung eines Sachverhaltes. Gerade die Wirkungsgeschichte der Antithesen bei bestimmten Gruppen in der Kirchengeschichte zeigt, daß das allgemeine Vorverständnis immer wieder durchbrochen wurde[60]. An diesen Gruppen lassen sich auch die sozialen Bedingungen ablesen, unter denen die Bergpredigt ihre ursprüngliche Geltung wieder erlangen kann.

Zum zweiten ist gerade für normative Texte die Berücksichtigung der Situation, für die die Normen gelten sollen, dringend geboten.

---

[59] Zum Problem der Hermeneutik von Normen ist aus der nun schon klassisch gewordenen Hermeneutik vor allem *E. Betti,* Allgemeine Auslegungslehre als Methodik der Geisteswissenschaften (Tübingen 1967), anzuführen.

[60] Vgl. Übersicht und Literaturangaben in: *G. Barth,* Art. „Bergpredigt", in: TRE 5, 611–18.

Ethische Normen sind immer auf jene Welt bezogen, in der der Mensch lebt und in der er sich in bestimmter Weise verhalten soll. Ethische Normen können ihren Sinn verlieren, wenn sich die Umstände und die Situation, zu deren Bewältigung die Normen bestimmt sind, wesentlich ändern[61]. Dem wird im bürgerlichen Rechtsleben Rechnung getragen, indem Gesetze neuen Situationen angepaßt werden; selbst Verfassungsänderungen können unter Umständen nötig sein. Gerichte und Verfassungsgerichte haben überdies einen gewissen Spielraum für die Anwendung von Gesetzen. Für die Gültigkeit biblischer Normen ist das Problem der Änderung von Umständen und Situationen ebenfalls zu berücksichtigen. Um die Gültigkeit biblischer Normen für heute zu erfassen, kann man nicht so vorgehen, daß man zunächst an der biblischen Norm zwischen Zeitbedingtem und Bleibend-Gültigem unterscheidet (was nicht möglich ist), sondern es handelt sich um „ein Übersetzen von konkreten Normen in andere konkrete Normen für eine gewandelte Situation“[62]. Methodisch geschieht dies dadurch, daß die jeweiligen Normen der Vergangenheit auf ihr ganzes Umfeld hin untersucht werden und dann stufenweise in das heutige Problemfeld eingeführt werden. Dann wird sich zeigen, wie sinnvoll die Normen für heute sind.

Da Normen immer das Verhalten in bestimmten Situationen im Blick haben, ist zu einer Aktualisierung der Antithesen notwendig, jene Situationen herauszuarbeiten, die von den Antithesen vorausgesetzt sind: es sind dies, wie schon dargelegt wurde, die konkrete Situation der Gemeinde des Mt (Redaktion) und allgemein menschliche Grenz- und Konfliktfälle (Tradition). In manchen Zeiten stimmt nun die Situation der Zeit so überraschend mit der biblischen Ursprungszeit überein, daß der Text der Schrift sich wie von selbst zur Lösung heutiger Fragen anbietet. Zur Zeit scheint dies hinsichtlich der Friedensfrage und der Frage des Überlebens der Menschheit der Fall zu sein. Das von den Antithesen entworfene Bild einer neuen Menschheit entspricht dem Bild, das die Menschen

---

[61] *E. Betti,* Auslegungslehre 610–13.

[62] *W. Kerber,* Geschichtlichkeit konkreter sittlicher Normen aus der Sicht der Philosophie und der Humanwissenschaften, in: *W. Kerber* (Hrsg.), Sittliche Normen. Zum Problem ihrer allgemeinen und unwandelbaren Geltung (Düsseldorf 1982) 92–106, bes. 103.

unserer Zeit als Lösung heutiger Fragen vor Augen haben; und zugleich bietet die Bergpredigt auch Möglichkeiten zur Erreichung dieses Zieles an.

Für eine handlungsorientierte Auslegung der Antithesen ist die Berücksichtigung der Wirkungsgeschichte von Bedeutung, weil diese zeigt, wie unter neuen Umständen und in neuen Situationen die Weisungen der Bergpredigt verwirklicht wurden. Normative Texte der Vergangenheit gewinnen ihre Geltung wieder, wenn sie zur Lösung heutiger Fragen beitragen können.

5. *Schluß*

Da in den einzelnen Abschnitten dieses Aufsatzes bereits Zusammenfassungen geboten wurden, ist nur noch eine methodische Schlußbemerkung anzubringen.

In einer handlungsorientierten Auslegung werden die Antithesen im Licht jener Gesichtspunkte und Fragestellungen gelesen, die von Handlungstheorie und Pragmatik zur Verfügung gestellt werden. Diese Gesichtspunkte sind: Veränderung von Zuständen, Leitbilder und Modelle als Handlungsrahmen, Intention, Instruktion, Strategien (Sprachmittel), Sprechakt (und Autoritätsstruktur). In der Lektüre der Antithesen ist diesen Faktoren und dem zwischen ihnen bestehenden Zusammenhang nachzuspüren. Da es sich bei den Antithesen um einen historischen Text handelt, sind die Gesichtspunkte der historisch-kritischen Methode ständig zu berücksichtigen. Auf viele Fragen, die in einer handlungsorientierten Auslegung auftauchen, hat die historisch-kritische Methode auch schon Antworten gefunden. Eine Auslegung, die auch Handlungstheorie und Pragmatik berücksichtigt, vermag jedoch einige Probleme, die in der Exegese erst andeutungsweise gemeldet wurden (etwa über die Autorität des Sprechenden, den Adressatenkreis, die sprachliche Funktion der Antithesen)[63], viel genauer in den Griff zu bekommen. Darüber hinaus bietet eine solche Auslegung dem heutigen Leser der Antithesen eine methodisch geordnete Übersicht über jene Aspekte, die es zu berücksichtigen gilt, wenn die Antithesen zu einer Handlungsanweisung für unsere Zeit werden sollen.

---

[63] Siehe *D. Zeller,* Mahnsprüche; *G. Lohfink,* Der ekklesiale Sitz.

V

Wem gilt die Bergpredigt?

Eine redaktionskritische Untersuchung von Mt 4,23 – 5,2 und 7,28f*

Von Gerhard Lohfink, Tübingen

I. Vorüberlegungen

Es gibt im Neuen Testament zur Zeit keinen Text, der so umstritten ist wie die Bergpredigt. Die Schwierigkeiten liegen dabei allerdings weniger im unmittelbar zu erhebenden Textsinn. Dieser ist im allgemeinen klar und eindeutig. Was die Schwierigkeiten verursacht, ist gerade die Frage, ob der so eindeutig erhebbare Textsinn überhaupt gelebt werden kann – also das, was seit langem unter dem Stichwort der *Erfüllbarkeit der Bergpredigt* diskutiert wird.

Im Laufe der Kirchen- und Theologiegeschichte sind hier die verschiedenartigsten Antworten gegeben worden. So hat man gesagt, das radikale Ethos der Bergpredigt sei nur von einer christlichen *Elite* lebbar und auch nur für eine solche Elite gedacht. Oder man hat gesagt, es sei nur in einem Zeitraum angespanntester Naherwartung lebbar und auch präzise für einen solch relativ kurzen Zeitraum, nämlich für die *Zeit vor dem Ende,* formuliert. Oder aber man hat die Bergpredigt von Röm 3,20 her als *unerfüllbares Gesetz* gedeutet. Ihr Sinn sei es, niederzureißen und zu zerbrechen. Gerade so decke sie die wahre Verfassung des Menschen auf, nämlich sein radikales Angewiesensein auf die Gnade Gottes. In unserer gegenwärtigen Situation mehren sich freilich die Stimmen, die auf der *Erfüllbarkeit* der Bergpredigt bestehen und die zugleich fordern, daß sie nun endlich zu verwirklichen sei – vor allem ihre Aussagen zu Frieden und Gewaltverzicht. In dieser letzten Position erscheint sie nicht selten als die Magna Charta eines revolutionären Prozesses,

* Der folgende Text ist eine überarbeitete Fassung des Referats, das ich am 22. März 1983 bei der Tagung der deutschsprachigen katholischen Neutestamentler in Luzern vorgetragen habe. In einer durch Anmerkungen wesentlich erweiterten Form findet sich das Referat unter dem gleichen Titel in ThQ 163 (1983) 264–284.

der die gesamte Welt zu ergreifen habe und der allein noch die Selbstvernichtung der Menschheit abwenden könne.

Dieser schematische und notwendig fragmentarische Überblick zeigt bereits, daß mit dem Problem der Erfüllbarkeit die Frage nach den Adressaten der Bergpredigt aufs engste verknüpft ist. Gilt die matthäische Bergpredigt unmittelbar allen Völkern und allen Menschen? Oder gilt sie zunächst einmal nur der Kirche? Oder gilt sie innerhalb der Kirche nur einer bestimmten Elite – nämlich denen, die zur Jesusnachfolge berufen sind? Oder gilt sie überhaupt keinem Kollektiv, sondern immer nur dem Einzelnen, der je für sich selbst das radikale Ethos der Bergpredigt zu erfüllen hat?

All diese Möglichkeiten sind mit Nachdruck vertreten worden. Selbstverständlich hängt die Unsicherheit in der Frage nach den Adressaten mit der Radikalität der Forderungen der Bergpredigt zusammen. Allerdings gibt Matthäus gerade in der Frage nach den Adressaten sehr klar und reflektiert Auskunft. Er hat nämlich die Bergpredigt, genauso wie die vier anderen großen Redekompositionen seines Evangeliums, mit einer sorgfältig komponierten *Rahmung* versehen. Es ist erstaunlich, eine wie geringe Rolle diese matthäische Rahmung in der bewegten Debatte um die Verbindlichkeit und Erfüllbarkeit der Bergpredigt bisher gespielt hat.

Man hat zwar schon immer gesehen, daß in der Rahmung der Bergpredigt sowohl die Volksscharen als auch die Jünger genannt werden. Aber für wen genau stehen im Sinne des Matthäus die Volksscharen und für wen genau die Jünger? Repräsentieren die Volksscharen die potentiellen Hörer des Evangeliums aus der ganzen Welt? Oder repräsentieren sie das Gottesvolk? Falls sie nicht für alle Menschen, sondern allein für das Gottesvolk stehen, wäre aber noch immer weiterzufragen: Repräsentieren sie das bisherige Gottesvolk Israel oder bereits jenes Gottesvolk, das Matthäus in der Zeit, da er sein Evangelium niederschreibt, als das allein wahre Gottesvolk ansieht, nämlich die Kirche? Einmal den Fall gesetzt, die Volksscharen der Bergpredigt wären ein Vorentwurf der matthäischen Kirche – was wären dann die Jünger? Eine besondere Gruppe innerhalb der Kirche? Oder stehen nicht eben doch die Jünger für die Kirche, so daß die Volksscharen im Text eine andere Funktion haben?

Die Liste dieser Fragen zeigt, daß hier so präzis wie nur möglich nach der Funktion der matthäischen Rahmung und der Aktanten in dieser Rahmung gefragt werden muß. Dabei ist methodisch zu unterscheiden zwischen den Adressaten des Matthäusevangeliums *im ganzen,* die selbstverständlich letztlich auch die Adressaten der Bergpredigt sind, und den *speziellen* Adressaten der Bergpredigt innerhalb der „berichtenden Rede" des Matthäusevangeliums. Uns hat zunächst und vor allem der letztere Aspekt zu interessieren.

Jedenfalls können wir uns heute mit der undifferenzierten Auskunft von *Martin Dibelius* nicht mehr begnügen, der 1953 in einem wichtigen Aufsatz über die Bergpredigt formulierte (Botschaft und Geschichte I, Tübingen, 79–174, 91f):

„Die Situation, deren Bild Matthäus entwirft, enthält zwei Feststellungen über die Hörer der Bergpredigt. Es wird erst beschrieben, wie Jesus die ihn umringende Menge sieht und auf den Gipfel einer Höhe geht, offenbar nicht um der Menge auszuweichen, sondern um einen besseren Überblick zu haben. Dann aber, nachdem er sich niedergesetzt hat, sind es seine Jünger, die zu ihm kommen, und die er lehrt. Es steht uns ganz frei, uns entweder die Menge zu seinen Füßen oder die Jünger um ihn her vorzustellen. Die Menge oder die Jünger oder beide sind die Hörer seiner Predigt. Die Unsicherheit der Exegese an diesem Punkt ist in keiner Weise erstaunlich. Wir müssen uns daran erinnern, daß Matthäus nicht ein geschichtliches Ereignis erzählen, sondern in Form von Reden Gebote erlassen will. In Wirklichkeit ist die christliche Gemeinde weithin über die ganze Welt die Menschengruppe, die angeredet wird; es ist für seine Erzählung völlig gleichgültig, ob Jünger oder eine versammelte Menge von Galiläern die Hörer dieser Predigt sind."

Dieses Votum spiegelt eine Phase der Forschung wider, in der man die Evangelien noch nicht konsequent auf ihre redaktionelle Gestalt und Theologie hin befragte. Aber selbst für diese ältere Forschungsphase liest Martin Dibelius den Text erstaunlich ungenau: Denn die Volksscharen um den Bergprediger sind eben nicht nur eine „Menge von Galiläern". Matthäus beschreibt sehr exakt, woher sie kommen. Und weshalb hat er wohl den Kreis der Volksscharen und den Kreis der Jünger so genau unterschieden und so sorgfältig arrangiert, wenn es für ihn letztlich ganz unwichtig gewesen ist, wer die angeredeten Personen waren?

Wir werden deshalb präziser fragen müssen, wie Matthäus die Bergpredigt gerahmt hat, was er mit dieser Rahmung sagen wollte und wie von der Intention seiner Rahmung her die Frage nach der Verbindlichkeit der Bergpredigt zu beantworten ist.

II. Die Struktur des Rahmens

Fragen wir uns zunächst, wie weit die Rahmung der Bergpredigt überhaupt reicht. Für den *Endteil* der Rahmung ist diese Frage leicht zu beantworten. Er lautet:

„Und es geschah, als Jesus diese Worte beendet hatte, daß die Scharen bestürzt waren über seine Lehre. Denn er lehrte sie wie einer, der Vollmacht hat, und nicht wie ihre Schriftgelehrten" (7,28 f).

Diesem Endteil der Rahmung entspricht die Einleitung der Rede:

„Als er die Scharen sah, stieg er auf den Berg. Und nachdem er sich gesetzt hatte, traten seine Jünger zu ihm. Und er öffnete seinen Mund und lehrte sie folgendermaßen" (5,1 f).

Es ist allerdings die Frage, ob die Einleitung 5,1 f bereits den gesamten *Anfangsteil* der Rahmung darstellt. Denn die Zusammensetzung der Volksscharen, von denen in 5,1 die Rede ist, wird im unmittelbar vorangehenden Satz 4,25 sorgfältig festgelegt. Und eben dieser Satz erscheint als Bestandteil des Textkomplexes 4,23–25. Nach vorne ist dieser Textkomplex deutlich von der Berufung der ersten Jünger (4,18–22) abgegrenzt, nach hinten reicht er bis einschließlich 4,25 und scheint deshalb mit der Einleitung der Rede eine bewußt hergestellte Einheit zu bilden. Ist dies richtig, dann umfaßt der Anfangsteil der Rahmung den gesamten Text 4,23 – 5,2 und lautet folgendermaßen:

4,23 „Und er durchzog ganz Galiläa,
lehrend in ihren Synagogen,
verkündend das Evangelium vom Reich
und heilend jede Krankheit und jedes Leiden im Volk.
4,24 Und die Kunde von ihm verbreitete sich (sogar) in ganz Syrien.

Und sie brachten zu ihm alle, denen es schlecht ging,
die mit vielerlei Krankheiten und Gebrechen zu tun hatten:
Besessene, Mondsüchtige und Gelähmte.
Und er heilte sie.
4,25 Und es folgten ihm große Scharen aus Galiläa,
der Dekapolis, Jerusalem, Judäa und Peräa.

5,1 Als er die Scharen sah,
stieg er auf den Berg.

Und nachdem er sich gesetzt hatte,
traten seine Jünger zu ihm.
5,2 Und er öffnete seinen Mund
und lehrte sie folgendermaßen" (4,23 - 5,2).

Es ist für die Auslegung der Bergpredigt von erheblicher Bedeutung, ob ihr dieser gesamte Text als Rahmung vorangestellt ist oder nicht. Bisher haben wir lediglich mit dem Rückbezug von 5,1 auf 4,25 argumentiert. Diese Argumentation kann freilich noch nicht genügen. Für die Rahmenfunktion von 4,23–25 müßten weitere Textphänomene sprechen. Dies ist auch eindeutig der Fall. Im folgenden sei noch auf zwei besonders auffällige Hinweisstrukturen in der Komposition des Matthäusevangeliums aufmerksam gemacht:

1. Es ist schon oft gezeigt worden, daß Matthäus innerhalb seiner Evangelienkomposition fünf große Jesusreden bringt, die er alle mit derselben Formel abschließt: „Und es geschah, als Jesus beendet hatte ..." Die folgende Tabelle gibt den Ort und die Länge (Wortzahl) dieser Jesusreden an:

I.	Bergpredigt	5,3-7,27	1937
II.	Botenrede	10,5–42	640
III.	Gleichnisrede	13,3–52	929
IV.	Gemeinderede	·18,3–35	639
V.	Gerichtsrede	23,2-25,46	2221

Man sieht sofort: Die fünf Reden sind gleichmäßig über das gesamte Evangelium verteilt, und die erste und letzte Rede haben den weitaus größten Umfang. Die *Endteile* der Rahmungen sind mit einer Ausnahme kurz und vom Kontext deutlich abgehoben. Vgl. (I) 7,28f; (II) 11,1; (III) 13,53; (IV) 19,1f. Die Ausnahme bildet (V) 26,1–5. Dort geht der Endteil der Rahmung fast nahtlos in die Passionsgeschichte über. Wichtiger für uns ist freilich die Frage: Wie gestaltet Matthäus die *Anfangsteile* der Rahmungen?

Der *Botenrede* 10,5b–42 ist die Bevollmächtigung und Aussendung der zwölf Jünger vorangestellt (10,1–5a). Dabei wird die unmittelbare Redeeinführung 10,5a durch den Apostelkatalog 10,2–4 vorbereitet. Zwischen 10,5a und 10,2–4 besteht genau das gleiche Referenzverhältnis wie zwischen 5,1a und 4,25. Wird dort die Zusammensetzung der *Volksscharen,* so wird hier die Zusammensetzung des *Jüngerkreises* im Hinblick auf die sich anschließende Rede definiert. Die Rahmung der Botenrede greift aber nach vorn noch über 10,1 hinaus: Auch 9,36–38 mit dem Logion von den Arbeitern in der Ernte dient der eigentlichen Rahmung von 10,5b–42.

Bei der *Gleichnisrede* 13,3–52 ist der Anfangsteil der Rahmung bedeutend kürzer. Er umfaßt lediglich 13,1–3. Wichtig ist aber: Die Festlegung der Adressaten geschieht nicht in der unmittelbaren Redeeinführung 13,3a, sondern schon vorher in 13,2.

Die *Gemeinderede* 18,3–35 wird von Matthäus aus 18,1 heraus entwickelt. Jesus ruft auf die Frage nach dem „Größten im Himmelreich" ein Kind herbei, stellt es zwischen die Jünger und beginnt dann seine Rede. Auch hier sind also Festlegung der Adressaten (18,1) und unmittelbare Redeeinführung (18,3a) getrennt.

Die *Gerichtsrede* 23,2 – 25,46 ist zweigeteilt. Während die Rede gegen die Schriftgelehrten und Pharisäer 23,2–39 denkbar knapp eingeleitet ist (nur 23,1), entfaltet sich die Endzeitrede 24,4b – 25,46 aus einer Jüngerfrage (24,3). Die Jüngerfrage wird ihrerseits vorbereitet und veranlaßt durch die Szene beim Verlassen des Tempels 24,1f, so daß der Anfangsteil der Rahmung 24,1–4a umfaßt.

Es zeigt sich also: Bei den großen matthäischen Redekompositionen ist mit Ausnahme von 23,1 der Anfangsteil der Rahmung stärker ausgebaut als der stets sehr knappe Endteil. Der Anfangsteil kann aus einer an Jesus gerichteten Frage bestehen (18,1; 24,3), er kann eine Situationsschilderung enthalten (13,1–2) und er kann sogar ein kleines Erzählstück miteinschließen (9,36–38; 24,1f). Stets werden die Adressaten der Rede genau bestimmt. Nur in 23,1 findet sich die genauere Bestimmung der Adressaten in der unmittelbaren Redeeinführung; in allen anderen Fällen setzt Matthäus ausführlicher an. Damit haben wir ein weiteres Argument dafür gewonnen, daß auch bei der ersten großen Redekomposition des Matthäus der Anfangsteil des Rahmens über 5,1f hinausgreift.

2. Im Gegensatz zur lukanischen Feldrede (Lk 6,17–49) steht die matthäische Bergpredigt fast am *Anfang* der öffentlichen Wirksamkeit Jesu. Matthäus bietet die Reihenfolge:

Taufe Jesu (3,13–17)
Versuchung Jesu (4,1–11)
Erstes Summarium über das Auftreten Jesu in Galiläa (4,12–17)
Berufung der ersten Jünger (4,18–22)

Das sich anschließende 2. Summarium über das Auftreten Jesu in Galiläa ist dann bereits jener Text, um dessen Funktion es hier geht, nämlich 4,23–25. Matthäus bringt also zwischen der Versuchungsgeschichte und seiner ersten großen Redekomposition nur eine einzige Erzählung: die Berufung der Jünger. Diese Erzählung war unbedingt notwendig, da sonst für die Bergpredigt noch gar keine Jünger als Hörer zur Verfügung gestanden hätten. Liest man den Text pedantisch, so stehen freilich trotz 4,18–22 bei der Bergpredigt lediglich *vier* Jünger vor Jesus, also keineswegs jene Zwölf, deren Existenz dann später in 10,1 einfach vorausgesetzt wird. Matthäus nimmt diese Unstimmigkeit jedoch in Kauf – und zwar gerade deshalb, weil er die große programmatische Rede möglichst an den Anfang der öffentlichen Wirksamkeit Jesu rücken wollte.

An die Bergpredigt schließt sich dann in 8,1 – 9,34 eine weitere, typisch matthäische Komposition an, nämlich genau zehn Wundererzählungen. Die Ausleger haben längst gesehen, daß der Evangelist auf diese Weise in bewußter Systematisierung Jesus gleich zu Beginn seines Auftretens als „Messias des Wortes" und als „Messias der Tat" charakterisieren wollte. Wie konsequent Matthäus dabei verfuhr, beweist das für uns wichtige Phänomen, daß er den Anfang des Summariums 4,23 f in 9,35 – also am Ende des großen Wunderzyklus – nahezu wörtlich wiederholt:

„Und Jesus durchzog alle Städte und Dörfer,
lehrend in ihren Synagogen,
verkündend das Evangelium vom Reich
und heilend jede Krankheit und jedes Leiden" (9,35).

Die Sätze 4,23 und 9,35 haben also eindeutig inkludierende Funktion: Sie rahmen die kunstvoll komponierte, hoch reflektierte und systematisierte Darstellung der für das Evangelium grundlegenden *Worte* und *Taten* Jesu. Damit ist endgültig klar, daß der gesamte Abschnitt 4,23–25 die Bergpredigt einleitet. Zwar bereitet er genauso den sich anschließenden Wunderzyklus 8,1 – 9,34 vor, der mit der

Bergpredigt eine kompositionelle Einheit bildet – aber eben auch und vor allem 5,3 – 7,27.

Wir dürfen somit im folgenden mit guten Gründen davon ausgehen, daß die Rahmung der Bergpredigt in ihrem Anfangsteil tatsächlich 4,23 – 5,2 umfaßt. Matthäus hat die erste programmatische Redekomposition seines Evangeliums besonders sorgfältig und ausführlich gerahmt. Der Anfangsteil dieser Rahmung ist freilich in seiner Struktur noch genauer zu bestimmen, als wir das bisher getan haben.

In 4,23–24a liegt ein Summarium reinster Form vor. Es will die Tätigkeit Jesu in Galiläa (weshalb gerade in Galiläa, war 4,12–17 gezeigt worden) umfassend überblicken. Dies geschieht durch die drei gleichgeordneten Partizipien: διδάσκων – κηρύσσων – θεραπεύων. Dieser summarische Überblick, der – wie gesagt – in 9,35 fast wörtlich wiederholt wird, ist noch erweitert durch eine Notiz über die Ausbreitung des Rufes Jesu in ganz Syrien. Damit ist das Summarium zunächst einmal abgeschlossen.

Die anschließende Schilderung der Heilungstätigkeit Jesu in 4,24b–e setzt das Summarium nicht einfach fort, sagt also keinesfalls, die im folgenden genannten Kranken seien aus *Syrien* gekommen, sondern greift das θεραπεύων von 4,23 noch einmal auf und konkretisiert die Heilungen „im Volk" (Israel). Noch auffälliger als dieser Rückgriff auf 4,23 ist das Phänomen, daß im folgenden Vers 25 erneut geographische Bestimmungen auftauchen, obwohl doch schon in Vers 23 von Galiläa die Rede war. Die mit 4,25 gegebene Ausweitung über Galiläa hinaus verrät deutlich, daß 5,1 f vorbereitet werden soll. Die Verse 24b–25 haben also offensichtlich die Funktion, eine Überleitung zwischen dem Summarium 4,23–24a und der konkreten Szenerie in 5,1 f herzustellen. Einerseits zeigen diese Übergangsverse noch summarischen Charakter, andererseits bauen sie bereits ein Stück Hintergrund für die Bergpredigt auf: Um Jesus sammeln sich Menschen aus ganz Israel; unter ihnen viele, die er geheilt hat.

Die eigentliche Erzählung setzt dann, klar abgehoben mit δέ und doch deutlich an das Vorhergehende anknüpfend, in 5,1 ein. 5,2 ist die unmittelbare Redeeinführung. Rein syntaktisch ist nicht zu entscheiden, ob sich αὐτούς nur auf die μαθηταί oder auch auf die ὄχλοι bezieht. Erst 7,28 stellt sicher, daß die Volksscharen genauso wie die Jünger Hörer der Bergpredigt waren.

Der Vorbau der Bergpredigt ist somit folgendermaßen gegliedert:

A. Reines Summarium: 4,23–24a
B. Neu ansetzende Überleitung zur Erzählung: 4,24b–25
C. Reine Erzählung mit Redeeinführung: 5,1f.

Matthäus ist es tatsächlich gelungen, auf kleinstem Raum von dem für die Abfolge seines Evangeliums unabdingbar notwendigen Summarium 4,23–24a zu der konkreten Erzählung 5,1f überzuleiten. Man muß seine Kompositionskunst noch mehr bewundern, wenn man in Rechnung stellt, daß er dabei nicht frei formuliert, sondern auf ein Mosaik vorgegebener Texte zurückgreift. Hiervon hat der folgende Abschnitt zu handeln.

III. Die Literargeschichte des Rahmens

Wie der synoptische Vergleich zeigt, hat Matthäus für den Vorbau zur Bergpredigt eine ganze Reihe von markinischen Textteilen zugrundegelegt. In Vers 23 folgt er im wesentlichen Mk 1,39, ist aber gleichzeitig auch von Mk 6,6b, Mk 1,14 und Mk 1,32 abhängig. Vers 24a geht auf Mk 1,28 zurück. In Vers 24 b–c schließt sich Matthäus, wenn auch nicht ohne redaktionelle Veränderungen, Mk 1,32–34 an. In Vers 25 greift er auf Mk 3,7f zurück, freilich wiederum mit charakteristischen Veränderungen. In 5,1f formuliert Matthäus freier; lediglich Mk 3,13 wird verarbeitet. Es wäre allerdings möglich, daß er auch auf einen Vorbau der ersten programmatischen Rede der Logienquelle zurückgreift. Der Schlußteil des Rahmens interessiert hier weniger; er stützt sich auf Mk 1,22.

Selbst wenn man nicht bereit ist, sich einen „mit Kleister und Schere“ arbeitenden Matthäus vorzustellen, wird man doch zugestehen müssen, daß er für ein relativ kurzes Textstück eine überraschend große Zahl von Passagen herangezogen hat, die im Markusevangelium zerstreut stehen. Diese Arbeitsweise zeigt die Kompositionskunst des Evangelisten; sie zeigt freilich auch sein besonderes Interesse am Vorbau der Bergpredigt. Uns gibt seine Kompilationstechnik die Möglichkeit, relativ leicht nachzuprüfen, wo er Veränderungen oder neue Akzentsetzungen vorgenommen hat. Die für uns wichtigsten Veränderungen sollen im folgenden aufgelistet werden:

1. τὸ εὐαγγέλιον τοῦ θεοῦ (Mk 1,14) wird verändert in: τὸ εὐαγγέλιον τῆς βασιλείας (Mt 4,23).
2. Neu gegenüber Markus ist die Zufügung: πᾶσαν νόσον καὶ πᾶσαν μαλακίαν ἐν τῷ λαῷ (Mt 4,23).
3. εἰς ὅλην τὴν περίχωρον τῆς Γαλιλαίας (Mk 1,28) wird verändert in: εἰς ὅλην τὴν Συρίαν (Mt 4,24).
4. Neu gegenüber Mk 1,32–34 sind die Zufügungen καὶ βασάνοις συνεχομένους und καὶ σεληνιαζομένους καὶ παραλυτικούς (Mt 4,24).
5. Gestrichen wird aus der geographischen Aufzählung Mk 3,7f ἀπὸ τῆς Ἰδουμαίας und περὶ Τύρον καὶ Σιδῶνα (Mk 4,25).
6. Hinzugefügt wird zu der geographischen Aufzählung Mk 3,7f (ἀπὸ) Δεκαπόλεως (Mt 4,25).
7. Teilweise freigestaltet ist die unmittelbare Szenerie und Einleitung der Bergpredigt in Mt 5,1f.

Überblickt man diese Liste, so zeigt sich, daß die besonderen Interessen des Matthäus vor allem in zwei Richtungen gehen: a) Er hat die Heilungstätigkeit Jesu gerade an dieser Stelle besonders betont. b) Er hat an der geographischen Aufzählung Mk 3,7f Änderungen vorgenommen, die ihm offenbar wichtig waren. – Wir werden bei dem nun folgenden theologischen Arbeitsgang gerade von diesen beiden Beobachtungen ausgehen müssen.

IV. Die Theologie des Rahmens

1. Die Anwesenheit Israels (4,23–24a.25)

Der Vorbau der Bergpredigt schildert zunächst das Wirken Jesu in Galiläa (4,23). Nach Galiläa war Jesus ja wegen der Verhaftung des Täufers ausgewichen (4,12); dort, im „Galiläa der Heiden“, begann er gemäß einer Prophetie Jesajas seine öffentliche Wirksamkeit (4,13–17). Wenn Matthäus die Wendung vom „Galiläa der Heiden“ aus Jes 8,23 – 9,1 aufgreift, dann tut er das keineswegs, um schon hier die künftige Heidenmission anzudeuten. Er will vielmehr – übrigens ganz im Sinn der Jesajastelle – sagen, daß gerade in jenem Teil Israels, der am stärksten von heidnischer Bevölkerung durchsetzt war, die eschatologische Wende *für Israel* ihren Anfang nahm. Gerade in dem von den Heiden überfremdeten Galiläa leuchtete dem Volk Israel das helle Licht Gottes auf (4,16). Von dieser in 4,12–17 deutlich formulierten Voraussetzung her ist der Vorbau der Bergpredigt zu interpretieren.

Mit Hilfe einer Kombination von Mk 1,39 und 6,6b sagt Matthäus in 4,23: Jesus durchzog ganz Galiläa – lehrend, verkündend und heilend. In diesem und dem folgenden Vers verwendet der Evangelist zweimal ὅλος und dreimal πᾶς, ein deutliches Signal, daß er eine *umfassende* Wirksamkeit Jesu ausdrücken will. Sie ist so umfassend und so wirksam, daß die Kunde hiervon sogar „ganz Syrien erreicht" (4,24a).

Selbstverständlich will Matthäus mit diesem vielumrätselten Satz keine Wirksamkeit Jesu im nichtisraelischen Norden andeuten. Eine solche Interpretation ist durch Mt 10,5 und 15,24 absolut ausgeschlossen. Und reine Spekulation ist die Vermutung, hier werde ein Hinweis auf die künftige Heidenmission gegeben. Man muß Mt 4,24a konsequent aus seiner Funktion am Ende des Summariums interpretieren. Matthäus hatte in Mk 1,28 den Satz gelesen: καὶ ἐξῆλθεν ἡ ἀκοὴ αὐτοῦ εὐθὺς πανταχοῦ εἰς ὅλην τὴν περίχωρον τῆς Γαλιλαίας. Er deutete die περίχωρος τῆς Γαλιλαίας auf Syrien und setzte den Satz an das Ende des Summariums, weil er glänzend die Macht des Wirkens Jesu *in Galiläa* zu beleuchten vermochte: So sehr war ganz Galiläa von dem Wirken Jesu erfüllt, daß sich die Kunde von diesem Wirken sogar in ganz Syrien verbreitete. Damit ist dann auch klar, daß mit Syrien nicht wie in Lk 2,2 die römische Provinz gemeint sein kann, sondern nur diejenigen Gebiete jenseits der nördlichen Grenzen Galiläas, die man damals *aus jüdischer Sicht und vom jüdischen Standpunkt aus* als Syrien bezeichnete.

Gerade weil sich Matthäus in dem Summarium 4,23–24a so konsequent auf ein Wirken Jesu in Galiläa beschränkt, ist es nun allerdings besonders auffällig, daß er schon in 4,25 die Wirksamkeit Jesu erweitert:

„Und es folgten ihm große Scharen aus Galiläa,
der Dekapolis, Jerusalem, Judäa und Peräa."

Das ist zwar so formuliert, daß der Standort und Wirkungsbereich „Galiläa" von Jesus keineswegs verlassen wird. Aber es erhebt sich natürlich die Frage, ob nun nicht doch *indirekt* durch die Nennung der Herkunftsgebiete der Volksscharen die Wirksamkeit Jesu auf Nicht-Israel entschränkt wird. Tatsächlich denkt eine Reihe von Auslegern bei dem Stichwort „Dekapolis" sofort wieder an heidnisches Gebiet und an Vorabschattungen künftiger Heidenmission.

In Wirklichkeit hat Matthäus in seinem gesamten Evangelium *innerhalb der berichtenden Rede* mit Heidenmission nichts im Sinn, ja er ist geradezu darauf bedacht, so etwas wie Wirken an Heiden von 4,25 ganz und gar auszuschließen.

Wo kommen die Scharen, die Jesus zu diesem Zeitpunkt nachfolgen und die schon dabei sind, sich als Hörer der Bergpredigt um ihn zu versammeln, nach der Meinung des Matthäus her? Sie kommen gerade nicht aus Idumäa und aus Tyrus und Sidon, wie Markus (3,8) geschrieben hatte. Matthäus streicht diese drei Angaben, offenbar weil er mit ihnen heidnisches Gebiet assoziiert.

Zumindest bei Tyrus und Sidon ist das evident, vgl. Mt 15,21–28. Bei der Streichung von Idumäa (= Edom) könnte Jes 34 eine entscheidende Rolle gespielt haben. Denn dort wird ja das Gebiet von Edom für immer verflucht (34,17) und zum Ort der Dämonen erklärt. In der rabbinischen Diskussion spielte allerdings Dtn 2,5 eine viel bedeutendere Rolle. Auf der Basis dieses Textes bildete sich eine Traditionslinie, die annahm, daß das Gebiet von Edom nicht zum Land Israel gehöre.

Was Matthäus aus Mk 3,7–8 beibehält, sind Galiläa, Jerusalem, Judäa und Peräa. Damit übernimmt er aber präzis jene drei Gebiete, welche die Rabbinen aufzählen, wenn sie flächendeckend Gesamt-Israel umschreiben wollen. Da es innerhalb Israels Differenzen in der Rechtspraxis gab, war es nämlich notwendig, zwischen Judäa, Peräa und Galiläa zu unterscheiden. Alle drei Gebiete zusammen ergeben Israel.

Sieht man die Präzision, mit der Matthäus aus der Liste Mk 3,7–8 die israelischen Gebiete übernimmt und die nichtisraelischen ausscheidet, so muß man annehmen, daß für ihn die Neuhinzufügung der Dekapolis konsequent auf der schon bisher von ihm verfolgten Linie liegt. Aber wie kann Matthäus die hellenistischen Zehnstädte mit seinem Israel-Programm zusammenbringen?

Es wäre mit Sicherheit zu wenig, würde man hier nur auf die starken jüdischen Minderheiten in der Dekapolis hinweisen. Solche Minderheiten gab es auch in Tyrus und Sidon. Offenbar geht es Matthäus gar nicht so sehr um die gegenwärtige Verteilung der Bevölkerung, sondern um das Israel der Väter. Im Augenblick der großen programmatischen Rede Jesu soll das ganze Israel der Väter präsent, oder besser: repräsentiert sein. Das Gebiet der Dekapolis hatte aber einst zum davidischen Großreich gehört. Und noch die Hasmonäer hatten um die Städte der Dekapolis gekämpft – nicht nur aus politischem Machthunger, sondern auch von der altorthodoxen Heilshoffnung bestimmt, das endzeitliche Israel aufzurichten. Auf jeden Fall müßte bei der Auslegung von Mt 4,25 endlich einmal darauf geachtet werden, daß es im Alten Testament, besonders im deuteronomistischen Geschichtswerk, dezidierte Theorien über den wahren Umfang des „Landes" gibt, in denen die politische Realität, die seit der Reichsteilung eingetreten war, weit überschritten wird. Seit dem Untergang des Davidsreiches ist in Israel immer wieder die Frage gestellt worden: Wie groß ist das Land, wo verlaufen seine Grenzen? Diese Frage war wichtig, weil es dabei letztlich um das von Jahwe geschenkte Erbe ging. Die Frage nach den Grenzen des Landes war aber auch deshalb so wichtig, weil sie mit der Frage nach der *Geltung der Gebote* in engstem Konnex stand: Die Gebote sind gegeben für das Leben im Land. Dieser Konnex, den vor allem das Deuteronomium klar formuliert, bleibt auch im späteren Judentum stets bewußt. Es ist deshalb kein Zufall, daß Matthäus in 4,15.23.25 – also unmittelbar vor der feierlichen Proklamation der messianischen Tora – eine sorgfältige geographische Definition Israels bietet. Und es ist erst recht kein Zufall, daß Matthäus als einziger Evangelist in 2,20f so pointiert vom „Land Israel" spricht. Für ihn geht es bei dem Stichwort „Israel" zwar um alles andere als um eine Restitution des Volkes nach Muster der Makkabäer- und Hasmonäerkriege, aber es geht ihm eben doch um Gesamt-Israel, das der Messias Israels weiden soll (2,6), wenn er das Volk von seinen Sünden befreit hat (1,21).

Wir dürfen also sagen: Im Sinne des Evangelisten umschreiben die geographischen Bestimmungen von 4,25 das gesamte Israel: den Nordwesten (Galiläa), den Nordosten (Dekapolis), den Südwesten (Jerusalem und Judäa) und den Südosten (Peräa). Matthäus hat damit bereits eines seiner wichtigsten Ziele für den Vorbau der Bergpredigt erreicht: Der Ort der großen programmatischen Rede Jesu ist zwar Galiläa und nicht die Hauptstadt Jerusalem. Trotzdem sind bei der Bergpredigt um Jesus große Scharen (ὄχλοι πολλοί) aus allen Teilen des Landes versammelt. Sie repräsentieren das von Jesus zu sammelnde Gesamt-Israel.

2. Die Kranken des Gottesvolkes (4,23.24 b–e)

Wir hatten bereits gesehen, daß Matthäus den Heilungen Jesu im Vorbau der Bergpredigt bevorzugten Raum gewährt. Er begnügt sich nicht mit dem θεραπεύων πᾶσαν νόσον καὶ πᾶσαν μαλακίαν ἐν τῷ λαῷ des Summariums, sondern konkretisiert die Heilungstätigkeit Jesu noch in 24 b–e. Welche Zielsetzung verfolgt er dabei? Offenbar mehrere!

Zum ersten hat ja, wie wir sahen, das Summarium 4,23–24 a nicht nur die Bergpredigt, sondern auch den Wunderzyklus 8,1 – 9,34 einzuleiten. Mit dem διδάσκων wird die Bergpredigt, mit dem θεραπεύων der Wunderzyklus vorbereitet.

Wichtiger als dieser literarische Aspekt ist allerdings die theologische Funktion der gezielten Hinweise auf die Krankenheilungen Jesu. Die Bergpredigt enthält eine Vielzahl höchst radikaler und harter Forderungen. Und Jesus verlangt, daß man seine Worte nicht nur hört, sondern sie auch tut (7,21–27). Seine Worte sind die definitive, endzeitliche Auslegung der Tora (5,17–20) und verlangen damit unverbrüchlichen Gehorsam, so wie von Israel unverbrüchlicher Tora-Gehorsam gefordert worden war. Aber bevor von Israel Tora-Gehorsam verlangt wurde, hatte Gott sein Volk errettet und in die Freiheit geführt. Dem Tun des Volkes war die befreiende Tat Jahwes vorausgegangen. Analog dazu gehen nun auch den Forderungen der Bergpredigt die messianischen Taten Jesu voraus. Zwar werden diese Taten im einzelnen erst im Anschluß an die Bergpredigt im Wunderzyklus 8,1–9,34 erzählt. Erst dort kann das Neue und Unerhörte der Heilungswunder Jesu wirklich aufgedeckt werden: „So etwas ist in Israel noch nie geschehen“ (9,33). Trotzdem haben diese messianischen Taten Jesu in der Form des Summariums bereits vor der Bergpredigt ihren notwendigen und unaufgebbaren Ort. Denn auf diese Weise kann Matthäus zeigen: Bevor radikaler Gehorsam gegenüber der Lehre Jesu verlangt wurde, war das Heil schon geschenkt worden. Und bevor die bessere Gerechtigkeit (5,20) gefordert wurde, waren in Israel längst die neuen, alles Frühere übertreffenden Wunder geschehen. Der Didache der Bergpredigt ging das helle Licht des Evangeliums (4,15–17; vgl. 4,23) und das Wunder neuen Lebens (4,23 f) voraus.

Die starke Betonung der Heilungswunder Jesu im Vorbau der

Bergpredigt hat aber noch eine dritte Funktion: In Mt 4,23–25 zielen nicht nur die geographischen Angaben auf den Volk-Gottes-Gedanken, sondern eben auch die Herausarbeitung der heilenden und befreienden Wirksamkeit Jesu. Denn Matthäus ergänzt gegenüber seinen entsprechenden Vorgaben aus Markus noch πᾶσαν νόσον καὶ πᾶσαν μαλακίαν. Das ist ohne Zweifel eine Anspielung auf Dtn 7,15: περιελεῖ κύριος ἀπὸ σοῦ πᾶσαν μαλακίαν καὶ πάσας νόσους Αἰγύπτου. In Dtn 7,15 ist das Gottesvolk als ganzes angesprochen, und um eben dieses Gottesvolk in seiner Gesamtheit geht es auch bei den Heilungen im Vorbau der Bergpredigt. Damit das auch ganz deutlich ist, fügt Matthäus eigens noch hinzu: „er heilte jede Krankheit und jedes Leiden ἐν τῷ λαῷ". Jesus heilt also nicht nur aus Mitleid mit einzelnen Kranken, sondern vor allem, um in Israel die messianische Heilszeit heraufzuführen. Das Gottesvolk in seiner Gesamtheit soll von seinen Krankheiten und Zwängen befreit werden. Jesus zeigt sich auch hier als der Hirte des Volkes Israel (2,6); als das helle Licht des Volkes, das im Dunkel und im Schattenreich des Todes sitzt (4,16); als der lang Erwartete, der Israel von seinen Leiden befreit und seine Krankheiten von ihm nimmt (8,17); als der Sohn Davids, der das Brot der Heilung allein den Kindern des Hauses Israel austeilen darf (15,21–28); als derjenige, dessen Heilungswunder das Volk zum Lobpreis „des Gottes Israels" verlocken (15,29–31).

Damit sind wir nun in der Lage, die Rolle der Volksscharen im Vorbau der Bergpredigt noch genauer zu bestimmen: Diese Volksscharen repräsentieren nicht nur das von Jesus zu sammelnde Gesamt-Israel, sondern sie repräsentieren darüber hinaus ein Israel, dem die Befreiung schon geschenkt ist, dem das Evangelium schon angeboten ist und dem sich die messianische Heilszeit bereits erfüllt.

3. Die Forderung an Israel (5,1 f; 7,28 f)

Der Rahmen der Bergpredigt hat sich uns bisher als durchdachte und höchst konsequent angelegte theologische Komposition erwiesen. Zu klären sind nun freilich noch die Funktion des Berges (5,1), die Rolle der Jünger (5,1) und die Reaktion des Volkes auf die Rede (7,28 f).

Wenn Matthäus mithilfe der Volksscharen bewußt die symbolische Anwesenheit Gesamt-Israels herausgearbeitet hat, kann bei dem „Berg“ eigentlich nur eine Sinai-Typologie vorliegen. Das heißt: Was sich hier auf diesem Berg ereignet, ist bezogen auf die Offenbarung vom Berg Sinai und überbietet sie zugleich. Diese Überbietung geschieht genauerhin dadurch, daß nun die Sinai-Tora ihre endzeitlich-definitive Auslegung erfährt. Ihr eigentlicher Sinn wird aufgedeckt. Mit der Formel „Den Alten ist gesagt worden ... ich aber sage euch“ (Mt 5,21.33) wird derart deutlich ein antithetischer Bezug zwischen Sinai-Tora und Jesus-Didache hergestellt, daß die Wendung ἀνέβη εἰς τὸ ὄρος (5,1) ebenfalls antithetisch bzw. antitypisch auf den Sinai bezogen sein muß, zumal in Ex 19,3; 24,15.18; 34,4 LXX genau dieselbe Formel für das Besteigen des Offenbarungsberges durch Mose verwendet wird.

Abwegig ist für den Term ὄρος in Mt 5,1 die oft vorgeschlagene Übersetzung mit „Bergland“. Denn dann hätte auch die Erscheinung des Auferstandenen (Mt 28,16–20) nicht „auf dem Berg“, sondern „im Bergland“ von Galiläa stattgefunden. An solcherart Details ist aber Matthäus weder hier noch dort interessiert. „Der Berg“ hat bei ihm eine eminent *theologische* Bedeutung. Versteht man ihn antitypisch zum Sinai, so fügen sich die Volksscharen, die Gesamt-Israel repräsentieren und die nach der matthäischen Darstellung selber den Berg nicht besteigen (das tun nur Jesus und seine Jünger), hervorragend ins Bild. Sie entsprechen dann dem Volk Israel, das um den Offenbarungsberg lagerte.

Nicht das Volk, sondern nur die Jünger besteigen also mit Jesus den Berg. Die Jünger können zu Jesus „hintreten“. Dieses προσέρχεσθαι ist im Matthäusevangelium häufig und wird besonders gern für das Hinzutreten der *Jünger* zu Jesus verwendet. Es findet sich auffälligerweise auch in der Rahmung der *Gemeinderede* (18,1) und der *Endzeitrede* (24,1), die beide allein die Jünger als Adressaten haben. Und innerhalb der *Gleichnisrede* eröffnet und markiert προσέρχεσθαι jene beiden Redeteile, die ausschließlich den Jüngern gelten und nicht dem Volk, vgl. 13,10–23 und 13,26–52. Daraus darf man nun freilich nicht den Schluß ziehen, in 5,1 wäre das Hinzutreten der Jünger ein Hinweis an den Leser, daß nur die Jünger Hörer der Bergpredigt gewesen seien. Eine solche Vermutung würde durch 7,28f eindeutig widerlegt. Trotzdem hat die Tatsache, daß allein die Jünger bei Jesus auf dem Berg sind und daß sie zu ihm „hintreten“, ihr Gewicht und ihre Bedeutung. Matthäus will damit klarstellen: Die Jünger sind in einem besonders qualifizierten Sinn die Hörer der Bergpredigt. Ihnen gilt sie vor allen anderen. Zwischen der Lehre, die Jesus hier vorlegt, und der Jüngerschaft besteht ein tiefer Bezug. Die Bergpredigt ist Jünger formende Didache.

Dieser besondere Bezug zwischen der Didache Jesu und der Jüngerexistenz wird am Ende des Matthäusevangeliums noch einmal verdeutlicht. Gemäß den für die Theologie des 1. Evangeliums außerordentlich wichtigen Sendungsworten des Erhöhten in 28,18–20 soll ja den künftigen Jüngergemeinden unter den Völkern all das zu halten gelehrt werden, was Jesus einst in fünf großen Reden (einmal sogar auf demselben Berg!) seinen Jüngern aufgetragen hatte: διδάσκοντες αὐτοὺς τηρεῖν πάντα ὅσα ἐνετειλάμην ὑμῖν (28,20). Zwischen ἐντέλλομαι und διδάσκω ist in diesem Fall kein sachlicher Unterschied: die Jünger sollen als Lehre weitergeben, was sie zuvor als Lehre empfangen haben. Durch die Weitergabe der Lehre Jesu formen sie dann selbst neue Jüngergemeinden. Der innere Bezug zwischen der Didache Jesu und der Entstehung von Jüngerschaft liegt hier auf der Hand.

Allerdings werden die Jüngergemeinden unter den Völkern nicht allein durch die Weitergabe der Didache Jesu konstituiert. Genauso wesentlich ist die Taufe, die für Matthäus selbstverständlich Glaube und Umkehr miteinschließt. Deshalb ist in Mt 28,19f der Weitergabe der Lehre die Taufe gleichgeordnet:

μαθητεύσατε πάντα τὰ ἔθνη
βαπτίζοντες αὐτούς ...
διδάσκοντες αὐτούς ...

Sieht man nun genau zu, so ist diese Doppelstruktur von Glaubensempfang und Empfang der Lehre bereits in Mt 4–7 grundgelegt. Der *„Glaubensempfang"* der Jünger geschieht in ihrer Berufung durch Jesus und in ihrer sofortigen Nachfolge (4,18–22). Der *Empfang der Lehre Jesu* geschieht bei der Bergpredigt. Dies ist der tiefere Grund, warum bei Matthäus die Geschichte von der Jüngerberufung als *einzige* Erzählung (vgl. oben unter II) der Bergpredigt vorangehen darf. Und dies ist nun auch der eigentliche Grund, weshalb die Jünger während der Bergpredigt unmittelbar bei Jesus stehen: Sie empfangen als Berufene, die schon die radikale Umkehr vollzogen haben, aus dem Mund Jesu die Didache für ihre Jüngerexistenz. So konstituiert sich die Jüngergemeinde durch die Berufung in die Nachfolge (4,18–22) und durch die Bergpredigt (5,3–7,27).

Die genaue Bestimmung der Rolle der *Jünger* im Vorbau der Bergpredigt erlaubt uns jetzt, die Rolle des *Volkes* noch weiter zu präzisieren. Bisher war ja der Bezug zwischen Jüngern und Volk noch offengeblieben. Auch hier kann der Blick auf Mt 28,19f weiterhelfen. Der Auferstandene gebietet dort, daß alle Völker zu Jüngern gemacht werden sollen. Gemeint ist: Die Jesus nachfolgenden und die Bergpredigt lebenden Jüngergemeinden sollen immer zahlreicher werden, bis sie die ganze Völkerwelt erfüllen. Dieser Auftrag ist nach dem Sich-Versagen Israels gesprochen.

Für die Zeit vorher, in der es noch um die Sammlung Israels geht, gilt nun aber ein analoger Bezug. Wie die Völker zu Jüngern gemacht werden sollen, so soll das Volk Israel in der Zeit, da es Umkehr und Nachfolge noch nicht verweigert hat, zur Jüngergemeinde gemacht werden. Deshalb wird den Repräsentanten Gesamt-Israels die Bergpredigt in feierlicher Form vorgelegt.

Die Reaktion der Volksscharen ist durchaus offen: Sie sind bestürzt (ἐξεπλήσσοντο) über die Lehre Jesu (7,28). Diese Bestürzung resultiert aus der Erkenntnis: Jesus lehrt wie einer, der Vollmacht hat (7,29). Und solche Erkenntnis könnte der erste Schritt zur Nachfolge sein. Tatsächlich folgen Jesus, als er von dem Berg herabgestiegen ist, große Volksscharen (8,1). Matthäus bringt diese Formel noch an einer Reihe von weiteren Stellen (12,15; 14,13; 19,2; 20,29; 21,9). Außerdem zeigt er: Das Volk staunt über die Taten Jesu (8,27; 9,33; 15,31), es preist Gott (9,8) und hält Jesus für einen Propheten (21,11.46). Aber gerade diese Einschätzung Jesu zeigt, daß es den Schritt zum wirklichen Verstehen nicht vollzogen hat. Das Volk hat gehört, aber nicht verstanden; es hat gesehen, aber nicht eingesehen (13,14). Sein Herz war verhärtet (13,15). Die Städte Israels haben sich trotz der vielen Wunder, die in ihnen geschehen sind, nicht bekehrt (11,20). Das Volk hat in der Stunde, in der es gerufen war, keine Frucht gebracht (21,41.43); Israel wollte sich nicht sammeln lassen (23,37).

Mit diesen letzten Feststellungen haben wir natürlich den Rahmen der Bergpredigt weit überschritten. In Mt 7,28f ist die Entwicklung noch völlig offen. Die Bestürzung des Volkes ist noch ambivalent. Noch könnte aus ihr Umkehr, wirkliche Nachfolge, ja Jüngerschaft werden. Zur Jüngerschaft jedenfalls ist das Volk berufen, so wie später die Völker zur Jüngerschaft berufen werden.

Mit all dem dürfte klar sein, daß die Volksscharen im Vorbau der Bergpredigt mehr sind als nur eine Art Kulisse, welche die programmatische Rede Jesu eindrucksvoll umrahmen soll. Sie stehen für Gesamt-Israel, das als Gottesvolk zur Jüngerschaft berufen ist und das sich nun zu entscheiden hat, ob es die definitive Auslegung der Sinai-Tora durch Jesus annimmt und dadurch zum wahren Gottesvolk wird.

Es dürfte aber auch klar geworden sein, daß die Bergpredigt keine *reine Jüngerbelehrung* darstellt, wie oft behauptet wird. So sehr diese These auch im ersten Augenblick als richtig erscheint und so viel Richtiges sie sieht – sie übersieht die zu diesem Zeitpunkt prinzipielle Offenheit des Jüngerkreises für ganz Israel. Der Jüngerkeis im Vorbau der Bergpredigt ist *das* Israel, das schon glaubt und das die Umkehr bereits vollzogen hat – aber er ist noch ganz offen und ganz und gar bezogen auf jenes Israel, das noch zum wahren Gottesvolk werden soll. Es ist also wohlbegründet, daß Matthäus die Bergpredigt nicht nur an die Jünger, sondern darüber hinaus an die Volksscharen aus ganz Israel gerichtet sein läßt. Die beiden Gruppen sind nicht austauschbar. Keine von ihnen dürfte fehlen.

Damit sind wir nun in der Lage, die Rolle der Volksscharen im Vorbau der Bergpredigt ein drittes Mal zu präzisieren:

1. Diese Volksscharen repräsentieren das von Jesus zu sammelnde Gesamt-Israel.

2. Sie repräsentieren darüber hinaus ein Israel, dem die Befreiung schon geschenkt ist, dem das Evangelium schon angeboten ist und dem sich die messianische Heilszeit bereits erfüllt.

3. Sie repräsentieren aber auch ein Israel, das unter den Anspruch der endzeitlichen Tora-Auslegung Jesu gestellt ist, dem die Israel zur Jüngergemeinde formende Didache vorgelegt wird und das sich nun definitiv zu entscheiden hat, ob es seine Berufung, das wahre Israel zu sein, wahrnimmt oder nicht.

Bevor wir nach den Konsequenzen fragen, die sich aus der Rahmung der Bergpredigt ergeben, ist zunächst noch auf ein Stück matthäischer Theologie hinzuweisen, das erst im zweiten Teil des Evangeliums zum Tragen kommt:

Nach der Darstellung des Matthäus, die der des Lukas in diesem Punkt sehr nahekommt, hat sich der größere Teil Israels der Botschaft Jesu verweigert. Diese Verweigerung wird ratifiziert, als das Volk vor dem Richterstuhl des Pilatus den Tod Jesu fordert und dabei ruft: „Sein Blut über uns und unsere Kinder!" (27,25). Matthäus läßt an dieser Stelle nicht nur einen Volkshaufen agieren, sondern das ganze Volk (πᾶς ὁ λαός). Demgegenüber verwirklicht die Jüngergemeinde, die sich um Jesus gesammelt hat, die Berufung Israels und lebt sie als das wahre Israel, das nun den Völkern offensteht. Da Matthäus seinem Evangelium kein zweites Buch hinzugefügt hat, kann er nicht wie Lukas die Entwicklung der Jüngergemeinde zur Kirche und noch weniger die Entwicklung zur Heidenkirche darstellen. Er deutet diese Entwicklung aber innerhalb der „berichteten Rede" durch mehrere Jesusworte, die jeweils im Futur stehen, an. Wichtig sind vor allem 21,43 („das Reich Gottes wird euch genommen und einem Volk gegeben werden, das die Früchte des Reiches bringt") und 16,18 („... auf diesen Felsen werde ich meine Kirche bauen"). So zeigt sich im Fortgang des Matthäusevangeliums, daß aus der Jüngergemeinde, die durch Berufung und Übergabe der Didache Jesu konstituiert wurde, die Kirche werden wird. Und der Adressat des Evangeliums als solchen ist natürlich diese Kirche, die zur Zeit des Matthäus längst zum Gottesvolk aus Juden und Heiden geworden ist.

Es ist deshalb völlig richtig und durchaus im Sinn des Matthäus, wenn vom größeren Teil der Ausleger gesagt wird: *Die Bergpredigt richtet sich an die Kirche* oder vorsichtiger: *In den Jüngern, die bei der Bergpredigt um Jesus versammelt sind, wird die spätere Kirche im voraus abgebildet.* Aber trotz ihrer Richtigkeit stehen diese Aussagen in der Gefahr, die matthäische Darstellung zu vereinfachen. Denn Matthäus denkt, gerade weil er heilsgeschichtlich denkt, differenziert historisch. Für ihn richtet sich die Bergpredigt eben nicht nur an den Jüngerkreis, sondern an das zu sammelnde Israel, das in diesem Augenblick noch zu entscheiden hat, ob es seiner Berufung als Volk Gottes gerecht wird. Matthäus legt größten Wert darauf (und er dürfte darin die Intentionen des historischen Jesus genau getroffen haben), daß es um das Gottesvolk, daß es um Gesamt-Israel geht. Wer zu schnell und zu abstrakt von „Kirche“ spricht, übersieht meist die Tatsache, daß in der biblischen Tradition mit dem Volk-Gottes-Gedanken sehr konkrete Inhalte verbunden sind.

Zum Beispiel: Das Gottesvolk steht nicht nur in der Berufung und Erwählung, sondern auch unter dem Gericht Gottes. Es kann seine Berufung verspielen. Genau das hat nach Matthäus der größere Teil Israels getan. Und für Matthäus ist die Krisis Israels durchaus transparent für die Kirche. Auch diese steht – wie einst Israel bei der Proklamation der Bergpredigt – in der Entscheidung. Wird sie den Weg der Nachfolge und Jüngerschaft gehen oder wird sie nur über die Bergpredigt staunen, Jesus für einen bemerkenswerten Propheten halten und sich ihm in der Stunde der Wahrheit versagen? Nur wenn man die von Matthäus für die Rahmung der Bergpredigt bewußt hergestellte Spannung zwischen dem noch unentschiedenen Gottesvolk und den bereits nachfolgenden Jüngern bestehen läßt, begreift man die erschreckende Transparenz der Bergpredigt für die nachösterliche Kirche.

Mit dem Volk-Gottes-Thema ist aber auch noch anderes angesprochen. So wird zum Beispiel Israel am Sinai auf eine handgreifliche *Gesellschafts- und Sozialordnung* verpflichtet. Nichts anderes ist nämlich die Tora. Wenn es stimmt, daß der matthäische Jesus die Tora nicht etwa abrogiert, sondern ihren wahren Sinn enthüllt und Gesamt-Israel auf diese seine endzeitliche Auslegung der Sinai-Tora verpflichtet, dann ist es schon allein von hier aus gesehen exegetisch grundfalsch zu behaupten, die Bergpredigt sei an dem Thema „Sozialbeziehungen“ oder an dem Thema „Gesellschaft“ prinzipiell nicht interessiert.

Sie ist an diesem Thema nur insofern nicht interessiert, als sie sich nicht um die *heidnische* Gesellschaft und deren Sozialbeziehungen kümmert. Sehr wohl aber geht es der Bergpredigt um die gesellschaftliche Größe „Gottesvolk“. Das von Jesus berufene und gesammelte endzeitliche Gottesvolk soll, durch die Didache Jesu geformt, zu einer Gemeinschaft von Jüngern werden, in der die bessere Gerechtigkeit gelebt wird, so daß eine „Gesellschaft“

entsteht, die zur „Stadt auf dem Berg“ und zum „Licht der Welt“ wird (5,14).

Es ist gewiß richtig, daß innerhalb der Bergpredigt gesellschaftliche Konflikte weder kasuistisch noch normativ gelöst werden. Das wäre auch gar nicht sinnvoll gewesen. Die Didache der Bergpredigt gibt in prophetisch-provokativer und in weisheitlicher Form Grundlinien an, mit deren Hilfe und nach deren Maßstab die Sozial- und Gesellschaftsordnung vom Sinai durch die vom Geist erfüllte Jüngergemeinde je neu auszulegen ist. Dabei entstehen dann durchaus auch Normen, die im Binnenraum der Gemeinden ihre Geltung und ihren Sinn haben. Teilweise sind solche Normen christlicher Gemeinden schon in die Bergpredigt selbst eingedrungen, etwa im Fall der Unzuchtsklausel 5,32.

Die Formel: *Die Bergpredigt richtet sich an die Kirche* ist also zumindest mißverständlich, weil im neuzeitlichen Kirchenbegriff die gesellschaftliche Dimension des biblischen Volk-Gottes-Gedankens massiv unterbewertet ist. Grundfalsch aber wird alles, wenn die Frage nach den Adressaten und der gesellschaftlichen Verbindlichkeit der Bergpredigt mit der hermeneutischen Formel gelöst wird: *Jesus redet zunächst den Einzelnen an. Freilich soll der Einzelne dann in die Gesellschaft hineinwirken.* Diese Formel kann man sehr häufig hören – paradoxerweise auch von Exegeten, die dann an anderer Stelle durchaus wissen, daß der Adressat der Bergpredigt die *Kirche* beziehungsweise die *Jünger* sind. Gerade diese verwirrende Unklarheit zeigt, daß es mit der Auskunft *Adressat ist die Kirche* nicht getan ist. Als Adressat der Bergpredigt muß das Volk Gottes gesehen werden, das durch die endzeitliche Tora-Auslegung Jesu zur Jüngergemeinde geformt werden soll. Matthäus hat das durch die hochreflektierte und sorgfältig komponierte Rahmung der Bergpredigt deutlich genug vor Augen gestellt.

Die Bergpredigt richtet sich also nicht an den isolierten Einzelnen, sie richtet sich auch nicht an eine Elite innerhalb der Kirche und sie richtet sich erst recht nicht unmittelbar an die gesamte Welt. Sie ist vielmehr die Richtschnur der Kirche, die als das wahre Israel zum Salz der Erde und zum Licht der Welt werden soll. In diesem Sinne ist die Bergpredigt übrigens auch universal und auf alle Menschen bezogen. Aber eben nur über die Kirche, die alle Völker zu Jüngergemeinden machen soll.

Erst innerhalb dieser Koordinaten kann dann auch die *Erfüllbarkeit der Bergpredigt* bejaht werden. Für den isolierten Einzelnen ist die Bergpredigt letztlich unerfüllbar. Dasselbe gilt für die Menschheit im ganzen, insofern sie der Botschaft Jesu neutral oder gar ablehnend gegenübersteht oder in Jesus höchstens einen in manchem faszinierenden „Propheten“ sieht. Erfüllbar wäre die Bergpredigt aber in einer Kirche, die sich als Volk Gottes, in dem die alles übertreffenden Wunder schon geschehen sind und in dem sie noch immer geschehen (vgl. Mt 10,8), auf den Weg der Nachfolge begeben würde.

VI

Indikativ und Imperativ bei Paulus

Von Jost Eckert, Trier

Das Problem der paulinischen Ethik ist weitgehend identisch mit der Bestimmung des Verhältnisses zwischen den indikativischen Heilsaussagen und den imperativischen sittlichen Weisungen und den in diesem Zusammenhang fallenden Gerichtsaussagen. Die neuere Diskussion zu dieser Thematik hat R. Bultmann mit seinem 1924 erschienenen Aufsatz: „Das Problem der Ethik bei Paulus" eingeleitet[1]. Daß wir den Begriff „Ethik" nur mit Vorbehalt verwenden dürfen, da die paulinischen Briefe nicht ein in sich geschlossenes ethisches System bieten, versteht sich. Paulus ist zwar ein prinzipieller Denker, aber seine Briefe sind nicht Traktate einer theologischen Systematik.

Der exegetische Befund der Indikativ-Imperativ-Thematik ist kurz skizziert folgender: Es gibt zahlreiche Aussagen, die die Erlösung des Glaubenden, seine Befreiung von der Sündenmacht, seine Rechtfertigung und Heiligung verkünden – wer „in Christus" ist, ist „neue Schöpfung" (2 Kor 5,17; vgl. Gal 6,15) –; daneben gibt es nicht weniger starke Äußerungen, die den Glaubenden mit ethischen Forderungen konfrontieren und ihn gelegentlich mit dem Hinweis auf das Gericht ermahnen, sein Heil „mit Furcht und Zittern" zu wirken (vgl. Phil 2,12). Wie verhalten sich Indikativ und Imperativ zueinander? Das Hauptproblem ist mehr die Zuordnung des Imperativs zum Indikativ als umgekehrt, es sei denn, man beurteilt den Indikativ als illusionäre Glaubensaussage. Indikativ und Imperativ können sprachlich eng verbunden sein wie in dem Satz: „Wenn wir im Geist leben, laßt uns auch im Geist wandeln" (Gal 5,25; vgl. auch 1 Kor 5,7; Röm 6,11–19; Gal 5,1.13). Der Imperativ kann in Partizipform auftreten[2], wie überhaupt die Begriffe „Imperativ" und

---

[1] R. Bultmann, Das Problem der Ethik bei Paulus, in: ZNW 23 (1924) 123–140.

[2] Vgl. F. J. Ortkemper, Leben aus dem Glauben. Christliche Grundhaltungen nach Römer 12–13 (NTA NF 14) (Münster 1980) 15–18.

„Indikativ" in unserer Diskussion nicht grammatikalisch eng zu fassen sind. Das Indikativ-Imperativ-Verhältnis schlägt sich bekanntlich auch in der Anlage einiger Paulusbriefe nieder, wenn dem sogenannten lehrhaft-dogmatischen Teil der paränetische folgt (vgl. Gal; Röm), wobei jedoch im lehrhaften Teil schon diese Indikativ-Imperativ-Dialektik vorhanden sein kann (vgl. Röm 6,1 - 7,6; 8,1-17).

Im Grunde sind mit der hier zur Diskussion stehenden Thematik fast alle Probleme der Paulusforschung verbunden. Genannt seien nur die Stichworte: Gesetz und Evangelium, Taufe und Rechtfertigung, sittliche Verpflichtung und Gericht. Die folgenden Ausführungen wollen im 1. Teil durch den Blick in die Forschungsgeschichte die Vielschichtigkeit des Problems bewußt machen. Der 2. Teil versucht aufzuzeigen, wie sehr die Paränese des Apostels in seinem Evangelium verankert ist und Imperativ und Indikativ zusammengehören. Der abschließende 3. Teil bringt die Relevanz des Themas in einigen Kernpunkten für die Theologie der Gegenwart zur Sprache.

I. Das Indikativ-Imperativ-Problem in der Paulusforschung[3]

R. Bultmann hat mit Recht in seinem oben erwähnten Aufsatz, den W. Schrage als „epochemachend" bezeichnet[4], all jene Deutungen des Nebeneinanders von Indikativ und Imperativ bei Paulus zurückgewiesen, die den Indikativ und den Imperativ für sich nehmen und historisch-psychologisch zu erklären suchen, ohne die Zusammengehörigkeit der sich widersprechenden Aussagen festzuhalten[5].

Eine naheliegende Interpretation war hier etwa die Erklärung, daß die Heilsaussagen des Apostels dem Enthusiasmus der Neubekehrten entsprachen und – so die Deutung von P. Wernle[6] – der En-

[3] Vgl. F. Laub, Eschatologische Verkündigung und Lebensgestaltung nach Paulus. Eine Untersuchung zum Wirken des Apostels beim Aufbau der Gemeinde in Thessalonike (BU 10) (Regensburg 1973) 14–24; H. M. Schenke, Das Verhältnis von Indikativ und Imperativ bei Paulus (Dissertation Humboldt-Universität Berlin 1955/56) 6–42.
[4] W. Schrage, Ethik des Neuen Testaments (NTD Ergänzungsreihe 4) (Göttingen 1982) 158.
[5] Bultmann, Ethik 123.
[6] P. Wernle, Der Christ und die Sünde bei Paulus (Freiburg i. B. und Leipzig 1897).

thusiasmus der Naherwartung das Problem der Sünde für Paulus gar nicht erst aufkommen ließ. Viel zitiert wird in diesem Zusammenhang auch die Aussage von H. J. Holtzmann, der vom „himmelstürmenden Idealismus“ sprach[7] und meinte, daß Paulus mit seinen indikativischen Aussagen der Wirklichkeit des christlichen Lebens nicht gerecht geworden sei und als Seelsorger genötigt gewesen wäre, nachträglich paränetische Imperative in der Verkündigung einzusetzen. Diese historisch-psychologische Interpretation, die dazu neigt, den Indikativ als schwärmerisch oder idealistisch zu beurteilen, hat sich in der Forschungsgeschichte nicht durchsetzen können. Man wird freilich nicht von vornherein die Möglichkeit ausschließen, daß Paulus aufgrund seiner seelsorgerlichen Erfahrungen im Laufe der Zeit den Imperativ zusammen mit den Gerichtsaussagen stärker den Glaubenden ins Bewußtsein gebracht hat als in der anfänglichen Heilsverkündigung – doch müßte diese Entwicklung vor der Abfassung des 1 Thess im wesentlichen stattgefunden haben – oder daß er bei der Zurückweisung eines falschen Verständnisses seiner Freiheits- und Rechtfertigungsbotschaft theologisch profilierter die imperativische Paränese hervorgekehrt hat[8].

Eine einseitige Bewertung des Indikativs auf Kosten des Imperativs ist bei den Erklärungsversuchen gegeben, die die Imperative nicht organisch den Indikativen zugeordnet sein lassen, sondern hauptsächlich als neben den Indikativen stehendes traditionelles paränetisches Material einstufen, das nicht so recht zum paulinischen Evangelium paßt. Nach H. Windisch hat Paulus die Paränese als Stoff der urchristlichen Missionsarbeit von der Synagoge übernommen. Der im Kontext der Paränese auftauchende Gerichtsgedanke entstamme ebenfalls der biblisch-jüdischen Tradition[9]. Eine einseitig formgeschichtliche und traditionsgeschichtliche Betrachtung des paränetischen Materials, wie sie z. B. durch die an sich verdienstvollen Arbeiten von M. Dibelius gegeben ist, tendiert eben-

[7] H. J. Holtzmann, Lehrbuch der Neutestamentlichen Theologie, 2. Bd. (Freiburg i. B. und Leipzig ²1911) 164.

[8] Vgl. O. Kuss, Heilsbesitz und Bewährung, in: Der Römerbrief, 2. Lieferung (Röm 6,11 – 8,19) (Regensburg 1959) 396–432, ebd. 410f.

[9] H. Windisch, Taufe und Sünde im ältesten Christentum bis auf Origenes (Tübingen 1908) 102 und 109.

falls dahin, den Imperativ im Vergleich zum Indikativ theologisch als sekundäre Größe abzuwerten[10]. So richtig es ist, daß eine rein geschichtliche Erklärung der Indikativ-Imperativ-Thematik grundsätzlich nicht gerecht wird, die traditionsgeschichtliche Frage muß im Hinblick auf die Paränese bei Paulus weiter wachgehalten werden, und die Vielfalt der Begründungen der ethischen Imperative in den Paulusbriefen ist ja auch durch neuere Arbeiten herausgestellt worden[11].

Grundsätzlich hat R. Bultmann viel Zustimmung erfahren, wenn er den *Sinn* des Nebeneinanders von Indikativ und Imperativ in den paulinischen Briefen zu erheben sucht und dabei betont, daß Paulus „den Imperativ gerade auf die *Tatsache* der Rechtfertigung gründet" und „aus dem Indikativ *ableitet*. Weil der Christ durch die Rechtfertigung die Sünde los ist, soll er gegen die Sünde kämpfen: εἰ ζῶμεν πνεύματι, πνεύματι καὶ στοιχῶμεν"[12]. In einer ersten kritischen Stellungnahme hat H. Windisch in seinem Aufsatz: „Das Problem des paulinischen Imperativs"[13] u. a. bemerkt, daß Bultmann zu einseitig den Imperativ mit der Rechtfertigungslehre in Beziehung setze und zu wenig die anderen Quellen, z. B. die Geist- und Taufaussagen, würdige. Nicht haltbar sei ferner die Ansicht, daß die Erlösung von der Sünde eine reine Glaubenswahrheit sei und nicht im Bereich des Wahrnehmbaren liegen würde. Windisch meint, „daß Paulus mit Nachdruck ein natürlich wahrnehmbares Leben im Geiste fordert und auch in der Durchführung dieses Gebotes – horribile dictu – *göttliche und menschliche Faktoren* in unlöslicher Vereinigung zusammenwirken läßt". Und zu der von K. Barth beeinflußten, der

---

[10] M. Dibelius, Die Formgeschichte des Evangeliums (Tübingen [6]1971) 239–241. D. betont den gemeinchristlichen Charakter zahlreicher paränetischer Abschnitte der Paulusbriefe und bemerkt dann: „So erklärt sich, daß die paränetischen Abschnitte der Paulusbriefe mit des Apostels theoretischer Begründung der Ethik sehr wenig zu tun haben; sie sind eben traditionell, Paulus gleicht in diesem Stück den anderen christlichen Missionaren" (240 f).

[11] Vgl. W. Schrage, Die konkreten Einzelgebote in der paulinischen Paränese. Ein Beitrag zur neutestamentlichen Ethik (Gütersloh 1961); O. Merk, Handeln aus Glauben. Die Motivierungen der paulinischen Ethik (MThSt 5) (Marburg 1968).

[12] Bultmann, Ethik 126. Vgl. H. Schlier, Der Brief an die Galater (KEK VII) (Göttingen [5]1971) 264–267 (Exkurs: Indikativ und Imperativ bei Paulus).

[13] H. Windisch, Das Problem des paulinischen Imperativs, in: ZNW 23 (1924) 265–281.

dialektischen Theologie entsprechenden Interpretation, daß der Indikativ nur die Veränderung des Menschen im Urteil Gottes, aber nicht eine real-wahrnehmbare Größe anzeige, sagt Windisch polemisch: „Niemand hätte dringender ein Kolleg von K. Barth, vielleicht auch von Bultmann, nötig gehabt als Paulus."[14] In seiner „Theologie des Neuen Testaments" hat Bultmann stärker die Tauf- und Pneumaaussagen als Begründungen des Imperativs bei Paulus berücksichtigt[15].

In der folgenden Zeit sind zahlreiche wissenschaftliche Beiträge und Abhandlungen erschienen, die den theologischen Standort des Imperativs im Zusammenhang mit dem paulinischen Verständnis von Taufe und Rechtfertigung weiter bedacht haben[16]. Sie im einzelnen hier vorzustellen, würde den Rahmen dieses Aufsatzes sprengen.

Daß für Paulus die Taufe ein sakramentales Geschehen ist, welches in zwar verborgener, aber doch realer Weise das neue Sein des Glaubenden konstituiert und sein In-Christus-Sein eröffnet, dürfte kaum zu bestreiten sein. Der Apostel wertet denn auch die Taufe im Aufruf zum neuen Leben paränetisch aus (vgl. bes. Röm 6). Die Hervorkehrung des ethischen Anspruchs der Taufe zeigt zugleich an,

---

[14] A.a.O. 278. W. bemerkt jedoch abschließend: „Es ist das Große an Paulus, daß er die Gottestat so stark betont und daß er den Imperativ, ohne seine Kraft abzuschwächen, an die Gottestat anzuschließen sich bemüht. Zu *vollem* organischem Anschluß kommt es bei ihm nicht. Seine ureigenste Schöpfung ist seine Lehre von der gnadenweisen Rechtfertigung. Sie organisch in die übrigen Traditionen, auf die er gleichen Wert legte, einzufügen, besser, diese ihr einzuordnen, ist ihm nicht gelungen" (ebd. 281).

[15] R. Bultmann, Theologie des Neuen Testaments (Tübingen ⁴1961) 332–341.

[16] Zur paulinischen Taufinterpretation vgl. G. Bornkamm, Taufe und neues Leben bei Paulus, in: Das Ende des Gesetzes, Gesammelte Aufsätze I (München 1952) 34–50; R. Schnackenburg, Das Heilsgeschehen bei der Taufe nach dem Apostel Paulus (München 1950); N. Gäumann, Taufe und Ethik. Studien zu Römer 6 (München 1967); H. Halter, Taufe und Ethos. Paulinische Kriterien für das Proprium christlicher Moral (Freiburg-Basel-Wien 1977); F. Hahn, Taufe und Rechtfertigung. Ein Beitrag zur paulinischen Theologie in ihrer Vor- und Nachgeschichte, in: J. Pöhlmann u. a., Rechtfertigung (F.S. f. E. Käsemann zum 70. Geburtstag) (Tübingen-Göttingen 1976) 95–124; U. Schnelle, Gerechtigkeit und Christusgegenwart. Vorpaulinische und nachpaulinische Tauftheologie (Göttingen 1982).
Zum Thema Rechtfertigung vgl. P. Stuhlmacher, Gerechtigkeit Gottes bei Paulus (FRLANT 87) (Göttingen ²1966) bes. 217–236; K. Kertelge, „Rechtfertigung" bei Paulus. Studien zur Struktur und zum Bedeutungsgehalt des paulinischen Rechtfertigungsbegriffs (NTA NF 3) (Münster 1967, ²1971) bes. 228–285.

daß für den Apostel das Taufgeschehen kein naturhaft-mythisches ist[17].

Da Taufe und Ethik eng zusammengehören – die Taufe ist ja mit dem Aufruf bzw. Willen zu einem neuen sittlichen Leben verbunden –, kann man fragen, ob die Indikativ-Imperativ-Thematik nicht schon mit der vorpaulinischen Tauflehre gegeben ist. Nach E. Dinkler ist jedoch das Indikativ-Imperativ-Verhältnis erst durch das hellenistische Taufverständnis, das nicht bloß „die Freiheit von den Sünden der Vergangenheit", sondern „ein Abgestorbensein der Sünde überhaupt" und das Sein-in-Christus verkündete, zum Problem geworden. In der Auseinandersetzung mit dem übersteigerten korinthischen Sakramentsglauben habe Paulus den ethischen Imperativ besonders betont (vgl. 1 Kor 10,1–13; Röm 6,1–11)[18]. K. Niederwimmer meint, daß Paulus, der mit den Gnostikern den gleichen enthusiastischen Ansatz in der Lehre vom neuen Sein der Glaubenden teile, im Unterschied zu ihnen jedoch „die vollen Konsequenzen" nicht gezogen habe. Seine besondere Leistung sei es gewesen, daß er nicht die Sündenfreiheit der Glaubenden wie die Enthusiasten im posse non peccare verkündet, sondern das πνεύματι στοιχεῖν mit konkreten Einzelgeboten bis hin zu Tugend- und Lasterkatalogen verbunden habe[19].

Die kontroverse Frage, ob die wenigen Aussagen des Paulus über die Taufe in organischer Beziehung zu seiner Rechtfertigungslehre stehen, hat K. Kertelge intensiv erörtert. Kertelge meldet gegenüber H. Schlier Bedenken an, der von der „sakramentalen Gerechtmachung" in der Taufe sprach[20], und wendet sich wohl mit Recht dagegen, „eine vollkommene Synthese von Tauf- und Glaubensaussagen des Apostels konstruieren zu wollen"[21]. Meines Erachtens neigen auch die neueren Monographien über die Taufe[22] zu einer Überakzentuierung der Tauftheologie bei Paulus. Der ethische Imperativ

---

[17] K. Kertelge, „Rechtfertigung" 235.
[18] Vgl. E. Dinkler, Zum Problem der Ethik bei Paulus, in: ZThK 49 (1952) 188–200, ebd. 197.
[19] K. Niederwimmer, Das Problem der Ethik bei Paulus, in: ThZ 24 (1968) 81–92, ebd. 89.
[20] Kertelge, „Rechtfertigung" 241 und 247.
[21] Ebd. 247.
[22] Vgl. z.B. Schnelle (s. Anm. 16).

gründet auch im Rechtfertigungsindikativ, und dieser besagt – wie gegen das protestantische „Simul-iustus-et-peccator“ betont wird –, daß der Christ wirklich ein Gerechtfertigter ist, der „in Christus“ der Sünde gegenüber tot ist (vgl. 1 Kor 1,30; 2 Kor 5,21 u.a.). Das in den indikativischen Heilsaussagen zum Ausdruck gebrachte Sein ist nicht ein noch zu erstrebendes Ideal, das erst durch die vom Imperativ urgierten Anstrengungen zu erreichen ist, sondern gnadenhaft geschenkte Wirklichkeit. Nach Kertelge „denkt Paulus allerdings ‚Gerechtigkeit‘ und ‚Rechtfertigung‘ weder ontisch im Sinne der griechischen Seinsphilosophie noch imputativ im Sinne einer nur äußeren Geltung, sondern dynamisch. ‚Gerechtigkeit‘ ist eine Kraft, die sich dem Menschen mitteilt und in ihm wirkt, ohne eine naturhafte Eigenschaft des Menschen selbst zu werden“[23]. Gegen ein anthropologisch verengtes Rechtfertigungsverständnis in der Paulusexegese haben insbesondere E. Käsemann und P. Stuhlmacher die Herrschaft Christi als Inhalt der Gottesgerechtigkeit, die eine verpflichtende Gabe ist und ihre geschichtlichen Auswirkungen im Bereich der Schöpfung zu zeigen hat, herausgestellt[24]. Der Imperativ fordert auf, im Herrschaftsbereich Christi zu bleiben.

Im Zusammenhang mit den Rechtfertigungsaussagen, die dem an Christus Glaubenden Gottes Gerechtigkeit allein aus Glauben und nicht aufgrund von Gesetzeswerken verkünden, stellen die Imperative, die den Christen auf das Gericht hinweisen, ein besonderes Problem dar. Steht dem Gerechtfertigten also doch noch ein Gericht nach den Werken bevor, das erst die endgültige Rechtfertigung bringt? Nach P. Stuhlmacher wird „der mit der Taufe gesetzte und auf das Endgericht zuführende Kampf des Christen... zwar ethisch ausgefochten, aber nicht ethisch entschieden, weil es in ihm um den Machtkampf Gottes des Schöpfers mit den Mächten dieser Welt geht“. Stuhlmacher macht sich die Interpretation von E. Fuchs zu eigen, daß die Rechtfertigung „nicht durch die Werke, aber im Werk

---

[23] Vgl. Kertelge, „Rechtfertigung“ 260. „Der Imperativ des neuen Lebenswandels ist in gleicher Weise im Indikativ der Taufaussage wie auch im Indikativ der Rechtfertigungsaussage begründet, ohne daß beide schlechthin zusammenfallen“ (ebd. 274).

[24] E. Käsemann, Gottesgerechtigkeit bei Paulus, in: ZThK 58 (1961) 367–378, = in: Exegetische Versuche und Besinnungen II (Göttingen ²1965) 181–193; Stuhlmacher, Gerechtigkeit, bes. 217–236.

des Gehorsams" erfolge[25]. K. Kertelge betont, „daß das sittliche Verhalten (des Gerechtfertigten) in der Zwischenzeit zwischen Rechtfertigung und Vollendung zwar nicht für die Begründung des Heils in der Gegenwart, wohl aber für seine letztgültige Gestalt, die es im Endgericht erfährt, Bedeutung hat"[26]. Die grundlegende Bedeutung der „doppelpoligen Eschatologie" des Paulus, nach der Gottes endzeitliches Heilshandeln „teils gegenwärtig, teils zukünftig" ist, für die Lösung des Indikativ-Imperativ-Problems stellt U. H. J. Körtner noch einmal heraus. Für ihn ist „die nicht aufhebbare Dialektik von Indikativ und Imperativ... die ethische Seite der Polarität von präsentischer und futurischer Eschatologie"[27]. Diese Sicht ist freilich nicht neu, verdient aber festgehalten zu werden, da das Zueinander von Indikativ und Imperativ durch die heilsgeschichtliche Situation des Christen seine besondere Zuspitzung erfährt.

Jedoch sei zum Schluß die Frage gestellt, ob nicht bei der traditionsgeschichtlichen Erörterung des Indikativ-Imperativ-Verhältnisses noch viel stärker als bisher bedacht werden muß, daß dieses mit dem biblischen Gottesbegriff (vgl. den Hinweis auf Jahwes heilsgeschichtliches Wirken an der Spitze des Dekalogs Ex 20,2; Dtn 5,6; Am 3,2 und das Heiligkeitsgesetz der priesterschriftlichen Tradition) und dem biblischen Glaubensverständnis (vgl. etwa die Bundestheologie des deuteronomistischen Geschichtswerkes) gegeben ist. „Dieser Gott fordert nicht, ohne gegeben zu haben."[28] Es gehört zur Grundstruktur des Glaubens Israels, daß Gottes Wort die Antwort des Menschen zur Folge hat, Erwählung, Rettung und Gewährung des Bundes die Verpflichtungen auf der Seite der Menschen nach sich ziehen und Gaben Aufgaben sind[29].

---

[25] Stuhlmacher, Gerechtigkeit 231.
[26] Kertelge, „Rechtfertigung" 258.
[27] U. H. J. Körtner, Rechtfertigung und Ethik bei Paulus. Bemerkungen zum Ansatz paulinischer Ethik, in: Wort und Dienst 16 (1981) 93–109.
[28] R. Smend, Ethik, III. Altes Testament, in: TRE X (1982) 423–435, ebd. 429.
[29] Vgl. C. Westermann, Theologie des Alten Testaments in Grundzügen (ATD-Ergänzungsreihe 6) (Göttingen 1978).

Bei der Frage nach dem Grund und Ort des sittlichen Imperativs, der weitgehend auch durch die Begriffe „Paränese“ oder (vielleicht sachgemäßer) „Paraklese“[30] bezeichnet werden kann, treffen wir auf das Evangelium des Apostels, in das seine ethischen Weisungen eingebettet sind. Diese stehen nicht – darüber besteht heute große Einstimmigkeit – etwa als neues Gesetz neben dem Evangelium, sondern sind integraler Bestandteil der paulinischen Heilsverkündigung[31]. So sehr die Gefahr gesehen wird, die traditions- wie formgeschichtlich betrachtet mannigfaltige paränetische Unterweisung des Apostels in ein vorgefaßtes Schema zu pressen, so sollen doch im folgenden gleichsam das theologische Koordinatensystem des Paulus und die Kernelemente seines Evangeliums als die Hauptorientierungsdaten seiner Paränese skizziert werden.

1. Das neue Gottesverhältnis in Christus

Der Vater Jesu Christi ist auch für Paulus den Apostel noch Jahwe, der Gehorsam fordernde, eifersüchtige Gott. Der Abschnitt über die Offenbarung des Zornes Gottes bei Juden und Heiden (Röm 1,18 – 3,20) zeigt, daß Paulus mit den ethischen Grundüberzeugungen der biblisch-jüdischen Tradition übereinstimmt, diese in der Völkerwelt verkündet und sie auch in gewisser Übereinstimmung mit der Schöpfungsordnung und dem Gewissen der Heiden sieht. Die Vernunft bedarf allerdings der Erleuchtung durch das Evangelium. Die vielfältige Rede vom Zorn Gottes und seinem Gericht in den Paulusbriefen[32] gibt den Horizont an, in dem auch das paulinische Evange-

[30] Vgl. A. Grabner-Haider, Paraklese und Eschatologie bei Paulus. Mensch und Welt im Anspruch der Zukunft Gottes (NTA NF 4) (Münster 1968); C. J. Bjerkelund, Parakalō. Form, Funktion und Sinn der parakalō-Sätze in den paulinischen Briefen (BTN 1) (Oslo 1967); H. Schlier, Die Eigenart der christlichen Mahnung nach dem Apostel Paulus, in: Besinnung auf das Neue Testament. Exegetische Aufsätze und Vorträge II (Freiburg-Basel-Wien 1964) 340–357. Vgl. R. Schnackenburg in diesem Band S. 32ff.

[31] Vgl. F. Mußner, Der Galaterbrief (HThK IX) (Freiburg-Basel-Wien 1974) 277–290 (Exkurs 5: Gesetz und Evangelium nach dem Galaterbrief).

[32] Vgl. 1 Thess 1,9f; 2,16; 5,9; 1 Kor 6,9f. 11,29.34; Gal 5,10; 5,21; 6,7–9; Röm 1,18 – 3,20; 4,15; 5,9; 9,22; 12,19; 13,4f.

lium steht, wenngleich sein Licht das Dunkel des Gerichts überstrahlt.

Ohne Zweifel hat aber das Gottesbild des Paulus durch seine Christuserfahrung bei Damaskus eine entscheidende Veränderung erhalten. Der Apostel nimmt jetzt teil an der neuen heilsgeschichtlichen Erfahrung derer, für die der gekreuzigte Jesus von Nazaret der Messias und der erhöhte Herr ist. Dieser bestimmt von nun an das Gottesverhältnis des Paulus sowie sein Denken und Handeln. Auch wenn in der Damaskusstunde die paulinische Rechtfertigungslehre mit der Aussage über Christus als „das Ende des Gesetzes"(Röm 10,4) noch nicht geboren worden war, so ist sie hier gezeugt worden. Gerechtigkeit und Heil vermittelt nicht die Toraobservanz – sie kann den neuen, erlösten Menschen nicht schaffen, denn das Gesetz ist ohnmächtig –, sondern das neue Leben wird durch die Verbindung mit dem Christusgeschehen ermöglicht. Die Verpflichtung zu einem sittlichen Leben, wie es durch die Gebote der alttestamentlichen Offenbarungstradition gefordert wird, ist jedoch keineswegs aufgehoben. Um dem Zorngericht Gottes zu entgehen (vgl. 1 Thess 1,10) und vor dem Herrn bei seiner Parusie bestehen zu können und das Reich Gottes zu erben (vgl. 1 Kor 6,9 f), ist in der Gemeinschaft mit Christus ein heiliges Leben erforderlich.

Da der Christ sich jedoch in der Gemeinschaft mit Christus gnadenhaft errettet weiß und in ihm seinen himmlischen Fürsprecher hat, kann er ein Leben frei von ihn überwältigender Angst führen (vgl. Röm 8,19–39). Im Abba-Ruf der Glaubenden (vgl. Gal 4,6; Röm 8,15) kommt dieses neue Gottesverhältnis der Befreiten zum Ausdruck. Alle sittlichen Forderungen und eschatologischen Verwarnungen setzen diesen neuen Heilsstand der zu Christus Gehörenden voraus.

2. Der neue Mensch in Christus

Obwohl in der neutestamentlichen Tradition die Erfahrung des Auferstandenen nicht einfach mit der Geisterfahrung identifiziert wird, besteht doch eine tiefe Korrelation zwischen Christus- und Pneumaerfahrung. Die Gemeinde der Jesusjünger versteht sich als messianische Heilsgemeinde, die den für die Endzeit verheißenen heiligen Geist erhalten hat. In der kritischen Auseinandersetzung mit der dem Christusgeschehen gegenüber verschlossenen Torafrömmigkeit ist der Hinweis auf die Gegenwart des Geistes ein wichtiges Verifikationsprinzip (vgl. Gal 3f; 2 Kor 3; Röm 8,12–18; Apg; Joh)[33].

Die prophetische Verheißung über den neuen Bund und die Erneuerung des Menschen, dem Gottes Gesetz ins Herz geschrieben ist (vgl. Jer 31,31–34), kann als eine fundamentale Voraussetzung des paulinischen Evangeliums angesehen werden, auch wenn der Apostel den Bundesgedanken nur gelegentlich artikuliert (vgl. Gal 4,21–31; 2 Kor 3; 1 Kor 11,23–26)[34]. Aber dieser Befund nur zahlenmäßig geringer Erwähnung ist bei anderen theologischen Begriffen ähnlich[35]. Im neuen Bund wird dem Glaubenden „in Christus" und durch das Pneuma die neue, eschatologische Existenzmöglichkeit eröffnet. „Ist jemand in Christus, so ist er neue Schöpfung. Das Alte ist vergangen, siehe, Neues ist geworden" (2 Kor 5,17). Der Empfang des Geistes ist gemäß der christlichen Tradition mit der Taufe verbunden. Jedoch ist die Erneuerung des Glaubenden, solange er „im Fleisch" und im alten Äon lebt und der Macht der Sarx ausgesetzt ist, auch eine tägliche Aufgabe. Dies schließt die sittliche Anstrengung ein. J. Blank bemerkt in seinem Aufsatz zum Indikativ-Imperativ-Problem mit Recht, daß „die Frage nach dem Verhältnis von Indikativ und Imperativ... nicht zuerst eine ethische Frage, sondern eine anthropologische" ist, „die sich im Zusammenhang mit der theologischen Anthropologie des Apostels stellt"[36].

Wie sehr das durch Glaube, Taufe und Geistempfang geschenkte neue Sein in Christus, die Gottessohnschaft, die neue, alles andere relativierende, ja in gewisser Weise aufhebende Wirklichkeit ist,

---

[33] Vgl. J. Jervell, Das Volk des Geistes, in: God's Christ and His People, Studies in Honour of N. A. Dahl (ed. by J. Jervell and W. A. Meeks) (Oslo 1977) 87–106: „Das Urchristentum fand seine Identität in dem Besitz des Geistes". „Die meisten Geistaussagen im Neuen Testament sind aus der Konstellation und Konfrontation Kirche–Synagoge zu erklären" (ebd. 87).

[34] Vgl. H. Schürmann, Die Freiheitsbotschaft des Paulus – Mitte des Evangeliums?, in: Orientierungen am Neuen Testament. Exegetische Gesprächsbeiträge (Düsseldorf 1978) 13–49; ders., Die Gemeinde des Neuen Bundes als der Quellort des sittlichen Erkennens nach Paulus, ebd. 64–88; T. J. Deidun, New Covenant Morality in Paul (An Bibl 89) (Rom 1981).

[35] Vgl. die ausdrückliche Erwähnung vom Herrenmahl (1 Kor 11,17–34) und in gewisser Weise auch der Taufe (1 Kor 1,13–17; 10,2; 12,13; 15,29; Gal 3,27; Röm 6,3f).

[36] Vgl. J. Blank, Indikativ und Imperativ in der paulinischen Ethik, in: Schriftauslegung in Theorie und Praxis (München 1969) 144–157, ebd. 148.

zeigt die wohl enthusiastische Taufparole Gal 3,27f an: „Denn ihr alle, die ihr auf Christus getauft seid, habt Christus angezogen. Da ist nicht Jude noch Grieche, da ist nicht Sklave noch Freier, da ist nicht Mann und Frau; denn ihr alle seid einer in Christus Jesus" (vgl. 1 Kor 12,13; Kol 3,11). Die sich aus diesem Indikativ ergebenden Konsequenzen sind schon in der ältesten Christenheit unterschiedlich beurteilt worden, und bei der Exegese des dritten Gliedes („Mann und Frau") tut sich heute die römisch-katholische Kirche besonders schwer[37]. Letztlich geht es hier um das schon im Neuen Testament nicht voll bewältigte Problem der Bestimmung des Verhältnisses zwischen der „neuen Schöpfung in Christus" und den alten Ordnungen verschiedenster Art (vgl. z.B. das ungelöste Israelproblem und den Vorwurf des schöpfungstheologischen Defizites in der paulinischen und neutestamentlichen Theologie[38].

„In Christus" und durch den Geist wird dem Glaubenden die Freiheit in grundlegender Weise zuteil: einerseits – paulinisch gesprochen – die Befreiung von den Mächten der Sünde, des Gesetzes und des Todes, andererseits die Befreiung zu einem neuen Leben. Deshalb lautet ein programmatischer Satz der paulinischen Paränese: „Für die Freiheit hat uns Christus befreit; darum steht fest und laßt euch nicht wieder unter das Joch der Knechtschaft bringen!" (Gal 5,1). Diejenigen, die Christus angehören und mit dem Gekreuzigten der alten Welt gegenüber gestorben sind (vgl. Gal 6,14), sind im Unterschied zu den Juden, die gegenüber dem Christusgeschehen verschlossen sind und unter dem Fluch des Gesetzes stehen (vgl. Gal 3,13), die Freien (vgl. Gal 4,21–31; 2 Kor 3,6–9; Röm 3,1–20; 5,12–21 u.a.)[39].

Zur christlichen Existenz, die, wie H. Schlier sehr deutlich herausstellte, „von jeder humanen Existenz" durch „die Dimension des Geistes" unterschieden ist[40], gehört aber auch – darauf hat H. Schür-

---

[37] Vgl. J. Eckert, Gleichheit und Ungleichheit der Menschen nach dem Neuen Testament, in: Trierer Beiträge. Aus Forschung und Lehre an der Universität Trier, Sonderheft 5 (Trier 1982) 4–12.

[38] Vgl. R. Hasenstab, Modelle paulinischer Ethik. Beiträge zu einem Autonomie-Modell aus paulinischem Geist (Mainz 1977) 93f.

[39] Zur vielfältigen Freiheitsbotschaft des Paulus s. Anm. 34 und F. Mußner, Theologie der Freiheit nach Paulus (QD 75) (Freiburg-Basel-Wien 1976).

[40] H. Schlier, Grundzüge einer paulinischen Theologie (Freiburg-Basel-Wien 1978) 187f.

mann in seinem Beitrag „Die Gemeinde des Neuen Bundes als der Quellort des sittlichen Erkennens nach Paulus" besonders aufmerksam gemacht[41] –, daß den Glaubenden eine „innere Belehrung über den Willen Gottes" zuteil wird (vgl. z. B. den Begriff „gottbelehrt 1 Thess 4,9). In vorzüglicher Weise haben diese Belehrung „die Apostel und Propheten" erhalten, deren Wort dann Grundlage der „äußeren Belehrung" ist (vgl. auch Eph 2,20), aber die Gemeinde des neuen Bundes bleibt der Ort, an dem die Glaubenden in gemeinsamer Glaubenserfahrung immer wieder neu Gottes Forderung erkennen.

3. Das neue sittliche Verhalten

Die ethische Unterweisung des Paulus ist zutiefst Paraklese, d. h. Ermahnung, die neue Existenz zu verwirklichen. Der Imperativ folgt dem Indikativ. Erwählung und Begnadigung sind zugleich Verpflichtungen. So sehr jedoch der Apostel ein Grundprinzip für das christliche Ethos angeben kann, wenn er etwa zum Wandel im Geist auffordert (Gal 5,25) oder das Liebesgebot als Erfüllung des Gesetzes herausstellt (Gal 5,14; Röm 13,8–10), in der aktuellen und situationsbezogenen Verkündigung werden nicht nur ethische Grundprinzipien zur Sprache gebracht, sondern, wie insbesondere W. Schrage und O. Merk in ihren Abhandlungen zur paulinischen Paränese aufgezeigt haben[42], neben übergreifenden Motivierungen eine Vielzahl von Einzelbegründungen gegeben. „Die Begründungen reichen von praktisch-nützlichen Erwägungen (vgl. z. B. 1 Kor 16,2; Kol 3,21; Röm 13,4) bis zur höchsten, die Heilstat unmittelbar kennzeichnenden Motivierungen (vgl. z. B. 1 Kor 5,8; 8,11; 2 Kor 8,9; Röm 14,9.15b; 15,2f; Phil 2,6ff)"[43]. Es ist also keineswegs so, daß der Heilsindikativ jeweils als Begründung des Einzelgebotes erscheint oder dieses gar inhaltlich prägt, wohl gibt er den größten Sinnhorizont an, in dem die vielfältige paränetische Unterweisung erfolgt und der für die Rezeption und Veränderung dieser Tradition verantwortlich ist.

---

[41] S. Anm. 34.
[42] S. Anm. 11.
[43] Merk, Handeln 232.

Einige in der paulinischen Verkündigung besonders hervortretende Bezugspunkte der sittlichen Unterweisung seien im folgenden aufgeführt. Die Thessalonicher erinnert Paulus daran, daß er sie „ermahnt, ermuntert und beschworen" hat, „würdig zu wandeln des Gottes, der" sie „zu seinem Reich und zu seiner Herrlichkeit berufen" hat (1 Thess 2,12). Auf die aus der *Berufung* sich ergebenden sittlichen Verpflichtungen und das Ziel der Berufung spricht der Apostel die Glaubenden wiederholt an (vgl. 1 Thess 4,7: „zur Heiligkeit berufen"; Gal 5,13: „zur Freiheit berufen"). Der Blick auf die Berufung, wie sie im Erscheinungsbild der Gemeinde mit „nicht vielen Weisen, Mächtigen und Hochgeborenen" zur Darstellung kommt, läßt um so deutlicher Gottes Erwählungshandeln zutage treten und müßte eigentlich die menschlichen die Gemeinde spaltenden Weisheitsdünkel zerschlagen (1 Kor 1,10–31). Die Berufung zur Christuszugehörigkeit sollte für den Glaubenden das einzig wichtige Datum sein, das etwa das Problem gesellschaftlicher Befreiung zweitrangig macht (1 Kor 7,18–24). Seine diesbezüglich konkrete Belehrung beschließt Paulus mit der allgemeinen Aussage: „Ihr seid teuer erkauft worden; werdet nicht Sklaven von Menschen" (V. 24).

Die Berufung der Glaubenden ist für den einzelnen wesentlich mit seiner *Taufe* verknüpft, die „als sakramentale Eröffnung der neuen Existenz ‚in Christus'" anzusehen ist[44]. Dabei ist das Grundmotiv in der Mehrzahl der paulinischen Taufstellen, den Christen an das ihm widerfahrene Heilsgeschehen und den Herrschaftswechsel, der in der Taufe erfolgt ist, d. h. die jetzige Schicksalsgemeinschaft mit Christus, zu erinnern. Der klassische Text der paulinischen Taufparänese ist Röm 6,1–11. Die ekklesiale Dimension der Taufe, die ein neues Mit- und Füreinander in der Kirche, dem Leib Christi, schafft, bringt 1 Kor 12,13 zum Ausdruck: „Denn wir sind in einem Geist alle zu einem Leib getauft worden, ob Juden, ob Griechen, ob Sklaven, ob Freie, und sind alle mit einem Geist getränkt worden." Daß Paulus mit der Erinnerung an die Taufe die Glaubenden auf ihre Glaubenserfahrungen anspricht und die Erfahrung des „im Indikativ ausgesagten neuen Seins" wichtig ist, „damit der Imperativ nicht zur bloßen Forderung und damit zu einem neuen Gesetz

[44] Halter, Taufe 289ff.

wird", wie U. Schnelle betont[45], ist bedenkenswert, jedoch verbindet Schnelle zu einseitig die Glaubenserfahrung mit der Taufe[46].

Wer sich in Glaube und Taufe auf Christus einläßt und von ihm ergreifen läßt, steht zugleich im Herrschaftsbereich des göttlichen *Geistes*. Er ist zum Sohn Gottes geworden (vgl. Gal 4,6f; Röm 8,15) und steht nicht mehr „unter dem Gesetz" (Gal 5,18), da dieses auch demjenigen gegenüber, der als Geistgeprägter das innerste Anliegen des Gesetzes erfüllt, seine Anklagefunktion verloren hat (vgl. Gal 5,18). Man hat es als die geniale Leistung des Seelsorgers und Theologen Paulus bezeichnet, daß er „sich und den von ihm erzogenen Gemeinden die Augen dafür geöffnet" hat, „daß der Geist nicht bloß in den Aufsehen erregenden, ekstatischen oder in den außerordentlichen, für umschriebene Aufgaben befähigenden und aussondernden Pneumagaben wirksam wurde, sondern daß er zuerst und vor allem jeden einzelnen Glaubenden und Getauften durchdrang, erfüllte und bewegte"[47]. Ein Kernelement der paulinischen Paränese besteht darin, den Christen, der sich im Energiefeld zwischen der Macht des Geistes und des Fleisches befindet (vgl. Gal 5,17), dazu aufzurufen, dem Geist als dem dynamischen Prinzip in seinem Leben und zugleich der Norm christlicher Existenz zu folgen (vgl. Gal 5,13 – 6,10; Röm 8,12f). Für die konkrete Bestimmung dessen, was Leben aus dem Pneuma meint, ist fundamental, daß der Apostel in der Liebe die erste Frucht des Geistes sieht (vgl. Gal 5,19) und von diesem Kriterium aus auch die Beurteilung der Charismen erfolgt. Das Oikodomekriterium entspricht diesem Wertmaßstab (vgl. 1 Kor 12–14). Zugleich ist eine Korrespondenz zur positiven Bewertung der Tora durch Paulus, die im Liebesgebot ihre Erfüllung findet, gegeben.

---

[45] Schnelle, Gerechtigkeit 152f.

[46] Vgl. Schnelle Gerechtigkeit 87: „Schließlich ist für Paulus nur (!) die Taufe der Ort und das Mittel, den Verbindlichkeitscharakter des neuen Seins darzustellen, indem er mit Hilfe der Taufe das neue Sein als Anteilnahme am Christusgeschehen verdeutlicht und daraus den erfüllbaren Imperativ folgert." Die Taufe ist nicht der einzige Ort der Gottesbegegnung, wie denn auch die paulinische Paränese nicht ausschließlich Taufparänese ist.

[47] O. Kuss, Der Geist (τὸ πνεῦμα), in: Der Römerbrief (s. Anm. 8) 540–595, ebd. 560f; vgl. H. Gunkel, Die Wirkungen des heiligen Geistes nach der populären Anschauung der apostolischen Zeit und der Lehre des Apostels Paulus (Göttingen [1]1888, [2]1899 = [3]1909).

Eine weitere Entsprechung liegt zu der bei Paulus allerdings seltenen paränetischen Auslegung der *Jesusgeschichte* vor, da der Apostel insbesondere „die Liebe Christi“ (2 Kor 5,14), der nicht „sich selbst zu Gefallen lebte“ (Röm 15,3), sondern „für den Bruder“ starb (Röm 14,15, vgl. 1 Kor 11,24; 15,3; Gal 1,4; Röm 3,25), als Vorbild und Maßstab sittlichen Verhaltens herausstellt (vgl. 1 Thess 1,6; 1 Kor 11,1)[48]. Der Übergang zur paränetischen Auswertung der christologischen Daten der Menschwerdung des Gottessohnes und seiner Erniedrigung im Kreuzestod ist hier fließend (vgl. 2 Kor 8,9; Phil 2,5ff). Eine Zusammenfassung der paränetischen Bezugnahme auf die Jesustradition, der Grundorientierung der neutestamentlichen Imperative und der kritischen paulinischen Gesetzesinterpretation gibt der Apostel in gewisser Weise in dem Satz: „Voneinander die Lasten tragt, und ihr werdet das Gesetz Christi erfüllen!“ (Gal 6,2).

Obwohl das Kreuz Christi ein Hauptorientierungspunkt für das Denken und Handeln des Paulus ist, wird der Gekreuzigte in der ethischen Unterweisung nur gelegentlich und meist nur indirekt zur Sprache gebracht[49]. Dem Gekreuzigten anzugehören heißt, dem Gesetz gegenüber gestorben zu sein (vgl. Gal 2,19) und den alten Menschen mit seinen verkehrten Neigungen gekreuzigt zu haben (vgl. Gal 5,24; Röm 6,2–6). Es bedeutet generell, in der Schicksals-, aber auch Lebensgemeinschaft mit Christus für die weltlichen Maßstäbe der Selbstbehauptung und Ruhmsucht tot und für das neue Leben der Liebe lebendig zu sein.

4. Der neue Mensch in der alten Weltzeit

Waren die im letzten Abschnitt skizzierten Hauptmotivierungen der paulinischen Ethik vornehmlich an dem in der Gegenwart erfahrbaren eschatologischen Heilsgeschehen (in seiner theologisch-christologischen, sakramentalen und pneumatologischen Dimension) ori-

[48] Vgl. H. Schürmann, „Das Gesetz des Christus“ (Gal 6,2). Jesu Verhalten und Wort als letztgültige sittliche Norm nach Paulus, in: Neues Testament und Kirche (für R. Schnackenburg, hg. von J. Gnilka) (Freiburg-Basel-Wien 1974) 282–300.

[49] Vgl. J. Eckert, Der Gekreuzigte als Lebensmacht. Zur Verkündigung des Todes Jesu bei Paulus, in: ThGl 70 (1980) 193–214, bes. 206–212 („Die Herrschaft des Gekreuzigten im Leben des Apostels und der Glaubenden“).

entiert, so muß noch die futurisch-eschatologische Begründung des paulinischen Imperativs in den Blick genommen werden, die einmal durch die Komponente, daß der Christ in dieser Weltzeit noch auf dem Wege zur Vollendung ist, und zum andern durch das Gericht bestimmt ist.

Eine Grundvoraussetzung der Indikativ-Imperativ-Spannung besteht bekanntlich in der Situation der Glaubenden, die einerseits „in Christus... neue Schöpfung" (2 Kor 5,17) und „aus dem gegenwärtigen bösen Äon" befreit (Gal 1,4) sind, aber andererseits doch noch in diesem fortbestehenden Äon mit seinen gottwidrigen Mächten leben und in eine sarkische Existenzweise zurückfallen können (vgl. Gal 6,7–9; 1 Kor 3,3; 6,9f; 10,1–13). Mit der indikativischen Heilszusage ist keine Heilsgarantie verbunden. Die Bewährung der Christen ist gefordert. Deshalb kann der Apostel dazu ermahnen, das Heil „mit Furcht und Zittern" zu wirken (Phil 2,12), und er verweist gerade im Kontext der Paränese mehrfach auf den „Tag Christi" als Gerichtstermin (Phil 2,16, vgl. 1,6; 1 Kor 1,8; 5,5; 2 Kor 5,10). Allerdings scheint eine nicht voll aufhebbare Spannung zwischen der indikativischen Heilsverkündigung und den imperativischen eschatologischen Verwarnungen darin gegeben zu sein, daß trotz der ohne Zweifel vorhandenen Gerichtsparänese Christus als der himmlische Anwalt und als Offenbarung der grenzenlosen Liebe des Gottes verkündet wird, der die Glaubenden zur Christusgemeinschaft vorherbestimmt hat (Röm 8,28–39) und der in Treue zu den von ihm Berufenen das begonnene gute Werk vollenden wird (1 Thess 5,24; Phil 1,6; vgl. 1 Kor 1,8). K. Kertelge weist darauf hin, daß „im Rahmen der Rechtfertigungslehre" „die Vorstellung von einem noch ausstehenden Endgericht... keine konstituierende Bedeutung hat", der Gerichtsgedanke jedoch kein „Relikt aus der vorchristlichen Zeit" sei, vielmehr, ohne organisch in den Rechtfertigungszusammenhang eingefügt zu sein, „weiterhin an die Geltung des göttlichen Willens und an seine Erfüllung" erinnert[50]. Die Antinomie zwischen

---

[50] Kertelge, „Rechtfertigung" 256f; s. ferner H. Braun, Gerichtsgedanke und Rechtfertigungslehre bei Paulus (Leipzig 1930); L. Mattern, Das Verständnis des Gerichtes bei Paulus (Zürich-Stuttgart 1966); E. Synofzik, Die Gerichts- und Vergeltungsaussagen bei Paulus. Eine traditionsgeschichtliche Untersuchung (Göttingen 1977).

dem soteriologischen Indikativ und ethischen Imperativ ist letztlich auch im unergründlichen Gnadenwirken Gottes begründet.

Der eschatologische Ausblick im Zusammenhang mit den sittlichen Imperativen will jedoch nicht bloß davor warnen, das Ziel der Berufung zu verfehlen, sondern auch ermutigen, aus der freudigen Erwartung der Nähe des Herrn zu leben (Phil 4,5) und die jetzige Zeit als „die Zeit der Gnade" und den „Tag des Heils" (2 Kor 6,2) zu begreifen. Den Römern schreibt der Apostel: „Bedenkt die gegenwärtige Zeit: die Stunde ist für uns schon da, vom Schlaf aufzustehen; denn jetzt ist uns die Rettung näher als zu der Zeit, da wir gläubig wurden. Die Nacht ist vorgerückt, der Tag ist nahe. Darum laßt uns ablegen die Werke der Finsternis, anziehen aber die Waffen des Lichtes. Laßt uns ehrbar wandeln wie am Tag, nicht in Schmausereien und Trinkgelagen, nicht in Unzucht und Ausschweifungen, nicht in Streit und Eifersucht, sondern zieht den Herrn Jesus Christus an, und pflegt das Fleisch nicht so, daß die Begierden erwachen" (Röm 13,11–14). Die Frage nach der Bedeutung der Naherwartung für die sittliche Ermahnung ist mit diesem Abschnitt gestellt. Der Text gibt mit der Aussage „die Nacht ist vorgerückt, der Tag ist nahe" und der anschließenden Taufparänese den spezifischen heilsgeschichtlichen Standort des Christen an und fordert im Kern zur christlichen Existenzverwirklichung auf[51]. Grundsätzlich kann man meines Erachtens A. Vögtle zustimmen, wenn er schreibt: „Da die Berufung auf die Nähe des Endheils nur dazu dient, die Bereitschaft zu diesem ‚Werden' (einer neuen Existenz von Christus her und durch Christus) neu zu wecken und zu stärken, läßt sich aus Röm 13 jedenfalls kein Anhaltspunkt für die Auffassung gewinnen, daß die Naherwartung bei Paulus auch das inhaltliche ‚Was' des christlichen Handelns normiere. Insofern Paulus die Naherwartung bis zum Zeitpunkt des Röm-Briefs ungemindert durchgehalten hat, verbietet sich auch der Versuch, ein Nachlassen der Naherwartung als entscheidende Voraussetzung für das Aufkommen konkreter Paränese zu betrachten."[52] Allerdings zeigt ein Text wie 1 Kor

[51] Treffend U. Wilckens, Der Brief an die Römer, 3. Teilband, Röm 12–16 (EKK VI, 3) (Zürich-Einsiedeln-Köln und Neukirchen-Vluyn 1982): „... Christen haben ihren Ort nicht im Niemandsland zwischen den Fronten, sondern sie gehören dem Licht zu, und dessen überlegene Waffen stehen ihnen zur Verfügung" (S. 77).

[52] A. Vögtle, Paraklese und Eschatologie nach Röm 13,11–14, in: L. de Lorenzi (Hg.),

7,29–34, daß die eschatologische Naherwartung sehr wohl das ethische Verhalten des Christen, z. B. seine Einstellung zur Welt, inhaltlich mitbestimmen kann.

III. Offene Fragen der Indikativ-Imperativ-Problematik

Zwei Fragen, die mit unserer Thematik verbunden und der gegenwärtigen Theologie in besonderer Weise gestellt sind, seien zum Schluß noch angeschnitten. Die erste betrifft den Dialog mit den Juden, die zweite den mit der säkularen Welt.

Paulus befindet sich mit seiner Indikativ-Imperativ-Theologie insofern auf Konfrontationskurs mit dem Glauben der Juden, als diese die indikativischen Heilsaussagen des Evangeliums nicht bejahen und auch dessen Imperativ, vor allem im Kontext der paulinischen Gesetzeskritik, nicht akzeptieren. Diese jüdische Glaubensposition stellt eine bleibende Herausforderung in mehrfacher Hinsicht dar. Da ist einmal die Forderung nach einer sichtbaren Erlösung und damit das Problem der Verifikation des Indikativs. Da ist zum andern die Frage, ob Paulus mit seiner Beurteilung des Gesetzes diesem voll gerecht geworden ist[53]. Auch die alttestamentliche Exegese zeigt sich ja weitgehend reserviert gegenüber der paulinischen Gesetzesinterpretation, wenn etwa J. Scharbert beklagt, daß Paulus „die Segenssanktion des atl. Bundesgesetzes fast ganz übersehen" habe[54], und N. Lohfink ähnlich meint, daß der Apostel „die positiven Möglichkeiten aus dem Gesetz" herausgesaugt habe[55]. Sicherlich besteht eine unaufhebbare Differenz zwischen Christentum und

---

Dimensions de la Vie Chrétienne (Rm 12–13) (Rome 1979) 179–194, ebd. 191 f; vgl. auch den Report der Diskussion über das Referat von Vögtle ebd. S. 195–220; s. ferner F. J. Ortkemper (s. Anm. 2) 132–148. U. Wilckens stellt insbesondere heraus, daß sich „in Röm 13,11 f gegenwärtige Heilsteilhabe aufgrund der Taufe und eschatologische Heilserwartung gleichsam ineinander" schieben, „ohne daß das eine das andere mindert" (Röm III 76).

[53] Vgl. F. Mußner, Exkurs 4: Hat Paulus das Gesetz „mißverstanden"?, in: Galaterbrief (s. Anm. 31) 188–204.

[54] J. Scharbert, in: Mysterium Salutis II 1123.

[55] N. Lohfink, Das Siegeslied am Schilfmeer. Christliche Auseinandersetzungen mit dem Alten Testament (Frankfurt a. M. [3]1965) 172; vgl. auch J. Eckert, Die urchristliche Verkündigung im Streit zwischen Paulus und seinen Gegnern nach dem Galaterbrief (BU 6) (Regensburg 1971) 113–117.

Judentum darin, daß nach christlichem Glauben das Heil entscheidend durch Jesus Christus vermittelt wird. Aber gibt es nicht doch eine gewisse Übereinstimmung zwischen paulinischem Imperativ und jüdischer Tora in der Hinsicht, daß beide nicht nur inhaltlich in vielen Punkten identisch sind, sondern auch ihrer Funktion nach dem Glaubenden helfen wollen, im rechten Gottesverhältnis zu bleiben?[56] Mit dieser Frage soll weder das Problem der Selbstgerechtigkeit (vgl. Phil 3,9) noch überhaupt verwischt werden, daß sich nach Paulus der theologische Stellenwert des Gesetzes nach der jeweiligen heilsgeschichtlichen Situation des Menschen wandelt. Bekanntlich wird jenes im Römerbrief „heilig, gerecht und gut" genannt (Röm 7,12), ja es wird diskutiert, ob „das Gesetz des Geistes des Lebens", von dem der Apostel Röm 8,2 spricht, nicht das mosaische Gesetz ist, wie es allerdings der vom Pneuma geprägte Mensch erfährt[57]. Kann der christliche Glaube eine positive Funktion des Gesetzes bei den nicht an Jesus Christus glaubenden Juden völlig in Abrede stellen, zumal auch für Christen die im Agapegebot zusammengefaßte Tora (vgl. Gal 5,14.22; Röm 13,8–10) eine positive Bedeutung für das Bestehen am Tag Christi im Gericht hat?

Das zweite heute viel erörterte Problem besteht in der Frage, ob der Indikativ den Imperativ materialiter bestimmt und es eine spezifisch christliche Ethik gibt. G. Strecker hat in seinem Aufsatz „Autonome Sittlichkeit und das Proprium der christlichen Ethik bei Paulus" die bei A. Auer geschriebene Doktordissertation von R. Hasenstab: „Modelle paulinischer Ethik. Beiträge zu einem Autono-

[56] Vgl. P. von der Osten-Sacken, Grundzüge einer Theologie im christlich-jüdischen Gespräch (München 1982) 185f: „Wesentliches Medium der Herrschaft Gottes ist im jüdischen Volk die Tora, in der christlichen Gemeinde Jesus Christus. Das Nebeneinander oder Gegenüber ist zwar nicht aus jüdischer, wohl aber aus christlicher Perspektive freilich nur scheinbar. Denn insofern sowohl nach Matthäus als auch nach Paulus Jesus Christus die – anfangsweise – Erfüllung der Tora ist, kommen Tora und Jesus Christus in ein enges Beziehungsverhältnis zueinander zu stehen."

[57] Vgl. H. Hübner, Pauli Theologiae Proprium, in: NTS 26 (1980) 445–473, ebd. 465f; E. Lohse, „Wir richten das Gesetz auf!". Glaube und Tora im Römerbrief, in: P. von der Osten-Sacken (Hg.), Treue zur Tora. Beiträge zur Mitte des christlich-jüdischen Gesprächs (F.S. f. G. Harder zum 75. Geburtstag) (Berlin 1977) 65–71; U. Wilckens, Zur Entwicklung des paulinischen Gesetzesverständnisses, in: NTS 28 (1982) 154–190; anders: H. Räisänen, Das „Gesetz des Glaubens" (Röm 3,27) und das „Gesetz des Geistes" (Röm 8,2), in: NTS 26 (1980) 101–117.

mie-Modell aus paulinischem Geist"[58] zum Teil recht kritisch besprochen und insbesondere dessen schöpfungstheologische Ausdeutung des paulinischen κλῆσις-Begriffs in Frage gestellt. Hier ist ein neuralgischer Punkt berührt: Wenn man das Proprium paulinischer Ethik mit Strecker „in der Christusbezogenheit der ethischen Weisungen, in denen das Christusereignis pneumatologisch, ekklesiologisch und anthropologisch reflektiert ist", sieht[59] und sagt, daß der Imperativ den Christen auffordert, zu verwirklichen, daß er „eine neue Schöpfung in Christus" ist, dann stellt sich sofort die Frage: Wie verhält sich „die neue Schöpfung in Christus" zur alten Schöpfung? In welcher Weise ist die Erneuerung des Menschen mit der Bejahung der alten Schöpfungswirklichkeit und ihren Ordnungen verbunden? Letztlich geht es hier um die auch in der Jesusexegese ungelöste Frage: Wie apokalyptisch ist der christliche Glaube? Wenn die paulinische und neutestamentliche Ethik der nichtchristlichen paganen und jüdischen Ethik der damaligen Zeit in vielem entspricht, besagt dies, daß die eschatologische Verkündigung des Paulus die Schöpfungswirklichkeit grundsätzlich respektiert hat, und darf daraus das Programm für eine „autonome Moral" abgeleitet werden?

Jedenfalls ist nicht zu übersehen, daß in Jesus Christus, wie ihn Paulus gerade auch in der Paränese zu Wort kommen läßt, eine neue Grundorientierung für den Glaubenden gegeben ist, die zur Aufnahme und Ablehnung außerchristlicher Ethik führt. H. Halter betont, daß sich „die glaubensgeleitete christliche Existenz... auf der Suche nach dem zu tuenden ‚Guten, Wohlgefälligen und Vollkommenen', d.h. nach dem Willen Gottes (Röm 12,2) am Heilshandeln Gottes durch und in Christus" orientiert[60] und dieses auch „normschöpferisch" das inhaltliche Was des Handelns bestimmt, wobei jedoch „aufs Ganze gesehen" „die integrations-kritische Funktion" des Glaubens vorherrschend sei[61]. R. Schnackenburg spricht von

---

[58] S. Anm. 38.

[59] G. Strecker, Autonome Sittlichkeit und das Proprium der christlichen Ethik bei Paulus, in: ThLZ 104(1979) 865–872, ebd. 871.

[60] Halter, Taufe (s. Anm. 16) 474f.

[61] Ebd. 476.

der „Interdependenz zwischen Botschaft und inhaltlicher Forderung, zwischen Inhalt und Motivation[62].

Daß die paulinische Indikativ-Imperativ-Verkündigung nicht aus der Perspektive einer säkularen Anthropologie den Menschen zur Selbstverwirklichung aufruft[63], sondern die christliche Glaubenserfahrung widerspiegelt, wurde herausgestellt. Aber – so wird man wiederum nachfragen müssen – provoziert das Evangelium nicht den natürlichen Menschen zur Entfaltung seiner freilich im Licht des Glaubens und in der Kraft des Geistes neu ausgerichteten Anlagen? Dabei kann von christlicher Seite nur dankbar zur Kenntnis genommen werden, daß das Antlitz des Gekreuzigten und sein Verhalten mit dem Ethos nicht weniger, die außerhalb der kirchlichen Grenzen stehen, verwandt sind.

---

[62] R. Schnackenburg, Neutestamentliche Ethik im Kontext heutiger Wirklichkeit, in: H. Weber und D. Mieth (Hg.), Anspruch der Wirklichkeit und christlicher Glaube. Probleme und Wege theologischer Ethik heute (F.S. f. A. Auer) (Düsseldorf 1980) 193–207, ebd. 204. Vgl. auch G. Dautzenberg, Neutestamentliche Ethik und autonome Moral, in: ThQ 161 (1981) 43–55.

[63] Gegen H. H. Rex, Das ethische Problem in der eschatologischen Existenz bei Paulus (Dissertation Tübingen 1954).

VII
Wie imperativ ist der Indikativ?

Korreferat von Dieter Zeller, Mainz

Zum grundlegenden und informativen Referat von Herrn Eckert kann ich nur noch einige ergänzende Bemerkungen und aktualisierende Anfragen nachliefern.

1. Zunächst möchte ich die Diskussion orten. Wenn wir das Verhältnis von Indikativ und Imperativ bedenken, dann werden wir von der Normenproblematik weitergeführt zur Frage, wie christliche Sittlichkeit ermöglicht ist. Ermöglichung ist nicht unbedingt gleichbedeutend mit Motivierung. Z. B. kann die Aussicht auf ewiges Leben das Handeln motivieren. Nach Paulus scheitert aber jeder, der meint, im Tun des Gesetzes das Leben erlangen zu können (vgl. Gal 3,12f). Die Segenssanktion des Gesetzes (Lev 18,5), die Paulus keineswegs übersehen hat, nützt dem fleischlichen Menschen nichts. Entscheidend für den Christen ist, daß er zu Gottes Reich und Herrlichkeit „berufen" und „bestimmt" ist (vgl. 1 Thess 2,12; 5,9). Das ist der Indikativ, der den Imperativ trägt. Was im und am Gesetz unmöglich ist, das wird durch die Verurteilung der Sünde im Fleisch des Gottessohnes erfüllbar: Röm 8,3f; V. 7f reflektieren noch einmal ausdrücklich darauf, daß man im Fleisch Gott nicht gefallen *kann*. Während die Prinzipien und Normen dem Dürfen und Sollen zugeordnet sind und die Motive dem Wollen Anreiz geben, hat es der Indikativ mit dem Können zu tun[1]. Der Imperativ verhält sich dazu wie Verwirklichung zu Ermöglichung (nicht: Möglichkeit!). Die besten Motive machen eine sittliche Tat noch nicht realisierbar.

[1] Eine ähnliche Begrifflichkeit, die sich an die Modalitätentheorie von A. J. Greimas anlehnt, wendet – wie ich nachträglich sehe – auch R. Kieffer, Foi et justification à Antioche (LeDiv 111) (Paris 1982) 148f auf die paulinische Rechtfertigungslehre an.

Der Indikativ aber besagt eine „radikale Veränderung der Bedingungen des Handelns“[2].

2. Es erscheint uns Lesern der Schrift als logischer Widerspruch, wenn dieselbe Sache im Indikativ von den Christen ausgesagt und im Imperativ von ihnen verlangt wird. Z. B. sind sie nach 1 Kor 6,11 in der Taufe geheiligt, nach 1 Thess 4,3 ist Heiligung aber der sie angehende Wille Gottes. Auf diese anscheinend widersprüchlichen Aussagen sollte man die Fragestellung konzentrieren. Es zeigt sich jedoch geich, daß hierin weder für die vorpaulinische Tradition noch für Paulus ein Widerspruch liegt. Christwerden ist in der Mission des Paulus, die ja die urchristliche Umkehr- und Gerichtspredigt (vgl. 1 Thess 1,9f; 2 Kor 12,21) weiterführt, von vornherein „moralisch“ gefaßt, als Ermöglichung gerechten Wandels. Das zeigen gerade die frühen Briefe (1 Thess, 1 Kor). Die sittlichen Ideale selber sind oft klischeehaft vorgegeben, das Neue ist, daß sie jetzt erreichbar werden. Gott ruft die Christen gleichermaßen zur Heiligkeit wie in sein Reich. Dieses Verständnis schlägt sich etwa im Schema von „Einst“ und „Jetzt“[3] nieder. In der Taufe ist die frühere Schuld vergeben, der Glaubende freigestellt vom Zorn Gottes, vom Geist geheiligt. Christus und der Geist umgeben ihn als neue Lebenssphäre (mit der Präposition ἐν ausgedrückt), die zugleich zur bestimmenden Norm (κατὰ) wird. Mit dem sakramentalen Zeichen ist immer schon die Paränese verbunden, die dazu anhält, das Geschenkte zu bewahren und durch einen entsprechenden Wandel zu bewähren. Die paulinischen Mahnungen verraten nicht, daß urchristlicher Taufenthusiasmus sich ernüchtert[4], weil das Handeln Gottes von jeher die Freiheit des Menschen beansprucht.

3. Der Indikativ redet von diesem Handeln Gottes in der Taufe. Doch scheint es mir wichtig, daran zu erinnern, daß sie in damaligen Zeiten die bewußte Entscheidung des Glaubenden mit einschließt. Deshalb kann z. B. das Passiv „ich bin mitgekreuzigt“ Gal 2,19 in

---

[2] So K. Niederwimmer, Das Problem der Ethik bei Paulus, in: ThZ 24 (1968) 81–92, 84.
[3] Vgl. dazu P. Tachau, „Einst“ und „Jetzt“ im Neuen Testament (FRLANT 105) (Göttingen 1972).
[4] So Niederwimmer, a. a. O. 86f, 90f.

5,24 vom Aktiv Aorist abgelöst werden: Die zu Jesus Christus gehören, haben ihr Fleisch gekreuzigt. Oder Röm 6 ruft nicht nur den mit Christus vollzogenen Tod gegenüber der Sünde ins Gedächtnis, sondern auch den Gehorsam, der im Taufakt geleistet wurde (V. 16ff). Daran schließt sich bruchlos der Imperativ an, der die Konsequenz des einstigen Entschlusses einfordert. Hier sind die Voraussetzungen heutigen christlichen Lebens verschieden.

4. Daß zum Indikativ hinzu ein Imperativ nötig wird, muß also nicht die Wirkungslosigkeit des Indikativs bedeuten. Freilich gibt es eine faktische Inkonsequenz, einen praktischen Widerspruch zwischen dem unrechten Verhalten der Christen und diesem Anfang, den Paulus ihnen mit der Tauftradition wieder in Erinnerung bringt. Ein solcher Wink mit dem Zaunpfahl des Indikativs genügt 1 Kor 6,11, um ihnen die Verpflichtung zu gerechter Lebensweise einzuschärfen. Gewiß hat der Imperativ etwas mit der leibhaftigen Existenz zu tun, in der erst noch die Herrschaft der Gerechtigkeit zum Zug kommen muß. Die Sünde hat kein Recht mehr, in den Gliedern zu herrschen. Aber es ist doch Vorsicht geboten, wenn man dafür das beliebte Erklärungsschema von „Schon“ und „Noch-nicht“ bemüht. Ich nenne es die „Ziehharmonika“, weil es je nach Bedarf ausgezogen oder gequetscht wird. Denn an sich nimmt der Imperativ dem Indikativ nichts an Realität[5]. Es ist auch nicht so, daß das Eschaton das Ende der Ethik bringt. In der alttestamentlich-jüdischen Apokalyptik ist es gerade eine Wirkung der Endzeit, wenn Israel zu einer Pflanzung der Gerechtigkeit umgewandelt wird[6]. Schon gar nicht darf das Noch-nicht dafür herhalten, um die Radikalität der Forderungen zu ermäßigen (z. B. die der Feindesliebe). So etwas klang gestern morgen bei F. Furger an, als er gegen die Vorwegnahme des Eschaton polemisierte, wo der Kompromiß noch nötig sei[7]. Sollen wir erst im Himmel Feindesliebe üben?

[5] Auch T. J. Deidun, New Covenant Morality in Paul (AnBibl 89) (Rom 1981) 239 warnt davor, dem Verhältnis Indikativ-Imperativ die paulinische Dialektik von Schon und Noch-nicht zu unterlegen, weil das den Indikativ schwächen könnte.

[6] Vgl. Jes 32,16f; 33,5; 60,21; 61,3; Jub 1,15ff und die bei D. Zeller, Juden und Heiden in der Mission des Paulus (fzb 8) (Stuttgart ²1976) 173 Anm. 160f zitierten Stellen aus Apokalypsen. Daß der Äon der Sünde von ewiger Gerechtigkeit abgelöst wird, kündigen etwa Dan 9,24; äthHen 10,20ff; 11,2; 91f; 107,1; 1Q 27,I an.

[7] Vgl. auch seinen Beitrag: Christliche Verantwortung und bewaffnete Friedenssiche-

Naherwartung mag zwar keinen direkten Einfluß auf die Ausgestaltung der Normen haben[8], ist aber für die Motivation wichtig. Insofern der Indikativ das Eschaton vorwegnimmt – z. B. Ausgießung des Geistes in den letzten Tagen –, ergibt sich eine gewisse Interdependenz zur Motivation. Ein andauerndes Noch-nicht kann die Tragfähigkeit des Indikativs unterhöhlen. Läßt die angespannte Erwartung nach, sind die Christen in der Gefahr, auch nicht anders zu leben als die Heiden, die keine Hoffnung haben. M. E. sollte man, vor die Notwendigkeit gestellt, auf die Schöpfungswirklichkeit einzugehen – dies der letzte Punkt bei Eckert – und „Kompromisse" zu finden, die veränderte eschatologische Situation offen mitbedenken.

5. Eine Spannung zwischen Indikativ und Imperativ wird in den Briefen des Paulus erst spürbar, wo er seine Rechtfertigungslehre entfaltet[9]. Hier muß er dem Mißverständnis entgegentreten, die Rechtfertigung aus Glauben allein erübrige die sittliche Bewährung. Solche abwehrenden Aussagen finden sich etwa Phil 3, 12: Daß Paulus die Gerechtigkeit aus Gott hat, heißt noch nicht, daß er es schon erreicht hat und vollendet ist. Oder Gal 2, 17: Wird der die Sünder rechtfertigende Christus zum Diener der Sünde? 5, 13: Ist die christliche Freiheit ein Freibrief für das Fleisch? Schließlich Röm 6,1.15: Wird die Gnade Gottes, die ja dem Sünder gilt, nicht noch durch Sündigen gemehrt? Das Mißverständnis rührt daher, daß der ursprünglich ethische Begriff der Rechtfertigung aus der Tauftradition (vgl. 1 Kor 6, 11) in der antirabbinischen Frontstellung zur Rechtfertigung durch Werke eine forensische Zuspitzung erhält. Wenn das im Endgericht ausschlaggebende Urteil Gottes über den Menschen

---

rung, in: N. Glatzel/E. J. Nagel (Hrsg.), Frieden in Sicherheit (Freiburg 1981) 259–284, 264 f: Weil das Reich Gottes in seiner Fülle noch ausstehe, seien die in seinem Horizont geltenden ethischen Forderungen nicht als direkte Handlungsanweisungen, sondern als „Zielnormen" zu verstehen.

[8] Vgl. auch die Überlegungen von W. Wolbert, Ethische Argumentation und Paränese in 1 Kor 7 (MSS 8) (Düsseldorf 1981) Ziffer 3. Andererseits ist kein Zweifel, daß der thematische Radius der neutestamentlichen Forderungen sich um so mehr auf die Sozialethik ausdehnt, je stärker die ursprüngliche apokalyptische Ausrichtung zurücktritt. Vgl. G. Strecker, Strukturen einer neutestamentlichen Ethik, in: ZThK 75 (1978) 117–146, 133 f.

[9] Nämlich Phil 3, Gal und Röm; vgl. D. Zeller, Zur Pragmatik der paulinischen Rechtfertigungslehre, in: ThPh 56 (1981) 204–217, bes. 212.

schon gefällt ist, scheint es überflüssig, daß er sich noch als Gerechter erweist; der Glaube ersetzt die Werke.

Paulus wirkt diesem Eindruck auf verschiedene Weise entgegen: durch Erinnerung an das Taufgeschehen (Gal 2,19f, Röm 6,2ff), aber auch dadurch, daß er die dem Glaubenden mitgeteilte Gerechtigkeit apokalyptisch auflädt zu einer an der Stelle Gottes Gehorsam fordernden Macht[10]. Dies erreicht er in Röm 6,12–23 vor allem durch die Metaphorik des Kontextes, die Bilder von der Rüstung[11], dem Endkampf, der Sklaverei, aber auch durch die Metapher von der Frucht (V. 21ff). So gelingt es ihm, seine gegen die Rabbinen entworfene Position gegen die Unterstellung der Amoralität zu verteidigen. Der rechtfertigende Gott handelt mit aller Entschiedenheit gegen die Sünde, indem er den Dienst in der Neuheit des Geistes ermöglicht (vgl. 7,6).

6. In der von J. Eckert aufgerollten Forschungsgeschichte gibt es, scheint mir, merkwürdige Akzentverlagerungen in puncto „Erfahrbarkeit". Ist für R. Bultmann Sünde und Begnadigung transempirisch, so besteht dagegen H. Windisch[12] darauf, daß die ethische

---

[10] Vgl. meinen Exkurs „Zum semantischen Hintergrund der ‚Gerechtigkeit Gottes'", in: D. Zeller, Juden (s. Anm. 6), 163–179 und die dort verarbeitete Lit. In Röm 6 kommt besonders die Interpretation E. Käsemanns, Gottesgerechtigkeit bei Paulus, in: Exegetische Versuche und Besinnungen II, Göttingen 1964, 181–193, zum Zug. Davon inspiriert: A. B. du Toit, Dikaiosyne in Röm 6, in: ZThK 76 (1979) 261–291. P. Stuhlmacher, Gerechtigkeit Gottes bei Paulus (FRLANT 87) (Göttingen 1965) hat bekanntlich Käsemanns These ausgebaut: Paulus habe „Gerechtigkeit Gottes" als terminus technicus aus der Apokalyptik übernommen. Dagegen neuerdings etwa U. Schnelle, Gerechtigkeit und Christusgegenwart (GTA 24) (Göttingen 1983) 92ff. Er bestreitet dann auch, daß „Gerechtigkeit" in Röm 6 eine Macht verkörpert. M. E. liegt zwar kein apokalyptischer terminus technicus vor; aber Paulus kann das gegen die Rabbinen gewendete Wortfeld durch einen neuen bildhaften Kontext apokalyptisch einfärben. Daß die Gerechtigkeit den Menschen nicht vergewaltigt – das belegen die Aufrufe –, spricht nicht gegen ihren Machtcharakter. Vgl. die Diskussion über das Mächtedenken, in: L. de Lorenzi (Hrsg.), Battesimo e Giustizia in Rom 6 e 8, Rom 1974, im Anschluß an den Vortrag von R. Schnackenburg 60–72. Ferner M. Bouttier, La vie du chrétien en tant que service de la justice pour la sainteté, ebd. 127–154; du Toit, a. a. O., 270.276f; R. C. Tannehill, Dying and Rising with Christ (BZNW 32) (Berlin 1966) 14–20.

[11] Es sind nicht neutrale Instrumente gemeint: vgl. A. Oepke, ὅπλον κτλ, in: ThWNT V, 293f. Zur Kampfmetaphorik in Qumran vgl. K. G. Kuhn, ebd. 297–300. Aus Röm 13,12 erhellt die endzeitliche Situation.

[12] Das Problem des paulinischen Imperativs, in: ZNW 23 (1924) 265–281; vgl. auch Niederwimmer, a. a. O. 84.

Praxis den Indikativ erst wahrnehmbar macht. Darauf geht ja auch die Rede von der Frucht, wie G. Lohfink in der Diskussion anmerkte. Diesem Christentum, das sich durch die Tat beweisen will, muß allerdings die Frage nach der Ermöglichung gestellt werden. Umgekehrt betont heutzutage U. Schnelle die Erfahrung des Indikativs, der Christusgegenwart in der Taufe, die dem Imperativ den gesetzlichen Charakter nimmt. Auch Kollege Eckert sprach von „Christus-" und „Pneumaerfahrung", gestand aber zu, daß es vor allem der Geist ist, der in urchristlichen Zeiten eine gewisse Verifikation bietet. Wie steht es damit heute, wo solche pneumatischen Phänomene weithin entfallen? Ich möchte davor warnen, mit dem heute wieder gängigen Begriff „Erfahrung" falsche Erwartungen zu wecken. Auch bei Paulus ist der Indikativ Gegenstand des Glaubens. „Erfahrung" geschieht nur zeichenhaft im Sakrament, zugleich mag damit die Rezeptivität ausgedrückt werden, die den Vorgang der Rechtfertigung kennzeichnet. Aber das Wort suggeriert auch eine empirische Vorgabe, von der ehrlicherweise nicht die Rede sein kann.

7. Damit ist aber ein weiterer Punkt angesprochen: Welche Rolle spielt die christliche Gemeinde bei der Grundlegung und Ermöglichung der neuen Sittlichkeit? Kollege Eckert formulierte im Anschluß an H. Schürmann, daß die Gemeinde des Neuen Bundes Quellort des sittlichen Erkennens ist. M. E. geht es aber nicht nur um das Erkennen der Normen, sondern auch um ihre Verwirklichung. Eine zumindest vorpaulinisch geprägte Stelle wie 2 Kor 6, 14 ff zeigt, daß die plakativen Begriffe „Gerechtigkeit", „Licht" geradezu koextensiv mit der Gruppe sind, die sich als Tempel Gottes versteht. Was Gerechtigkeit und Heiligkeit ist, wird durch die Gruppenzugehörigkeit definiert. Heben sich die frühen Christen so stark von ihrer Umwelt ab, so fragt sich, wie heute eine unlösbar in die Gesellschaft verflochtene Christenheit doch aus einem neuen Lebenszusammenhang existieren kann[13]. Wie kann auch heute die Gemeinde Matrix christlichen Handelns werden? Die Sehnsucht nach einer bergenden

[13] Von diesem Problem ist z. B. G. Lohfink, Wie hat Jesus Gemeinde gewollt? (Freiburg 1982) bewegt.

Gemeinschaft, durch die man Identität auch im Handeln findet, ist groß. Wie geht das, ohne die epochale Säkularisierung zu verleugnen? Kann die Gemeinde die Erfahrbarkeit des Indikativs leisten, wo sie doch selber erst darauf aufbaut? Oder etwas pointiert gesagt: Ist die Nestwärme in der Gruppe dasselbe wie die ermöglichende Gnade Gottes?

VIII

Moraltheologie und Exegese heute

Von Franz Böckle, Bonn

Bevor nach dem Verhältnis von Moraltheologie und Exegese gefragt werden kann, muß zunächst die Moraltheologie, so wie sie sich heute versteht, grundlegend geortet werden. Seit dem 16. Jahrhundert, seit sie als Disziplin der theologischen Wissenschaft ihre Selbständigkeit erlangte, hat sie eine intensive Entwicklung und schließlich einen fundamentalen Wandel durchgemacht. Das zeigt sich deutlich in der neuen Terminologie, die von der Moraltheologie als „Katholischer Ethik" spricht. Der Kern dieser terminologischen Umorientierung ist nicht etwa eine billige Angleichung an protestantischen Sprachgebrauch, hier zeigt sich vielmehr eine echte *Neubesinnung,* in deren Mittelpunkt das Bewußtsein steht, daß *es bei einer fundamentalen Moral nicht um ein Gefüge von Gesetzen geht, sondern um ein befreiendes Gesetz des Heilsgeschehens in Christus.*

So steht die Moraltheologie heute an einem entscheidenden Wendepunkt ihrer Selbstfindung – angeregt und getragen von der Bewegung des II. Vatikanischen Konzils und von einer ihrer Verantwortung für die Welt ganz neu verpflichteten Theologie. Diese Selbstfindung katholischer Ethik stellt sich dar als ein Prozeß, der noch keineswegs abgeschlossen ist und der noch immer ein immenses Potential von Spannungen in sich trägt. Sie werden markiert durch Stichworte wie etwa „autonome Moral" [1] bzw. „theonome Au-

[1] Vgl. *A. Auer,* Autonome Moral und christlicher Glaube (Düsseldorf 1971); *D. Mieth,* Moral und Erfahrung. Beiträge zur theologisch-ethischen Hermeneutik (= Studien zur theologischen Ethik 2) (Freiburg i. Üe. – Freiburg i. Br. 1977).

tonomie“ [2] auf der einen und einer „Glaubensmoral“ [3] auf der anderen Seite[4]. Der Hintergrund dieser Spannung ist die nicht immer unproblematische Beziehung zwischen christlicher Moral und Praktischer Philosophie, zwischen Theologie und emanzipatorischer Geisteswissenschaft, letztlich zwischen Glaube und rationaler Theorie, die unter dem Einfluß einer oft radikalen Säkularisierungsdoktrin noch immer in hohem Maße exklusiv und nicht integrativ gesehen werden, und das sowohl von einseitig orientierten Philosophen und Gesellschaftstheoretikern wie auch Theologen. Hingegen muß eine ganzheitliche Sicht vom Menschen beide Denkbewegungen, die theologisch orientierte, wie die philosophisch orientierte, in ihrem wesentlichen und unverzichtbaren Zusammenwirken aufnehmen. Gerade in Fragen der Moral geht es nicht um ein Gegenüber von Rationalität und Irrationalität oder von Glaube und Unglaube; es geht vielmehr um ein Ineinander von Vernunft und Transzendentalität, das sich aus christlicher Sicht in der geschichtlich greifbaren Gestalt bezeugten Glaubens konkretisiert, ohne dadurch der Vernunft zu widersprechen.

Daher kann Moraltheologie als christliche Ethik nicht heteronome Gebotsmoral, aber auch ebensowenig absolute autonome Selbstsetzung des Menschen mit theologischer Ummantelung sein. Sie qualifiziert sich vielmehr als *Theorie menschlicher Lebensführung unter dem Anspruch des Glaubens,* so daß hier *die Wirklichkeit des Glaubens sich im Medium der Ethik auslegt.* Das bedeutet nicht, daß der Mensch dem Glauben bloß einen Nebenraum zubilligt, in dem er sich neben anderem auch noch darstellen darf; hier beansprucht das Leben selbst seine fundamentale, sinnvermittelnd ordnende Be-

---

[2] *F. Böckle,* Gesetz und Gewissen. Grundfragen theologischer Ethik in ökumenischer Sicht (= Begegnung, Eine ökumenische Schriftenreihe 9) (Luzern 1964); *ders.,* Fundamentalmoral (München 1977); *ders.,* Ethik, theologische, in: Wörterbuch Theol. Grundbegriffe (im Druck); *B. Schüller,* Gesetz und Freiheit. Eine moraltheologische Untersuchung (Düsseldorf 1966); *W. Korff,* Norm und Sittlichkeit. Untersuchung zur Logik der normativen Vernunft (TTS 1) (Mainz 1973); *K.-W. Merks,* Theologische Grundlegung der sittlichen Autonomie (MThS 5) (Düsseldorf 1978); *J. B. Metz,* Christliche Religion und gesellschaftliche Praxis, in: Dokumente der Paulusgesellschaft, Bd. XIX (München 1968) 29–41.

[3] Vgl. *B. Stoeckle,* Grenzen der autonomen Moral (München 1974); *K. Hilpert,* Ethik und Rationalität. Untersuchungen zum Autonomieproblem und zu seiner Bedeutung für die theologische Ethik (MThS 6) (Düsseldorf 1980).

[4] Zur Gesamtproblematik vgl. die Diskussion in ThQ 161 (1981).

stimmung und damit im Sinne christlicher Frohbotschaft seine erlösende Befreiung in der lebendigen und lebenschaffenden Kraft ganzheitlich wirksamen Glaubens.

So steht Moraltheologie in einem grundsätzlichen Bezug zur Offenbarung und damit zu ihrer biblischen Grundlegung und deren exegetischer Auslegung.

Diese Beziehung soll im folgenden näher untersucht werden.

I. Die Exegese in der moraltheologischen Theoriebildung

1. Der Ort der Exegese in der Moraltheologie

Ethisches Argumentieren, gleichviel aus welchem Horizont heraus es betrieben wird, kann gerade wegen dieses jeweiligen Horizontes nicht voraussetzungslos und nicht einfachhin neutral sein. Sittliche Erkenntnis ist immer Erkenntnis in Form von Anerkenntnis. Entsprechend ist sittliches Handeln immer vom personalen Engagement des sittlichen Subjekts geprägt. Dies gilt auch für *christliche Sittlichkeit.* Sie lebt aus dem Zeugnis für den menschgewordenen Logos. In ihm erscheint uns das Bild wahren Menschseins. Das macht sie grundsätzlich für alle kommunikabel.

Von diesem Zeugnis muß Moraltheologie bestimmt sein. Darin lebt sie aus der apostolischen Verkündigung und ist daher fundamental auf die Deutung der Schrift in der Exegese verwiesen. Damit kommt bereits eine entscheidende Aussage über das Verhältnis von Moraltheologie und Exegese in den Blick: *Moraltheologie läßt sich nicht auf exegetische Aussagen über Moral reduzieren.* Sie muß darüber hinausgehen; denn die evangelische Botschaft bedeutet nicht eine retrospektiv biblische Verkündigung, sondern eine auf das Leben hin dynamisch orientierte Verkündigung biblischer Aussagen in je neue Zeiten und je neue Gegebenheiten hinein. Während Exegese primär darauf gerichtet ist, biblische Aussagen in sich (unter Berücksichtigung der historisch-kritischen Methode) zu untersuchen, muß Ethik solche Aussagen für eine sich wandelnde Welt deuten und so Exegese in die Welt hinein auslegen. Sie kann deshalb exegetische Aussagen, die die Moral betreffen, nicht einfach rezitativ wiedergeben, sondern sie muß sie in der Form einer argumentativen Theorie sinngemäß einsichtig und anwendbar machen. Eine solche Applikationsfähigkeit setzt den Dialog mit anderen theologischen Disziplinen und mit einer Reihe anderer Wissenschaften voraus. Daraus ergibt sich ein mehrgliedriges Argumentationsgeflecht:

Ethik trägt die aus dem Selbstvollzug der Welt heraus sie beanspruchenden Fragen heran an die Exegese, an die Aussagen anderer theologischer Disziplinen; damit stellt sie innerhalb des eigenen Theoriebildungsgebäudes einen *interdisziplinären Dialog* her, *der zu einem fachspezifisch moraltheologischen Urteil führt*. Das macht deutlich, daß hier der Fragehorizont durch die Auslegung ins Leben hinein gegenüber einem auf Exegese beschränkten Fragehorizont notwendig verschoben sein muß, da es – wie schon gesagt – nicht um die Klärung primär innertheologischer Probleme geht, sondern um die gezielt theologische Klärung von Problemen im Lebensgefüge der Welt, die per se auch in einem Horizont von Pluralität stehen.

Der Exegese kommt dabei insofern eine wesentliche Funktion zu, als sie den fundamentalen Maßstab theologischer Argumentation bietet – allerdings nicht in der Art eines Formelrasters mit unbeweglicher materialer Füllung, sondern im Sinne der österlichen Botschaft vom Heil in Christus, im Sinne einer Botschaft also, die gerade durch den pfingstlichen Sendungsauftrag pneumatisch strukturiert ist und als solche nach der Auslegung „in fremden Sprachen" (Apg 2,4), also auch nach einer Auslegung für verschiedene Ansprüche und Beanspruchungen verlangt. Ethisches Argumentieren muß daher bewußt exegetisch fundiert, aber nicht exegetisch fixiert und beschränkt sein. Ethik wendet vielmehr Exegese in der Theorie menschlicher Lebensführung an und bringt sie verantwortlich, der jeweiligen Sache gemäß, zur Geltung.

2. Der systematisch-theologische Ansatz

a) Die analogia entis als inkarnatorisch strukturierte analogia fidei

Deshalb hat das Neue Testament auch kein exklusiv neues Ethos geschaffen, sondern das überkommene Ethos *unter dem Aspekt des christologisch strukturierten Bildes vom neuen Menschen in seine eigene Vorstellung von verantwortlicher Lebensführung integriert*. Unter der leitenden Perspektive des Heilshandelns Gottes und der Bestimmung des Menschen zum Heil in Christus wird kritisch das vorfindliche ethische Material gesichtet und selektiv, modifizierend und akzentuierend aufgenommen[5]. Es ist dies ein Prozeß der Herauslösung substantieller ethischer Aussagen aus ihrer spezifischen kulturellen und soziologischen, religiösen und kultischen Überformung und ihrer Applikation auf die konkrete Lebensrealität der christlichen Gemeinde. Die Bedingung der Möglichkeit solchen Urteilens liegt in der analogia entis, die sich für den Glaubenen als analogia fidei erweist. Denn die *inkarnatorische Struktur des sich in der Person Jesu Christi in die Welt hinein verwirklichenden Daseinsaktes Gottes für den Menschen impliziert notwendig eine Ethik die – als inkarnatorische Ethik – fundamental universalisierbar sein muß, um eine echte Realisierung des soteriologischen Anspruchs Christi „für die vielen" (Mt 26,28; Mk 14,24) zu ermöglichen.*

b) Theologiegeschichtliche Aspekte

Das entspricht dem *paulinischen Ansatz,* der in hohem Maße auf die jüdische Weisheit (und als solche auf die Lehre der praktischen Vernunft des Alten Orient) zurückgreift und Aussagen der griechischen Popularphilosophie verarbeitet. Paulus greift auf die in der Schöpfung grundgelegte „Heilsvernunft" des Menschen zurück, die immer im Gesamtzusammenhang eines übergreifenden Heilsgeschehens zu betrachten ist (vgl. Röm 1–3). Die *Kirchenväter* führen diesen Ansatz weiter und sehen (wie etwa Klemens von Alexandrien in seinem „Pädagogen") die Verbindung von Offenbarung und spätantiker Wissenschaft darin gegeben, daß überall da, wo man echte Sittlichkeit findet, der Lehrer Christus am Werk ist. Nach *Augustinus* fallen „Civitas Dei" (Heil) und Schöpfung als Ort der Erkenntnis zusammen, die theologia naturalis gründet in der freien Gnade Christi und selbst da, wo der Mensch von der Sünde zutiefst berührt ist, bleibt ihm an der Natur der Schöpfungswirklichkeit in Christus der je neue Anfang vorgreifend erschlossen. Diesen Gedanken übernimmt *Thomas* als Lehre von der Teilhabe der menschlichen Vernunft an der göttlichen Vernunft. Die kreatürliche Vernunft ist schon immer in Christus übernatürlich modifiziert und von Gott her und auf Gott

---

[5] Vgl. *H. Halter,* Taufe und Ethos. Paulinische Kriterien für das Proprium christlicher Moral (FThST 106) (Freiburg i.Br. 1977) 474ff.

hin dynamisiert. Die Möglichkeit zu gutem Handeln ist in recta ratio schon immer von Gott her mitgegeben.

In der beginnenden Neuzeit ist dieses Denken zunehmend verloren gegangen. Die Natur des Menschen wird verselbständigt und das supernaturale wird zum superadditum[6]. So wurde auch die Naturrechtsethik aus dem heilsgeschichtlichen Zusammenhang gelöst. Dahinter steht das Bemühen, eine Moral aufzuzeigen, die ohne Offenbarung für jeden Menschen gilt. Der Verpflichtungsgrund wird über die Widersprüchlichkeit des göttlichen Wesens mit der Naturordnung selbst verbunden. Die der Naturordnung entsprechenden Akte gelten als „in sich gut“. Es war also die Theologie selbst, die die Sittlichkeit dermaßen aus ihrer inneren Verbindung mit Offenbarung und Glaube gelöst und zu einem sich selbst genügenden System natürlicher Sittlichkeitsordnung gemacht hat. Eine Abkehr von einer solchen in sich geltenden, göttlich sanktionierten Ordnung und eine Rückbindung der Sittlichkeit an die Vernunft des Subjektes durch Kant, konnte demgegenüber nur als prometheische Rebellion erscheinen. Die Versuche zu einer Auseinandersetzung mit Kant konnten nicht gelingen, weil die Trennung von Natur und Gnade, von Philosophie und Theologie, von Vernunft und Glaube die Aufdeckung der verborgenen theologischen Wurzel in Kants transzendentaler Freiheitslehre verunmöglichte. Das gilt sowohl für Sebastian Mutschelle (1749–1800) in seinem positiven Bemühen um den Königsberger Philosophen wie auch für Benedikt Stattler (1728–1797) in seinem der Wolffschen Philosophie verhafteten Anti-Kant. Auch die Versuche einer Erneuerung der christlichen Ethik auf der Grundlage des Evangeliums – wie etwa J. M. Sailer und J. B. Hirscher sie vorlegen – scheitern angesichts der neuscholastischen Verankerung sittlicher Normen in einer der Vernunft zugänglichen Wesensordnung, die als Gottes Ordnung selbst gesehen wurde. Erst im zweiten Drittel des 20. Jahrhunderts gelingt unter dem Einfluß der biblischen und liturgischen Erneuerung und des philosophisch-theologischen Personalismus eine neue Orientierung der Moraltheo-

---

[6] Vgl. *G. Muschalek*, Schöpfung und Bund als Natur-Gnade-Problem, in: MySal, Bd. 2, hrsg. von J. Feiner – M. Löhrer (Einsiedeln 1967) 546–557, bes. 553.
T. Rendtorff, Theologische Problemfelder der christlichen Ethik, in: Handb. d. christl. Ethik 1, hrsg. von A. Hertz – W. Korff – T. Rendtorff – H. Ringeling (Freiburg i. Br. ²1978) 199–216.

logie aus der Mitte der Offenbarung in Christus heraus. Das *II. Vatikanische Konzil* hat unmißverständlich deutlich gemacht, daß der *Glaube eine Sache für die Welt ist;* Kirche muß sich in Welt hinein verwirklichen und in Welt Verantwortung übernehmen. Dieser Ansatz, der eine vom Heil Gottes her freigesetzte Autonomie des Menschen in der Wahrnehmung des ihm von der Welt und in der Welt treffenden konkreten sittlichen Anspruchs ermöglicht, ja fordert, steht ganz im Horizont der Erneuerung heilsgeschichtlicher Theologie, der *„Nouvelle Théologie"*, wie sie insbesondere von Theologen wie H. de Lubac, H. Bouillard, Y. Congar, M.-D. Chenu und K. Rahner im Anschluß an die Vätertheologie vertreten wird. Sie haben den heilsgeschichtlichen Bezug von Natur und Gnade neu entdeckt und entsprechend die Inanspruchnahme zeitgenössischer Philosophie zur Interpretation der Glaubenswahrheiten gefordert, eine neue Sichtung des Problems der Gotteserkenntnis angeregt und das Verhältnis des Christentums zu den nichtchristlichen Religionen in ein neues Licht gerückt[7]. Von hierher läßt sich die vieldiskutierte *Beziehung von Glaubensethik und autonomer Sittlichkeit* systematisch neu erschließen und der scheinbare Widerspruch im systematisch-theologischen Ansatz aufheben. Die uns in der Moraltheologie leitende Fragestellung ist nicht die Möglichkeit einer Ethik ohne Gott, sondern es geht uns um das innere Voraussetzungs- und Überbietungsverhältnis von sittlicher Freiheit und christlicher Freiheit. Daß dieser Ansatz aber nicht nur theologisch spekulativ ist, sondern zutiefst dem neutestamentlichen Reden von der soteriologischen Verfaßtheit des christlichen Ethos entspricht, soll im folgenden verdeutlich werden.

II. Inhaltliche Aspekte – die christologische Durchformung des Ethos

Es kann dabei nicht um ein geschlossenes Netz von Aussagen gehen, sondern um einen ethossystematisierenden Rückgriff auf die inhaltliche Aussagekraft der Person Jesu Christi und ihre soteriologische Wirkgeschichte als greifbarer Orientierung christlicher Lebensfüh-

---

[7] *A. Darlap,* Nouvelle Théologie, in: LThK VII, 1060f.

rung. Dabei ist notwendig auszugehen von der Verkündigung Jesu, wie sie sich, auch über die ipsissima vox hinaus, im gesamtneutestamentlichen Bild darstellt.

1. Die Existenzweise Jesu als Brennpunkt sittlicher Existenz

Im Glauben an Gottes Heilstat in Jesus Christus *findet der sittliche Freiheitsvollzug den tragenden Grund und Sinn*. Die ständige Erinnerung der urkirchlichen Paränese an das, was Gott durch Jesus Christus am Menschen getan hat und immerfort tut, weist entsprechend hin auf den tragenden Grund und das Leitmotiv des sittlichen Lebens der Christen. Es wird eine grundlegende Entscheidung (metanoia, Umkehr) gefordert, die als „fundamentum et radix" (DS 1532) die ganze sittliche Existenz bestimmt. Es handelt sich um ein Leben aus der *Entscheidung für Gott*. An der Existenzform Jesu läßt sich ablesen, welches die letzte, das Menschenleben bestimmende Wirklichkeit sei. Diese letzte, ihn bestimmende Wirklichkeit nennt Jesus „Abba, Vater". Aus dieser personal vertrauenden Bindung gewinnt er sein Leben. Diese Grundentscheidung für Gott im Geiste Christi, die glaubend, hoffend und liebend gelebt werden will, bildet den Kern des christlichen Ethos. Insofern sie in einem reflektierten Bezug auf die Botschaft und das Wirken Christi gründet, kann man darin eine exklusiv christliche Haltung sehen. Die so „in Christus" gewonnene neue Existenz gibt dem ganzen Leben eine *unterscheidende Richtung*. Das Handeln ist nicht ein dunkler Lebenskampf um das zu schaffende Heil, sondern personale Einwilligung und personales Eintreten in die bereits wirksame Heilswirklichkeit, also ein *Handeln aus der erschlossenen Fülle des Heils*. Das Ziel ethischen Handelns ist es daher auch nicht in erster Linie, die Welt auf Gott hin in Bewegung zu setzen, sondern die heilsam bewegende Kraft Gottes in dieser Welt sichtbar zu machen und so die Gottesgestalt der Welt offenzulegen. In demselben Sinne ist der absolute Sollensanspruch, der den Christen trifft, in seiner nach außen hin ablesbaren *materialen* Gestalt nicht exklusiv und anders – es geht immer um Liebe in Freiheit –, aber er ist fundamental anders geprägt, denn der Mensch steht hier nicht einfach unter dem Postulat geforderten Liebenmüssens, sondern er lebt aus der ermöglichenden Gabe geschenkter Liebe, die vom Menschen her im Weiterschenken dieser Liebe ihre gültige Antwort findet.

Nimmt man dies alles zusammen, so erweist sich als eine der grundlegenden Bestimmungen christlicher Ethik

a) die Basileia Gottes

Das Reden von der Basileia ist eine spezifisch christliche Aussage. Mit seiner Basileia-Botschaft steht Jesus zwar unzweifelhaft in der Tradition des Alten Testaments und des Täufers, der in seinem Bußruf die Sünder zur Umkehr unter die Herrschaft Gottes auffordert; doch Jesus vollzieht den entscheidenden Umbruch: an die Stelle der Umkehr angesichts des zu erwartenden Gerichtes tritt die Umkehr als „Annahme der dem Gericht zuvorkommenden Güte Gottes"[8]. Darin erweist sich „Gottes befreiendes Recht der Liebe"[9] und damit *erweist sich die Zukunftsgestalt der Welt zugleich als ihre, wenn auch noch verborgene, Jetztgestalt.* Daraus ergibt sich eine Zweipoligkeit ethischer Verantwortung: sie zielt futurisch und zugleich präsentisch auf die Offenlegung der Basileia. Ethisches Handeln darf weder dem „Jetzt", noch dem „Später" verhaftet sein. Der biblisch-ethische Maßstab, den die Basileia setzt, ist der *Maßstab der auf Zukunft hin zu gestaltenden Gegenwart.*

Das bedeutet zugleich auch, daß Sinn und Ziel der Ethik positiv und nicht negativ formuliert werden müssen: es darf nicht darum gehen, durch strafende Verfolgung Versagen zu ahnden – damit würde Ethik ihren eigentlichen Auftrag in der Basileia verfehlen – sondern ihr Ziel ist die *liebende Ermöglichung des Gelingens menschlicher Existenz.*

Eng verbunden mit der Basileia ist ein anderes christlich-ethisches Grundprinzip:

b) der Wille Gottes

Jesus setzt die Basileia präsent durch seine eigene Lebenspraxis, die er selbst immer wieder als die *Verwirklichung des Willens Gottes* be-

---

[8] Vgl. *J. Becker,* Das Problem der Schriftgemäßheit der Ethik, in: Handb. d. christl. Ethik 1, hrsg. von A. Hertz – W. Korff – T. Rendtorff – H. Ringeling (Freiburg i. Br. ²1978) 243–268, bes. 248.

[9] *P. Stuhlmacher,* Vom Verstehen des Neuen Testaments. Eine Hermeneutik (GNT, NTD Ergänzungsreihe 6) (Göttingen 1979), 255.

stimmt. Der Wille Gottes ist das „neue Interpretationsprinzip" menschlicher Lebensführung und hier zeigt sich „die entscheidende menschliche Haltung" [10], die der Basileia entspricht. In dieser Haltung ist Jesus der – freilich nie zu erreichende – Prototyp ethisch verantworteten Menschseins aus dem Glauben; er ist das Vorbild des Menschen, der sich auch durch bestehende Verhältnisse und Ordnungen hindurch immer wieder zu Gott durchfragt. Das bedeutet konkret, daß selbst biblisch festgeschriebene ethische Aussagen nie von der eigenen Verantwortung als Antwort auf den Willen Gottes entlasten. Der Lebensentwurf Jesu war, sieht man vor allem etwa auf das Geschehen am Ölberg (vgl. Mk 14,32ff u.ö.), der eines Fragenden, der gerade aus seiner vertrauenden Bindung an Gott in der je neuen Situation herausgefordert und zum fragenden Suchen ermächtigt ist. So qualifiziert sich aus dem Neuen Testament heraus christliche Ethik als eine *Ethik, die aus der Dynamik ihrer soteriologischen Gewißheit sich immer wieder neu auf den Willen Gottes hin entwerfen muß.*

Ausrichtung auf die Basileia und den Willen Gottes sind im Lebensentwurf Jesu Ausdruck seiner existentiellen Grundoption, die im Philipperhymnus (Phil 2,6ff) bestimmt wird als

c) die Radikalisierung des Lebensentwurfes in der Kenosis

Dies ist die Haltung, die das „Gesetz des Christus" (Gal 6,2) ausmacht[11]. Sie liegt christologisch aller christlichen Ethik voraus und sie bedeutet für den Glaubenden das personale Ziel seiner Sittlichkeit, so daß er als „enomos Christou" (1 Kor 9,21) im *Mitvollzug des Lebensentscheides Jesu,* nicht in der Nachahmung von Einzelhandlungen Jesu, christusgestaltig wird. Solcher Mitvollzug der *Entäußerung* ist die äußerste Radikalisierung der Hinwendung zum „Du", und zwar sowohl zum Du des anderen Menschen, wie auch zum Du Gottes[12]. In dieser radikalen Hingabe gibt das Ich sich selbst weg,

[10] Vgl. *R. Schnackenburg,* Biblische Ethik II, in: Herders Theologisches Taschenlexikon, Bd. 1, hrsg. von K. Rahner (Freiburg i.Br. 1972) 299–304, bes. 299.

[11] Vgl. *H. Schürmann,* „Das Gesetz des Christus" (Gal 6,2). Jesu Verhalten und Wort als letztgültige sittliche Norm nach Paulus, in: ders., Jesu ureigener Tod. Exegetische Besinnungen und Ausblicke (Freiburg i.Br. 1974).

[12] Vgl. *H. Merklein,* Die Gottesbotschaft als Handlungsprinzip. Untersuchung zur Ethik Jesu (FzB 34) Würzburg 1978) 267.

nicht um sich zu verlieren, sondern um so die höchste Gestalt unverwechselbaren Selbstseins zu gewinnen, das analog zur Auferstehungsgestalt Jesu auch in der Auferstehungsgestalt des Menschen seine letztgültige Form findet. Der Anspruch, der fordernd und ermöglichend hinter dieser Haltung steht, ist die „größere Gerechtigkeit“, die Verkündigung und Handeln Jesu entscheidend prägt, und die vor aller materialen Aussage den wesentlichen Inhalt der Bergpredigt darstellt[13]. Diese „größere Gerechtigkeit“ hat ihre Quelle in der Gerechtigkeit Gottes, der immer, über alles Maß an Billigkeit und Schuldigkeit hinaus, Heil will und Heil schafft. Der damit gesetzte Maßstab kann dann nicht mehr die äußere Erfüllung eines Gesetzes sein, sondern die *Erfüllung der Liebe* selbst. Damit wird das Gesetz nicht abgeschafft, es wird vielmehr in einer Weise in Kraft gesetzt, die alle bisherigen Vorstellungen von Gesetzeserfüllung auf eine – für die jüdischen Gegner Jesu oft erschreckenden, ja skandalösen Art – übertrifft. Das Gesetz wird nicht mehr materialiter erfüllt, sondern personaliter, wobei die personale Erfüllung sowohl von dem handelnden sittlichen Subjekt selbst, wie ebenso auch von den betroffenen Subjekten her zu bestimmen ist. Das heißt, die Person wird zum Prinzip und, in einem positiven Sinn, auch zum Material des Ethos; Ethos als *neutestamentliches Ethos ist personaldynamisch qualifiziert.*

2. Liebe als überschreitende Dynamik der Vernunft

a) Die Vernunft der Liebe

Angesichts kalkulatorischer Vernunft scheint sich eine Haltung, die in der Kenosis wurzelt, nicht rechtfertigen zu lassen, sie erscheint unvernünftig. Dieser scheinbare Widerspruch des Findens im Verlust, des Ergreifens durch das Loslassen löst sich jedoch auf im Kreuz Jesu Christi und in der Entschlüsselung seines Todes in der Auferstehung. Durch das Eintreten in diese sich österlich offenbarende Liebe Gottes wird im Menschen ein Potential an Liebe, das zu seinem Schöpfungswesen gehört, auf Unendlichkeit hin freigesetzt. Liebe – als ganzheitlich personale Dimension – ist nie unvernünftig;

[13] Vgl. *F. Böckle,* Fundamentalmoral (s. Anm. 2) 214–218.

es gibt geradezu eine *Vernunft der Liebe, die weiß, daß im bloßen Kalkül die Realität nicht erschöpfend erfaßt werden kann.* So geht auch Sittlichkeit als Ausdruck wahren Menschseins, selbst da, wo sie „bloß“ unter dem Gesichtspunkt des Humanum vertreten wird, tiefer als Berechnung. Ein Fortschritt der Sittlichkeit ist darum auch kaum möglich ohne eine überschreitende Haltung, die auf das „Mehr“ Gottes hin ausgeht und in der der Glaubende in rational nicht weiter zerlegbarem Mut *über sich selbst hinauswächst.* Dadurch wird das Handeln nicht unvernünftig; der Glaubende handelt aus der Gewißheit, daß die Liebe die tiefste Dynamik auch der Vernunft ist, weil sie die Vernunft personal-ganzheitlich aktualisiert.

b) Liebe als universalisierendes Prinzip des Sittlichen

An dieser Dynamik hat jedoch nicht nur der Glaubende Anteil; sie erschließt sich auch dem Nicht-Glaubenden, wenn er mit Blick auf die Würde des Menschen ganzheitlich sittlich urteilt und handelt. So spricht auch schon Paulus von der Verantwortung der „Heiden“. Ihr Gewissen – als der anthropologische Ort des Glaubens – meldet den Anspruch an, es verklagt und es verteidigt sie. Wenn im Zusammenhang der Schuldgeschichte der Anspruch verkannt wird, so ist doch die Erfüllung des sittlichen Gesetzes nicht einfach ausgeschlossen (Röm 2,10). Das bedeutet jedoch gemäß der paulinischen Rechtfertigungslehre niemals ein Tun des Guten aus eigener Kraft und Einsicht, sondern immer aus der umfassend wirkenden Gnade Christi. Denn die in der Kenosis Christi konkretisierte Liebe umfaßt vorgreifend jeden, der qua Schöpfungswirklichkeit auch in den Heilswillen Gottes eingeschlossen ist, also alle Menschen. Jeder einzelne ist als Bild Gottes (Gen 1,26) von jeher in die Dynamik der göttlichen Liebe eingeschlossen und hat als Bild Gottes wesensmäßig Anteil an der in ihm selbst zur Wirkung kommenden Liebe, die seine Würde entscheidend ausmacht. Die nachpaulinischen Aussagen des Kolosserbriefes lassen das noch deutlicher werden: Christus als Prototokos der Schöpfung ist von ihrem Ursprung her auch ihr bewegendes Ziel (Kol 1,13ff). „Alles ist durch ihn und auf ihn hin geschaffen. Er ist vor aller Schöpfung, alles hat durch ihn Bestand.“ (Kol 1,16b.17) Von daher *umgreift die Gnade Christi universal auch die Nichtglaubenden und vermittelt ihre innere Fähigkeit zum Guten.* Wo die Dynamik dieser Liebe erkannt und anerkannt wird, wo bewußt und entschieden danach gehandelt wird, da wird das präsentische Zeugnis der Liebe Gottes und die präsentische Durchformung des Ethos durch die Liebe sichtbar; wo sie unerkannt bleibt, aber dennoch das Handeln prägt, zeigt sich das *eschatologische Zeugnis eines bereits im Präsens vom Heil ergriffenen Ethos.*

3. Die ekklesiologische Dimension und die Dimension der Freiheit

So ergibt sich für die christliche Ethik nicht der Charakter einer „Sondermoral"; ihr Proprium ist vielmehr die *christozentrische Entschiedenheit für eine Moral liebender Vernunft,* die in der pneumatisch durchformten Struktur des Gottesreiches mitten in der Realität dieser Welt und für diese Welt echt menschliches Leben möglich macht. In diesem Sinne ist christliche Moral vom Neuen Testament her immer auch ekklesiologisch geprägt. Sie versteht sich gemäß dem Auftrag der Kirche sakramental; sie will von der durch Christus als *sacramentum mundi* berufenen Kirche her die Welt zu ihrer Gottesgestalt hin verändern und dem Menschen helfen, Mensch zu sein. Aus diesem Grunde muß sie auch eine Moral der Freiheit sein. Aus dem Zeugnis der Bibel heraus hilft sie dem Menschen, sich selbst zu bestimmen, ohne sich in Willkür zu verlieren und so letztlich tiefster Unfreiheit zu verfallen. „Das neue Freisein besteht darin, daß der Mensch gut handelt, jedoch auf unerhörte Weise: er handelt gut nicht nur wegen des hohen Wertes und gewiß nicht lediglich deswegen, weil es geboten ist, sondern weil das Guthandeln für ihn zum Ausdruck seines unbedingten Entschlusses wird." [14] So gründet der Mensch sich in Gott und wird dadurch er selbst; und das ist der Grundakt der Selbstbestimmung im *Vollzug transzendentaler Freiheit,* deren adäquates und erfüllendes Ziel nur unbedingte Freiheit sein kann. Dies entspricht dem neutestamentlichen Reden, das den Neuen Bund getragen sieht vom Gnadengesetz Gottes mit seiner pfingstlichen, geistgewirkten Dynamik. Der in Christus konkretisierte absolute Sollensanspruch führt über das „enomos Christou" zu einer gültigen Weltgestaltung, wobei Freiheit und Bindung sich

[14] *H. Krings,* Der Preis der Freiheit, in: Werte Rechte Normen, hrsg. von *A. Paus* (Kevelaer – Graz 1979) 11–27, bes. 12f.

durch die Liebe gegenseitig ermöglichen. Durch die exegetischen Perspektiven läßt sich so im Bereich der Moral von *christonomer Autonomie* sprechen.

Schlußbemerkung: Ethik als Theorie der Lebensführung aus dem Glauben

Ethik auf dem Boden der Exegese ist somit eine Theorie der Lebensführung aus der Glaubensentscheidung für Christus, ein Entwurf der Existenz auf den Gott und Vater Jesu Christi hin aus der Kraft des pfingstlichen Geistes. Es geht um ein Sich-hinein-leben in die Existenzweise Jesu, durch die der einzelne zugleich ganz zu sich selbst kommt. Und sie ist universal orientierte Ethik, die aus der Befreiung der Erlösung heraus, in der Dynamik der Liebe, das wahre Humanum vom Glauben her zur Sprache bringt und es zeugnishaft zu verwirklichen sucht. Die Kernfrage einer vom Glauben geprägten Ethik kann darum nicht heißen, ob die für das zwischenmenschliche Verhalten sich stellenden Forderungen nur von Christen vertreten werden. Die Frage heißt vielmehr, ob und wie die sich aus der umfassenden Botschaft des Evangeliums ergebenden Konsequenzen für das zwischenmenschliche Leben allen Menschen verständlich gemacht werden können, weil sie im Blick auf die heilsgeschichtlich verstandene Natur im Prinzip konsensfähig sind. Die Heilsgeschichte vollzieht sich in der großen Zuordnung von Verheißung und Erfüllung. Insofern Jesus Christus in seinem Kommen Erfüllung brachte, waren seine Forderungen neu und anders, ohne dem Menschlichen fremd zu sein. So sind auch die Verheißungen des kommenden Herrn, im Heute verkündet, provokativ anders, als pragmatisches Denken ersinnt. Trotzdem verfremden auch sie den Menschen nicht; sie sind vielmehr geeignet, den Menschen vor sich selbst zu bringen. Und da die Verheißung seit dem Schöpfungsmorgen allen Menschen gegeben ist, so ist auch die Offenheit dafür wie die *grundsätzliche Möglichkeit zur Erkenntnis* überall zu finden.

Autorenregister

Aufgeführt sind die in den Beiträgen dieses Bandes zitierten Autoren mit ihren Arbeiten in Kurztiteln. Die Zahlen beziehen sich auf die Seitenziffern dieses Bandes.

In derselben Reihe ist erschienen:

Heilsgeschichte und ethische Normen

Mit Beiträgen von
Klaus Demmer, Bernhard Fraling, Franz Furger, Hans Rotter.
Herausgegeben von Hans Rotter
Vorwort von Karl Rahner

Dieses Buch enthält neue, zukunftsweisende Beiträge zur Normbegründung. Die Autoren, Moraltheologen in Würzburg, Innsbruck, Luzern und Rom, wollen den Streit um die kontroversen Modelle – Wesens- gegen Situationsethik, Naturrecht gegen Rechtspositivismus, theonome gegen autonome Moral, deontologische gegen teleologische Normbegründung – überwinden, indem sie die geschichtliche Sichtweise als methodischen Ansatz der Moraltheologie herausarbeiten. Im Mittelpunkt steht die Grundeinsicht, daß nicht nur die Natur des Menschen, sondern auch die Botschaft des Glaubens wesentlich (heils-)geschichtlich ist. Hierbei geht es nicht um die lapidare These, daß ethische Normen wandelbar sind, sondern um einen tieferen und vielfältigeren Geschichtsbegriff: um die Einsicht, daß geschichtliche Ereignisse sinnstiftend sein und Hoffnung geben können – Hoffnung, die sich auf die gesamte Einstellung des Menschen zu den Werten auswirkt. In diesem geschichtlichen Denken spielt für die Autoren die Erinnerung an das Heilshandeln Gottes in Christus und an die eschatologische Hoffnung eine unverzichtbare Rolle in der Moraltheologie. Diese geschichtliche Begründung der Ethik und ihres Anspruchs bewahrt die Moraltheologie vor der Reduzierung auf eine „Normierungstheorie" und eröffnet die Chance, das biblische Ethos wieder angemessener zu erfassen und in die Anweisung zum christlichen Leben zu integrieren.

160 Seiten, Paperback. ISBN 3-451-02099-8

Verlag Herder Freiburg · Basel · Wien

René Girard

Das Ende der Gewalt

Analyse des Menschheitsverhängnisses

Vorwort von Norbert Lohfink

„Ein Buch, das die Welt verändern kann" (Nouvel Observateur).

„Sein Buch, in Frankreich bereits mit mehr als 50000 Exemplaren verbreitet, versteht sich als ein drängender Anstoß von bleibender Bedeutung, nunmehr endlich von jeder Gewalttätigkeit abzulassen und nach Christi Vorbild zu völliger Gewaltlosigkeit umzukehren. Für R. Girard, der durch die Wissenschaft das Christentum neu entdeckte, ist die Verwirklichung der Bergpredigt die einzige Möglichkeit, die die Menschheit heute zum Überleben hat" (Publik-Forum).

„Wer sich die Mühe macht, dieses Buch zu lesen, wird sicher anschließend nachzudenken haben. Girard analysiert die kollektive Gewalt nicht auf den altbekannten Schienen der Soziologen, Psychologen, Biologen und Theologen. Er verdeutlicht teils erfrischend polemisch, teils verblüffend klar, wie wenig uns das Einzelwissen, besonders der Ethnologie weiterbringt, wenn wir nicht die Zusammenhänge, die Querverbindungen zwischen Kulturenentwicklung, Religion und Sozialgeschichte erkennen ... Es lohnt unbedingt, das Buch zu lesen und es zu verdauen. Girard zeigt schließlich Hoffnung auf, wo uns die klassischen Wissenschaften oft nur blindes Schicksal andeuten: in unserer Seele, die aus dem Glauben an einen gewaltfreien Gott lebt" (pax christi, Frankfurt).

304 Seiten, Paperback. ISBN 3-451-19017-6

Verlag Herder Freiburg · Basel · Wien